사람으로 왔는데
중생으로 갈 수는 없잖아

사람으로 왔는데 중생으로 갈 수는 없잖아

지극히 평범하고 게으른 산골중의 성장기

법혜

·

쓰고 그리다

가까이도 멀리도 아닌 곳에서 본 살아있는 글

아!

대단하다.

훌륭한 사람은 사흘만 눈 밖에 두어도 아주 많이 달라져서 눈을 씻고 본다더니. 보고 있었어도 몰랐구나 하는 것을 느끼게 해준다. 정진(精進, viriya)이라는 말, 부지런하다는 말, 게으르지 않다는 말은 그래서 쓰임새 있는 것이렷다.

한국에서 출가해 어른 스님들과 겪은 이야기부터 시작해서 미얀마의 수도원과 저잣거리에서 가르침을 받는 이야기, 미생 전까지는 아니더라도 아주 가까이 가서 살피는 모습이 매우 진솔하고도 재미나게 그린 책이다. 살펴서 매듭을 풀어가는 데까지 그렸으니 그 매듭은 곧 풀어지거나 이미 풀렸을지도 모르겠다.

한 사람, 한 수행자의 이야기이지만 마하야나 불교권 한국불교의 문제와 해결점 그리고 그니(尼)가 대안으로 찾은 테라와다 불교권 미얀마불교의 좋은 점과 문제점도 매우 명징하게 그렸다. 손수 보고 듣고 맡고 맛보고 닿아보고 살펴서 안 것을 적바림한 것이므로 꿈틀꿈틀 살아있는 글이다.

4

스승과 제자 사이의 모습, 부모와 자식 또는 친척과의 대화, 함께 살아가는 사람들, 함께 수행하는 사람들, 곁에서 돕는 사람들, 더불어 살아가는 동물들, 어우러져야 하는 식물들, 우러러보는 하늘과 별들, 내려다봐야 하는 땅과 그 속에서 꿈틀거리거나 그냥 들어 있는 것들, 흐르면서 겪었던 하나하나의 물상들과 사건, 사고들을 통해 이렇게 다양하면서도 가야 할 길(志向點)을 분명하게 그려낸 글이 또 있을까 싶다. 수많은 탈 것들과 타는 것들에 관해서도 재미있게 살폈다. 눈이나 맘이 길을 좀 천천히 걷게 하기도 한다.

　　가까이도 멀리도 아닌 곳에서 본 이야기라서 그럴 것이다. 멀리서나 아주 가까이 현미경으로 보아 아름답지 않은 것 없지만 가깝지도 멀지도 않은 거리에서 보면 그냥 이것이요 그것이거나 저것일 따름이다. 그 속에 정을 넣어서 살갑게 하거나 미쁘지 않게 할 따름이다.

　　고타마 싯다르타가 붓다가 되어 처음으로 한 설법이며 마지막까지 설한 가르침이 윤회에서 벗어나는 목표인 길에 명중하는 가르침(中道)이며 그것은 『전법륜경(轉法輪經)』이라는 경전에 나와 있는 '사성제(四聖諦)' 곧 네 가지 '성스러운 가르침'이다. 앞의 셋은 문제와 원인 그리고 결과이며, 결과를 이루게 하는 길(方法=修行)로 제시한 것이 여덟 가지 바른길(八正道)이다. 그니가 배운 스승의 가르침 또는 표현은 많은 사람들이 알고 있는 표현과 조금 다르다.

나도 다른 이들과 다른 견해를 가지고 있는데, 정명을 생계나 직업이라고 번역하는 것은 '맞지 않다' 생각해 '바른 생활'이라 해왔다. 그런데 스승과 그니는 '바른 표정'이라 풀이하고 있다. 화두를 제시하는 것이라고도 볼 수 있다. '수행'이라는 것이 수행하는 것과 그 기법을 익히는 것과는 반드시 일치하지는 않는다는 사실을 분명하게 안 모양이다. 열심히 기도한다고 착해지고 부지런히 수행한다고 번뇌가 싹 녹고 인격이 완성되는 것은 아니다. 착해지고, 번뇌를 녹이고, 인격을 완성시킨다는 목표를 가지고 기도하고 수행할 때 바라는 바를 향해서 다가가게 되는 것이다.

사두사두사두! 선재선재선재! 훌륭훌륭훌륭!

그니의 수행처와 수행 방법 그리고 지금의 그니를 있게 한 스승들의 마음속 지도와 나침반이 분명하게 그려진 좋은 글을 따라서 함께 걷기를 바란다는 말로 추천사를 갈음한다.

법현 스님

이 책을 읽는 내내 여행을 하는 것 같았다. 깊은 산 속에서 살아보기도 하고 미얀마에도 갔다가 홍천의 오래된 농가에서 생활하기까지, 순간 순간 그 자리에 있는 듯 풍경이 그려졌다. 때로는 안타까워 마음이 짠해졌다가도 깨달음을 얻고자 떠났던 그 순간의 용기가 부러워지기도 했다. 하지만 쉽게 선택할 수 없는 삶인 것을 안다. 그래서 그 삶을 통한 경험과 지혜가 더 귀하게 여겨진다.

스님과 처음 만난 곳은 강원도 평창, 봉평에 위치한 작은 산방이다. 스님은 일주일에 한 번 명상 프로그램을 운영하시는데, 불자는 아니지만 그곳에서 몇 년 동안 명상을 했다는 친구와 함께 갔다. 명상에 관심이 있기도 했지만 '스님이 왜 절에 안 계시고 민가에서 사시나?' 궁금하기도 했다. 나는 독실한 기독교 신자는 아니어도 태어났을 때부터 교회를 다녔던지라 그 외의 종교 시설이나 그 시설에 몸담은 이들은 퍽 두렵고 무서운, 친해지기 힘든 낯선 존재였다. 그래도 종교와 관계 없이 차도 마시고 편히 이야기를 나눌 수 있다는 친구의 말에 안심하고 용기를 냈다.

무위산방은 낡고 오래된 농가였지만 그 안은 스님이 내주시는 차처럼 따뜻한 곳이었다. 함께 명상하는 분들과 둘러앉아 마음을 들여다보고, 들여다본 마음에 관한 이야기를 나누었다. 그 뒤로도 그냥 차를 마시러 혹은 마음이 흔들려 몇 번을 찾았다. 서울살이를 정리하고 강원도로 내려온 뒤 삶의 터전을 바꾸는 일이 쉽지 않음을 느끼던 때였다.

이런저런 이유가 겹쳐 삶이 비틀거릴 때마다 스님이 마음의 힘을 기를 수 있는 이야기를 던져주셔서 위로를 받았다. 그 이야기들은 단지 순간의 위로나 이렇게 살아야 한다는 무조건적인 가르침이 아니었다. 나의 삶을 지혜롭게 바라보며 중심을 잡고 살아가는 방법에 관한 이야기였다. 정답이 아니라, 정답을 찾아가는 방법에 관한 이야기였다.

이 책도 그렇다. '이렇게 살아라, 저렇게 살아라' 하는 가르침을 주는 것이 아니다. 스님의 삶을 통해 나의 삶을 생각해 볼 수 있는 여지를 준다. 그래서 적어도 두세 번은 읽고 곱씹어야 하지 않을까 싶다.

지금은 어쩌다 보니 (운이 좋게도) 스님이 머무시는 무위산방과 가까운 곳에 둥지를 틀었고, 마음이 흔들릴 때마다 바로 달려가 처방받을 수 있게 되었다. 살아가며 인생의 좋은 선배나 스승을 만나기란 쉽지 않은데 삶을 지혜롭게 살 수 있도록 이끌어 주고 본인의 삶에서 그것을 고스란히 보여주는 분이 가까이 있다는 것은 커다란 축복이자 행운이 아닐 수 없다.

스님을 이웃해 일 년의 가까이의 시간을 보내고 지금까지의 나를 돌아보면 철부지 어린아이 같은 모습에서 조금은 성장했음을 느낄 수 있다. 보이지 않는 미래에 불안해하고 지나간 날들에 사로잡혀 힘들었던 순간마다 스님과 함께한 담마와 알아차림을 통해 아직은 부족하지만 조금은 더 현재를 바라볼 수 있는 마음과 마음의 버팀목이 생겼다.

가끔은 나의 힘듦으로 스님을 너무 귀찮게 하는 것 같아 죄송스러울 때가 있다. 그때마다 스님은 '중은 원래 그런 일을 하는 사람'이라며 웃으셨는데, 마음이 흔들리는 순간마다 들여다볼 책 한 권이 생겼으니 조금은 덜 귀찮게 해드릴 수 있지 않을까 싶다. 이 책을 읽는 분들도 마음의 힘을 얻기를 바란다.

일러스트레이터
선미화

프롤로그

사람들은 저마다, 누구에게나 버젓이 잣대를 댑니다. 대통령은 대통령 다워야 하고, 군인은 군인다워야 하고, 스승은 스승다워야 하고, 학생은 학생다워야 하고, 부모는 부모다워야 하고, 자식은 자식다워야 하고 승려는 승려다워야 한다고.

너무 가까워 팔이 안으로 굽는다는 진리(?)를 거스르지 못하는 이들 말고는 거의는 겉모습만 보고 지레 '스님은 자비로운 마음을 쓰면서 인연법(因緣法)을 말하는 근엄한 할 것'이라는 굳은 틀에 집어넣고 궁굴려보다가 틀에 맞지 않으면 실망하기 일쑤지요. 그러나 어느 날 잿빛 승복 입고, 가사를 수(垂)했다고 '스님'이 되는 게 아닙니다. 스님도 스님으로 거듭나는 시간이 필요한 법이지요.

이 책에는 '뭣뭣다움'이 많지 않습니다.

사람이라면 누구나 태어나면서 바로 어른일 수 없듯이, 아기가 아이로 자라 어른이 되어가는 과정이 있듯이, 불교 불(佛) 자도 모르던 까막눈이 어쩌다가 승려가 된 뒤 승려로 거듭나는 과정이 있을 뿐입니다. 한마디로 승려의 성장기인 셈입니다. 어떤 알음알이에는 눈을 뜨고. 어떤 알음알이는 버리기도 하고. 어떤 알음알이에는 실망도 하면서 살다가 어떻게 바뀌어 가는지…!

누구나 전생(前生)이 있습니다.

뒤돌아보면 '참, 잘했다' 여기는 순간보다는 '왜 그랬을까!'라고 후회되는 순간들이 더 많습니다. 그러나 그날들이 없었다면 '오늘, 지금의 나'도 없겠지요? 개구리가 되었다고 올챙이 시절을 까마득하게 잊는 능력(?)이 저절로 작동하고 있겠지만, 올챙이 때의 연못과 개구리 때의 연못은 많이 다름을 알아차려야겠지요?

자신만의 틀을 깨트리려고 노력하고 사람다우려고 노력하는 승려, 또는 그런 사람을 만나면 실망하기보다는 응원해 주세요. 그리고 함께 시나브로 시나브로, '전생의 나, 마음에 안 드는 나'와 이별하고 '지금의 나'를 만나기로 하시자고요.

중은   '衆'이다. - 개인이 아닌 무리 속에 있기 때문이다.

　　　 '衆'이다. - 잿빛 먹물 옷을 입은 승려의 무리, 중이다.

　　　 '中'이다. - 즐거움이나 괴로움, 높고 낮음, 좋다, 좋지 않다에
　　　　　　　　 치우치지 않기 때문이다.

　　　 …'ing'다. - 걷고 머물고 앉고 눕고 말하고 말 않고 움직이고
　　　　　　　　 가만히 있음을 알아차림 하기 때문이다.

　　　 '지금'이다. - 과거에 끄달리지 않고 미래에도 끄달리지 않고
　　　　　　　　 오직 지금을 살아야 하기 때문이다.

차례

1장 모르는 중, 답답한 중

2장 헤매는 중

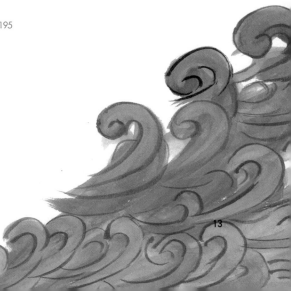

그리고,

1장

모르는 중, 답답한 중

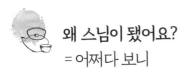

왜 스님이 됐어요?
= 어쩌다 보니

딸그랑, 딸랑!

산방 문이 열리는 소리가 난다. 차를 마시러 온 벗이다. 휴중(休衆)은 눈으로만 '왔느냐?' 인사하고는 방으로 들어가 전화기 속 주인공의 목소리에 집중한다. 시간이 얼마나 흘렀을까.

"예, 그렇게 해보시자고요. 예, 또 전화하고요. 예, 좋은 날 되시고요."

전화를 끊고, 법당이자 차 방인 마루로 나온다. 스마트폰을 들여다보던 차 벗이 스마트폰을 내려놓으면서 말을 건넨다.

"아유, 진 다 빠지겠어요. 했던 말 또 하고 또 하고 같은 말 또 하고 또 하고…. 듣는 것만으로 진이 빠지는데."

"진이 빠지지는 않아요. 그러기로 한걸요. 그러기로 약속했으니까 그렇게 해야지요. 중이니까."

가끔, 아주 가끔 나에게 "왜 스님이 됐어요?"라고 묻는 이들이 있다. 그럴 때마다 내 대답은 "그러게요, 왜 됐을까요? 왜, 승려가 됐을까요?"이다. 거짓말이 아니다. 휴중 자신도 왜 됐는지 모르는 게 사실이니까.

운명론(運命論)을 따르는 이들은 말하겠지. '스님 될 팔자니까!'라고. 그러나 어릴 때부터 부모 따라 절에 다녔던 것도 아니고, 불교에 관심이 있던 것도 아니고, 오히려 크리스천들과 더 많이 어울렸고, 무슨 큰 뜻이 있던 것도 아니고, 그렇다고 절절한 사연이 있던 것도 아닌데…. 어쩌다 보니

'까까중'이 됐다. 다만, 사고의 후유증으로 몸이 아프고 마음도 아팠을 때, 남 따라 우연히 간 절의 스님이 '기도 좀 해보라' 한 걸, 가족들에게 아픈 꼴 보이기 싫었던 돌파구로 삼아 삼칠일, 사십구일, 백일기도로 보내다가 '출가하는 게 낫겠다'라는 말에 승려의 길로 들어서는 입문식(入門式)을 하였을 뿐이다.

그때는 모든 게 '본디 그런가 보다' 하면서도 참 낯설었다. 세상에서는 입지 않는 옷, 드라마에서나 보던 옷을 입기 위해, 제법 길었던 머리카락 일곱 가닥을 잘라 하얀 종이에 싸서 보관한 뒤, 싹싹 밀어내 마침내 한 오라기의 머리카락도 남지 않았을 때 장삼과 가사를 걸치고 부처님(佛像)에게 절을 하고, 부모님이 계시는 곳을 향해 절을 하고, 은사 스님에게 절을 하고, 머리 정수리와 팔뚝에 팥알만큼 크기로 지지는 동안 속으로 '어중이 떠중이는 되지 말자'라는 다짐을 하는 것으로 중이 되었다.

휴중은 첫 번째 심출가(心出家: 마음으로 세속을 떠나는 일)를 한 것이다. 어떡하다 보니 중이 되고 있었고 복이 많게도(?) 은사(恩師) 인연을 두 번 맺었다. '스님'이라 일컫는 이들을 본 적도 만난 적도 없는데 은사 인연이 두 번이라니…!

절집에서의 은사는 세상의 눈으로 보면 부모와 같은 존재다. (물론 그렇게 여기지 않는 이들도 있지만, 그렇게 배웠다) '중이 제 머리(카락) 못 깎는다'라는 말 한 번쯤은 들어보았을 것이다. 그 말은 아무리 중이 되고 싶어도, 중이 되고 싶어 스스로 머리카락을 밀고 '나, 중입네' 할 수 없다는 말이다. 사람이라면 누구나 부모 없이 세상에 태어날 수 없는 것처럼.

중이 되고 싶으면 먼저 절집을 찾아야 하고, 다음은 중으로서 살 수 있도록 만들어 줄 연륜과 능력 있는 스님을 만나야 하고, (다행히도) 그 스님이 받아주면 세상에서 하던 버릇을 떼어내는 공부를 어느 정도 해야 비로소 머리카락을 밀어낼 수 있으며, 중, 그러니까 승려로 불릴 이름을 받을 수 있고, 잿빛 옷을 입을 수 있기 때문이다.

또 한 가지는 옛날에는 삭도(削刀)라고 해서 머리털을 밀 때 쓰는 칼이 지금처럼 포(?)를 뜰 위험이 없는 가볍고 안전장치가 되어있는 면도날이 아니라 크고 무겁기까지 하여 혼자 밀기에는 무리가 있기에 날을 정해 놓고 서로 밀어주어야만 했기 때문이다.

그런 까닭으로 은사 인연을 먼저 맺어야 하는데 '두 번이라면…?'

그렇다. 처음 인연 맺은 분과는 인연을 끊었다. 휴중이 먼저.

두 번째 인연이 된 스님은, 휴중이 먼저 떠나온 것을 알기에 '중이 되기엔 글러 먹고, 싹수없는 것'으로 여겼다. 그랬기에 휴중은 더욱더 혹독한 가르침을 받아야만 했다.

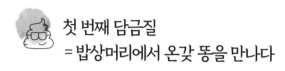

첫 번째 담금질
= 밥상머리에서 온갖 똥을 만나다

휴중은 예나 지금이나 비위가 참 약하다. 지금도 마음만 먹으면(?) 밥 먹
다가 토할 수도 있고, 양치질 하다가도 토할 수 있다. 찰나 나는 어떤 냄새,
생각에 구역질이 나기 때문인데, 어릴 때는 더 심했다. 밥상머리에서 누가
트림을 하거나 방귀만 뀌어도 바깥에 나가 토하고 들어올 정도였다.

또 하나 못 견디겠는 것은 거친 말이다. 휴중과 아무런 상관없는 이라도
거친 욕지거리로 싸움하는 걸 보면 가슴이 두근거리고 화가 올라오며 심
할 때는 어지럼증이 날 정도로 끔찍하게 싫어하는 병증(病症)이 있다. 지금
이야 쪼금은 다스릴 수 있지만 그 옛날엔 참으로 견디기 힘든 일이었다.

그런 휴중의 버릇을 떼어내려 작심한 은사는, 밥상머리에 앉아 두어 숟
가락 밥을 먹었을라 치면 세상에서 듣도 보도 못한 똥 이야기를 하였다. 지
금의 뒷간들은 산골이라도 타일로 된 벽과 수도꼭지가 있어 목욕까지 할
수 있다. 오죽하면 화장실이라고 할까. 그러나 그때만 해도 재래식 뒷간이
제법 있던 시절이었기에 똥 모양과 소리를 들으면 그대로 상상이 되었다.

보통 똥은 물론, 똥구멍이 찢어져 피가 같이 묻어 나오는 된 똥, 되게 나
오다가 푸지지직하는 똥, 겨울철엔 얼어 '똥 탑'이 되어 궁둥이에 닿는 똥,
물처럼 쏟는 똥, 물이 찬 똥통에 풍덩 떨어지면서 궁둥이에 튀어 오르는
똥물, 구더기가 죽 끓듯이 꼬물거리고 벽을 기어오르는 똥통…. 온갖 의태
어와 의성어를 끌어다가 변사처럼 풀어낼 때면 머릿속에 그림이 저절로

그려지니 참 미치고 팔짝 뛸 노릇이었다.

절집 '절'자도 모르고 불교 '불'자도 모르던 휴중이지만 (스스로) 자존심 (사실은 자만심이었지만)은 무척이나 셌기에 야단이나 욕먹는 것 또한 끔찍하게 싫었다.

'스승의 말에 머리카락 한 올 만큼의 의심을 한다면 부처님 법은 십만 팔천 리 멀어진다'라는 은사의 말을 머릿속 깊이 쐐기를 박아두었던 터라, 밥을 먼저 먹어도 안 되고 다 먹었다고 먼저 일어나지도 못하고, 말대꾸한다거나 투덜거리지도 못한 채 꼼짝없이 듣고 있어야만 했다. 그렇다고 밥상머리에서 자리를 박차고 일어나면 거친 육두문자 욕이 날아오곤 하니, 욕을 듣기 싫은 마음으로 꾸역꾸역 목구멍 안으로 밥을 밀어 넣고 있었다. 꾸역꾸역 먹다 보니 날마다 체했다. 날마다 손끝이 바늘로 찔려야 했고 '성질머리가 더러워 체하는 것'이라는 말은 덤으로 들어야 했다.

인간이 가진 잠재 능력 때문인지, 아니면 은사에게 대항할 수 없음에 지레 포기한 건지 밥상머리에서 성질대로는 못하고 겉으로 아무렇지 않은 척하면서 속울음에 밥을 버무려 삼키는 법을 터득해갔다.

그렇게 두어 달쯤이 지나고 나니 누가 생각해도 말이 안 되는 일이 일어났다. 더럽다 여기는 그 진저리나는 똥 이야기가 노랫소리로 들렸다. 두어 숟가락 떠먹으면 나오는 똥 이야기에 '스님은 떠드세요. 나는 먹으렵니다'라며 잘 먹고 있는 것이었다.

아버지 세대의 남자들이 흔히 하는 말, 어찌나 훈련이 빡세고 고된지 걸으면서도 자고, 어찌나 배가 고픈지 눈이 시큰할 만큼 지리고 구린 뒷간에서 떡을 먹더라는, 휴중은 이치를 알아서라기보다는 참을성이 생겼고, 불교 말로 하면 인욕(忍辱) 수행이 되고 있던 것이다.

뭣도 모르고 들어간 절집이었지만, 신도들이 복을 비는 불공(佛供)이나 조상들을 위한 재(齋) 지내는 일에 동참해야 했다. 한문이 무슨 뜻인지도 모르면서 하라니까 할 수 없이 하는 일이었지만, 목탁을 치면서 염불(念佛)하는 건 참말로 좋아서 '염불만 하다가 죽어도 좋겠다'라는 생각도 잠깐 한 적이 있다. 그러나 '부처님이 45년 동안 사람들을 위한 설법을 하셨다는데 무슨 말씀을 하셨을까?'라는 궁금증이 생기기 시작했고, 생각은 부풀어 오르면서 터질 것만 같은데, 은사는 "문자에 끄달리지 말라. 모든 가르침은 일심경(一心經)으로 통하게 되어있다"라며 책을 읽지 못하게 했다. 그저, 오로지 참선만 하란다.

휴중은 꾸지람과 욕먹기 싫으니까 하기는 했다. 시간 맞춰 책상다리에 눈 감고 앉으면 온갖 망상이 널뛰기하고 허리는 뒤틀리듯 쑤셔왔다. 금방이라도 반 토막 날 듯한 통증에 못 견디겠고 벌떡 일어나 나가고 싶은 마음이 굴뚝같다. 법당에 벌러덩 드러눕고 싶다. 그러나 꼼지락거리거나 일어나면 안 되니까 시나브로 스스로 터득한 게, '야, 너 또 왔니? 너는 너대로 놀아. 난 지금 할 일 있어'하고 무시하는 거였다. 무시하고 몰입하다 보니 말로 표현 못 할, '이게 마음인가?'라고 느껴지는 순간들도 일어났다. 그러나 은사와는 도무지 통하는 데가 없으니 물어도 대답을 안 하는 날들이 많아졌다.

한번은 부처님 생김을 그대로 표현했다가 된통 야단을 맞은 적도 있다.

"스님, 부처님 모습이 서른두 가지라고 하셨잖아요?"

"그래서?"

"무슨 사람이 그래요? 사자 몸에 손가락 발가락도 길고 물갈퀴까지 있고, 팔이 무릎까지 내려오고 이빨이 마흔 개가 넘는…. 그 모양대로 그리면 딱 괴물이지요."

"저, 저 말하는 뽄새하고는 어디 감히 부처님을!"

자, 인터넷 지식백과에 나온 아래의 글귀대로 상상해 보라. 괴물이 나오겠는가 안 나오겠는가.

발바닥은 편평하고, 발바닥에 수레바퀴 자국이 있다. 손가락은 가늘고 길며, 손발이 아주 부드럽다. 손가락 발가락 사이에 얇은 물갈퀴가 있다. 발등은 높고 원만하며, 발꿈치도 원만하다. 장딴지가 사슴 다리 같고, 팔을 늘어뜨리면 손이 무릎 아래까지 내려온다. 남근이 오므라져 숨어 있으며 말의 것과 같다. 키가 두 팔을 편 것과 같다. 몸의 털이 위로 쏠려 있고, 모공에 새까만 털이 나 있다. 온몸이 황금빛이고, 솟아나는 빛이 한 길이다. 살이 부드럽고 매끄럽다. 발바닥·손바닥·정수리가 모두 판판하고 둥글며 두껍다. 두 겨드랑이가 편편하다. 몸매가 사자와 같고, 크고 단정하다. 양 어깨가 둥글고 두툼하다. 이는 희고 가지런하며 빽빽하고, 송곳니도 희고 크며, 모두 40개다. 뺨이 사자와 같다. 목구멍에서 향기로운 진액이 나온다. 혀가 길고 넓으며, 목소리가 맑아 멀리까지 간다. 눈동자가 검푸르고, 속눈썹이 소와 같다. 두 눈썹 사이에 흰 털이 나 있다. 정수리에 살이 있다.

경전을 보고 싶다는 반항(?)을 하면 할수록 보이지 않는 벽이 두꺼워져

가고, 은사와의 사이는 자꾸 멀어졌다. 눈을 감으면 글자와 책이 날아다녀 미칠 것만 같았다. 목마른 데 한 방울의 물도 주지 않는 듯 느껴졌다.

4년 쯤 되자 갈등은 더 커졌고 목마름은 더 심해졌다. 끝내는 세 번 절을 올리고 가방을 싸서 나왔다. 인연을 끊기로 했다. 깜찍하게도 '당신은 날 가르칠 자격이 안 됩니다'라며.

절집에서의 은사는 곧 스승과 다름없다. 그렇다고 모든 분야에 두루 전문가이기를 바라지는 않았다. 그러나 적어도 궁금해하는 것은 일러줄 수 있어야 한다는 생각이 컸던 탓에 '알려주지 못하는 이는 은사 자격이 없다'라고 여긴 것이다.

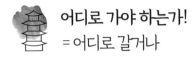

어디로 가야 하는가!
= 어디로 갈거나

야멸차고 냉정하게 절을 하고 나왔지만, 아는 절(寺)도 없고 아는 스님도 없으니 갈 곳이 없었다. 가족들이 있는 집으로 돌아가고 싶은 마음은 더 멀어졌을 뿐 아니라 돌아가기에는 늦었다는 판단에 어떤 결정이든 해야만 했다.

문득 바다가 보고 싶었다. 수학여행으로 갈 뻔했는데 가지 못해서인지, 아니면 너무도 가보고 싶게 만드는 드라마의 힘인지 어둠 속을 달리는 밤기차를 타고 무조건 강릉으로 갔다. 새벽에 도착한 종착역에는 바다가 펼쳐져 있고 해는 아직 뜨지 않았다. 해를 기다리는 사람들이 모래밭에서 웅성거리고 있었다.

휴중은 죄를 지은 것도 아니건만 사람들이 몰려있는 곳을 피해 멀찌감치 떨어져 걸었다. 어스름한 바다, 끝을 모르겠는 수평선을 바라보니 눈물이 흘러내렸다. 가방 속에 넣어 온 목탁을 꺼내 염불 한 가락을 아랫배에서 끌어 올려 바다를 향해 쏟아냈다. 속이 후련해졌다. 벌건 해를 바라보자니 간절함이 솟구쳤다.

'올바른 중을 만들어줄 스승 인연 맺게 해주소서' 벌건 해를 보며 자신도 모르게 기도를 올렸다. 그리고는 '마음이 이끄는 대로 발길 닿는 대로 가자' 마음먹고 나니 문득, 백담사에 가고 싶어졌다. '만해 스님'이 떠오른 것이다. 시(詩)를 좋아했던 나는 만해 스님을 시인으로 기억했고, 만해 스님이 승려 생활을 백담사에서 했다는 사실도 떠올랐다.

솔직히 말하면 백담사가 어디에 있는지 어디로 어떻게 가는지도 몰랐다. 지나가는 사람을 붙잡고 무조건 물었다. "백담사 가려면 어디로 가는 버스를 타야 하는가요?" 시외버스터미널로 가서 버스를 탔다.

'인제 가면 언제 오려나, 원통해서 못 살겠네' 인제 원통 길을 넘고 있었다. 굽이굽이 낯선 풍경을 보다가 멀미를 하다가 눈을 뜨니 버스는 어둑어둑한 용대리 버스정류장에 도착했다.

이정표가 일러주는 대로 백담사 주차장까지 걸어갔더니 관리실에 있던 주차장 관리원이 말했다.

"스님, 버스가 끊겼고 걸어서는 못 들어갑니다."

빡빡머리이긴 하지만 승복을 입지 않았는데도 주차장 관리원 눈에는 승려로 보였나 보다.

"손전등이 있습니다. 걸어갈 수 있어요."

관리원은 작은 창문 밖으로 휴중의 모습을 훑어보더니 휴중에게서 어떤 결의를 보았는지 "잠시 기다려 보세요. 절에서 나오는 차가 있는지 알아볼게요"하고는 친절하게도 의자를 가리켰다. 휴중은 바깥에 놓여있는 의자에 가방과 고단한 몸과 마음 까지 잠시 내려놓았다.

"조금만 기다리세요. 절에서 차가 나올 거예요."

관리원은 또 한 번 친절이 묻어나는 말을 건네고 사라졌다. 몇십 분쯤 지났을까, 정말로 봉고차 한 대가 주차장에 와서 멈추어 섰고 몇 명의 여인들이 내렸다. 관리원이 나와 휴중에게 그 차를 타고 들어가라고 일러준다. (절 살림을 보는) 원주스님께 이야기해 두었다며.

도착하자 원주스님은 아래위로 훑어보더니 말했다.

"옷차림이 왜 그래?"

"……!"

"그 차림으로는 객방(손님 스님이 머무는 방)으로 갈 수 없고, 보살(여신도)들 방에서 자요."

후원으로 가서 늦은 저녁밥을 얻어먹고 세면장으로 씻으러 가니 비구니 두 분이 씻고 있다. 그 가운데 한 스님이 그에게 말했다.

"행자님은 어디로 가세요? 우린 내일 새벽 예불 끝나면 봉정암(부처님의 머리 사리가 모셔져 있는 곳)으로 갈 건데…."

'봉정암? 그건 또 어디 있는 암자일까?'

생각할 틈이 없었다. 따라가고 싶었다.

"저요? 딱히 정해 둔 곳은 없습니다. 저, 저도 따라가도 될까요?"

"예, 그럼요. 그럼 내일 아침에 만나요."

산속이라 더 컴컴한 새벽, 예불 뒤 아침밥을 먹고 싸주는 주먹밥을 챙겨 스님들을 따라나선다. 봉정암을 오르는 이들은 비구니 스님들 말고도 여든 노스님과 함께 온 신도 몇 분이 더 있었다. 일행은 하루 길벗이 된 게 반갑다는 듯 인사를 하고 백담사 골짜기를 오른다. 탄성이 절로 나올 만큼 아름답다. 머리털 나고 처음 오르는 설악산 골짜기길, 휴중이 새 삶을 시작하는 첫 길이 되고 있었다.

일곱 시간에 거쳐 오른 봉정암, 저녁을 먹고 휴중은 부처님의 정골(頂骨) 사리가 모셔져 있다는 탑으로 갔다. 바람은 몹시도 거칠게 분다. 차가운 돌바닥 위 얇은 요가 방석이 들썩거리고 몸이 휘청거릴 정도로 세차게 부는 바람을 온몸으로 맞으며 절을 한다.

'부처님, 저를 올바른 중으로 이끌어줄 스승 인연 주세요.'

절박하게 하고 또 하고 또 하고…. 엎드렸다 일어설 때마다 벼랑 밑으로 밀어버릴 듯 거칠어진 바람 앞에 눈물이 흘렀다. 누가 시킨 것도 아니고, 누가 협박해서 하는 것도 아니건만 간절하게 절을 하는 자신을 휴중도 이해할 수 없었다.

눈을 감고 몸을 숙여 무릎 꿇고 엎드려 이마를 돌바닥에 대는 절을 거듭 하는데, 그를 원망하고 있을 얼굴들이 떠올랐다. 얼굴들이 '너밖에 모르고 너만 생각하고 떠났으니 절대 편하면 안 돼'라고 말하는 듯 느껴졌다. 밤이 이슥하도록 휘청거리며 절을 하고 또 하고 또 하였다.

휴중은 새벽예불 때도 혼자 사리탑으로 갔다. 어젯밤 그랬듯이 또 절을 했다. 아침을 먹고 나니 함께 올라왔던 일행들이 대청봉에 가잔다. 대청봉은 바람이 더 거칠었다. 휴중의 무거운 가방을 달라고 하고 대신 지고 오른 비구니 스님의 밀짚모자가 바람에 휙 멀리 날아가 버린다. 휴중은 자신이 쓰고 있던 모자를 벗어 주고, 멀리 둘러선 산 능선들을 바라본다. 추워서 오래 서 있을 수 없었다. 일행은 암자로 내려왔고, 내쳐 산 아래로 내려갈 준비를 하고들 있다.

'나는, 어디로 가야 한단 말인가? 이 강을 건너도 내 쉴 곳은 아니오. 저 산을 넘어도 머물 곳은 없어라!' 노랫말처럼 '어디로 가야 할지 모르겠는' 막막함이 휴중의 머릿속을 맴맴 돌고 있었다.

스승 인연 달라고
= 매달리고 또 매달리며

설악산 골짜기 오르막 내리막길을 두 발 세 발로 오르는 동안, 단화를 신고 10킬로가 넘는 가방을 메고 낑낑대는 휴중의 짐을 대신 메고 오르던, 휴중이 준 모자를 쓴 스님이 주머니에서 만 원짜리 두 장과 천 원짜리 몇 장을 꺼내 휴중의 손에 쥐어 주며 말했다.

"행자님, 행자님은 며칠 더 기도하고 내려 오세요."

차마 고맙다는 말도 나오지 않았다. 세상에서는 경험해보지 못했던 일이기에 무슨 말을 어떻게 하면 좋을지 몰랐다. 그저, 두 손을 모으고 허리를 90도로 숙여 '잘 가시라'는 인사로 고마움과 미묘한 마음을 대신했다. 봉정암이 갑자기 휑뎅그렁해진 느낌이었다.

함께 밥을 먹고 힘겹게 몇 시간 산을 오르는 동안 정이 들었던 걸까! 휴중은 며칠 동안 허전함을 떨쳐버리면서 잠자는 시간 빼놓고는 사리탑에서 살다시피 했다. 여전히 바람은 거세다. 온몸으로 파고드는 바람이 부처님 세상으로 휴중을 밀어 넣기라도 하는 양 더 간절히 매달리고 있었다.

어디로 가야 할지 모르겠지만 봉정암에서 내려가기로 했다. 암자에서는 등산을 왔든지, 기도를 왔든지 며칠 밤 자고 떠나는 이들을 위해 새벽에 주먹밥을 싸놓고 하나씩 가져가게 했고, 양심껏 한 개씩 들고 가는 게 불문율처럼 되어있기에 주먹밥 하나를 가방에 챙겨 넣고 암자 위쪽으로 올라간다. 백담사 쪽으로 가려면 오른쪽 비탈 쪽으로 가야하지만 신흥사가 있는 비선대 쪽으로 가려면 대청봉 가는 길로 살짝 올라가야 한다. 휴중은 신흥사 쪽으로 가기로 했다.

'오라고 한 것도 가기로 한 것도 아니지만 가보자꾸나.'

올라가는 또는 내려가는 사람이 가끔 있었지만 그럴 때마다 홀로이고 싶어 소리가 나면 바위에 올라 눈을 감고 앉았다. 발이 아프고 힘들면 앉아서 바람 소리 새소리를 듣거나, 우뚝 솟은 바위들이 말없이 있듯 가만히 바위처럼 있기도 했다. 배고프면 주먹밥을 먹으면서 쉬다 걷다 하다 보니 어느새 비선대가 나타났다. '아, 정말 절경이로구나!'

어디로 가야 할지 모르겠는 처지지만 풍경은 나의 처지를 까맣게 잊도록 만들었다. 병풍처럼 늘어선 만물상 바위들을 쳐다보다가 비선폭포를 바라보며 걷다 보니 열 시간이 되어가고 있었다.

절룩거리며 신흥사 법당으로 가 절을 한 뒤, 절 일을 보는 이에게 며칠 기도하며 지낼 수 있는지를 물었다. 그이는 절에 큰 행사가 있어서 방이 없다며 안양암으로 가보란다. 절뚝거리며 안양암으로 올라가 기웃거렸지만 조용하다. 암주(庵主) 스님이 안 계셨다. 욱신거리는 발바닥을 달래가며 다시 신흥사로 와서 사정을 말하니 홍련암으로 가란다. 시간이 얼마나 됐는지 모르지만, 둘레가 어둑해지고 있었다.

버스정류장으로 내려와 마지막 버스를 타고 양양으로 갔다. 홍련암에 도착하니 컴컴하다. 종무소에 가서 며칠 지내면서 '기도하겠다' 하니 허락을 해준다. 안내해준 방에 가방을 내려놓고 법당으로 가니 열 사람이나 앉을 수 있을까 말까 한 법당엔 기도 객들로 가득하다.

밖에서 두 손 모으고 머리와 허리를 숙여 인사하고, 씻으러 세면장으로 갔다. 종일 걸었더니 발바닥이 온통 물집이다. 벙글어 있는 물집에 멀건 물이 꽉 들어차 있다. 바늘에 실을 꿰어 물집을 찔렀다. 따끔 하는가 싶더니 멀건 물이 스멀스멀 흐른다. 바늘 끝을 들어 올려 살살 반대쪽으로 바늘과 실을 뽑아낸다. 거친 밧줄이 생살을 스치는 듯한 느낌과 찐득해진 실이 엄지와 검지에 끈적 들러붙는다 싶을 때 한 마디 실을 물집 안에 남기고 자른다. 실이 물집에 물이 고이는 걸 막아 줄 것이고, 좀 지나면 꾸덕꾸덕해져 껍데기 몇 번 벗어내면 다 나아있으리라 믿는다. 어렸을 때 아버지가 물집을 터뜨리시며 물집에는 다시 물이 차는데 마르게 하려면 실을 꿰어 놓아야 한다던 것을 휴중은 자신도 모르게 기억해내고 있었다.

새벽, 휴중은 법당 밖에 깔아놓은 자리에서 예불(禮佛)을 올렸다. 예불이 끝나자 솟아오르는 해를 보기 위해 마당 난간에 엉거주춤 두 팔을 얹고 바다를 바라본다. 그곳에서 몇 년째 사무 보는 이가, "오랫동안 기도하러 오는 이들도 신심이 없으면 제대로 보기 드물다"라고 경험인 듯 확신에 차서 말을 하면서 바다 쪽을 바라본다. 기도하러 온 이들과 함께 장엄한 의식을 치르듯 두 손을 모으고 바다를 바라본다.

"우와!" 함성이 흘러나온다. 휴중도 감탄을 얹는다. TV에 애국가 나올 때 본 해처럼, 벌건 해가 눈앞에서 떠오르고 있었다. 불덩이가 쑥 올라오는가 싶더니 몇 초도 머물지 않고 바로 둥 떠올랐다. 눈이 부시다. (그곳에 있는 동안 아침마다 해 뜨는 광경을 의식 치르듯 기다렸으나 그 뒤로는 보지를 못했다.)

아침을 먹고 바닷가를 걷다가 넓적 바위가 있어 앉았다. 눈을 감고 가만히 있으니 발바닥이 욱신거려온다. 발톱 몇 개가 덜렁거리고 있었다. 평발에 가까운데다 걸을 일도 별로 없던 그가 운동화나 등산화도 아닌 신을 신고 설악산을 오르내렸으니 탈이 안 나면 그게 오히려 이상할 일, 하지만 시간이 지나면 나을 일이다.

의상대에 올라 당나라 유학길에 오른 의상 스님을 상상해 보다가, 법당 밑을 들이치고 나가는 파도를 보며 원효 스님을 떠올리다가, 바닷가를 걸으며 관세음보살을 생각하며 염불을 하다가, 보이지 않는 미래를 불안해하기도 하며 하루를 보냈다.

밤 9시면 불을 끄는 게 그곳 규칙인데, 어느 여인이 잠자리에 들지 않고 투덜거린다. 맞은편 쪽의 다른 여인이 시끄럽다 야단을 친다. 여인은 잘 걸렸다 싶게 목소리가 더 커진다. 그는 낮에도 어느 스님에게 삿대질하며 고래고래 소리를 지르고 있었다. 뭔 소리를 하는지 당최 알 수 없는데, 알고 보니 툭하면 오가는 이들을 붙잡고 시비를 걸어 그 사실을 아는 이들은 아예 피하거나 대거리를 하지 않는단다.

한참 소란을 떨던 여인은 아무도 대꾸하지 않자 구시렁거리며 나갔다 들어왔다 하더니 심드렁해져 잠이 든다. 아침 예불 뒤 또 한바탕 시끄럽다. 여인을 자세히 본다. 얼굴만 보아서는 아직 젊은데 살갗은 거뭇하여 병색이 짙어 보인다. 여인을 좀 아는(?) 이가 말하길, 몇 년 전부터 오곤 했는데 어느 해부터 정신이 좀 이상해져서 저러고 다닌단다. 참선이나 기도를 스승 없이 잘못하면 기(氣)가 위로만 뻗치면서 탈이 난다더니 그런 모양이다. 머리가 터질 듯이 아프고 심하면 구역질에 헛소리도 하고, 망상이 끊임

없이 괴롭힌다.

휴중도 상기병(上氣病)으로 고생한 적이 있다. 오기로 앉아 있거나, 시간 가는 줄 모르고 앉아 있던 어느 때 머리는 터질 듯 눈알은 빠질 듯, 속은 메슥거려 금방이라도 토할 것처럼 몹시 괴로운 적이 있었다. 그때 은사가 처방을 해줘서 그 고통에서 벗어날 수가 있었다.

여인은 그 상태를 넘어 버린 듯하다. 그리고 무슨 까닭인지 어떤 이에게는 삿대질에 큰소리치는데 또 어떤 이에게는 아주 얌전하다. 휴중에게도 얌전하고 고분고분 멀쩡하여 같은 이가 맞는가 싶을 정도다. 어쨌든 그분(?)이 오셨을 때는 안타깝기 그지없다.

늘 만원인 홍련암 법당. 휴중은 법당에 들어가려는 마음을 아예 비우고 마당 한쪽에 마련해 둔 따뜻한 차 한 잔을 따라 마시고는 바로 바닷가로 나간다. 크고 작은 바위들을 밟으며 파도 소리를 목탁 소리 삼아 염불을 하거나, 낙산사로 오르는 산길을 걸으며 명상을 한다. 어느 날도 새벽 예불 끝나고 아침을 먹고 휴중만의 기도터(?)로 가는데, 누가 말을 걸어온다.

"행자님, 저와 얘기 좀 하실래요?"

"아, 예."

"제 차로 가시죠."

우리는 의상대와 홍련암 사이 바다가 바로 보이는 곳에 세워둔 차로 가서 운전석과 조수석에 나란히 앉았다. 그이는 '한마음 선원'의 대행 스님의 가르침을 따르고 있단다. 몇 달 전 친구가 다니는 절의 범종(梵鍾)과 범종각(梵鍾閣)을 지을 수 있게 시주를 했더니, 낙성식에 오라고 하더란다. '인사를 받으려고 한 것이 아니었기에' 낙성식에 가지 않고 홍련암으로 왔으며, 법당은 다른 이들에게 양보(?)하고 혼자 시간을 보내는데, 바닷가를 걷고 있는 휴중이 눈에 들어왔다고 한다. 그이는 서랍을 열어 봉투 하나를 꺼내 휴중에게 준다. 캐나다 이민 생활을 접고 한국으로 올 때 아들은 남았는데, 그 아들을 생각하는 마음이라며, "행자님, 꼭 큰 스님 되세요"라는 주문(呪文)과 함께 봉투를 건네준다.

그랬다. 휴중에게는 주문으로 들렸다.

스승도 붓다의 법도 만나기 전인데 시주의 은혜를 먼저 만났으니, 보이지 않는 짐이 어깨에 쿵! 올려지는 느낌이었다. 어쩌면 '잘 살라'는 주문일지도 또 어쩌면 중노릇 잘하도록 가르침을 줄 스승을 만나게 할 주문일지도 모르겠다 싶었다.

두 번째 담금질
= 까막눈 아등바등하다

봉정암과 홍련암에서 한 기도의 효험(?)이었을까! 두 번째로 인연을 맺은 은사는 '이렇게 못나고 비참할 수 있을까' 싶을 정도로 단점만 날카롭게 후벼 파 끄집어내는 능력(?)이 있는 분이었다. 아니, 은사 찾는답시고 이 절 저 절 떠돌며 절 귀신 되는 싹수 없는 짓을 두 번 다시 하지 못하도록 일부러 더 독하게 하시는 분이었다. 목소리는 우렁우렁한 데다 꿰뚫기라도 하려는 듯 쏘아보는 눈빛은 아무런 잘못이 없는데도 오금이 저리게 하였다.

새벽 예불과 아침을 먹고 나면 천자문과 초발심자경문 책을 들고 큰방으로 가서 5분 전까지 수업 준비를 하고 앉아 있어야 했다. 1분이라도 늦으면 불호령이 떨어지곤 했는데, 하루도 야단 안 맞는 날이 없기에 '오늘은 또 어떤 야단을 들을까!' 걱정과 설렘과 주눅이랑 앉아 있다가 수업이 시작되면 목탁 치며 삼귀의(三歸依:부처님과 부처님의 가르침 그리고 부처님의 제자들을 의지하여 살겠다는 다짐)와 반야심경(般若心經)을 마친 뒤 강의를 들어야 했다. 한문이라고는 이름 석 자밖에 모르던 까막눈이 한문과 씨름하게 된 것이다.

청록빛 칠판에 하얀 분필로 한문을 휘갈겨 쓴 뒤 밑줄 좌악 그어가며 초발심자경문(初發心自警文:승려로서 갖추어야 할 내용이 불교 입문서) 사미율의(沙彌律儀:예비승려의 계율을 설명한 책) 덤으로 천자문(千字文)을 가르쳐 주시는데, 질문에 바로 대답을 못 하면 눈에서 불덩이가 뚝뚝 떨어지는 듯한 얼굴로, 문밖을 지나던 이도 가슴 졸이도록 우렁우렁한 큰 목소리의 꾸지람(?)이 날아왔다.

초발심자경문은, '무릇 공부할 마음을 처음 낸 이는 모름지기 악한 이는 멀리하고, 착하고 어진 이를 가까이 하라'라는 글로 시작해서 '재물과 다섯 가지 욕망의 화는 독사와 같으니 그릇됨을 알아 멀리 여의고, 일없이 남의 방에 들어가지 말고, 가린 곳은 억지로 알려고 들추지 말며, 6일이 아니면 옷을 빨지 말고, 낯 닦고 이빨 닦을 때는 소리를 내거나 침을 뱉지 말며, 밥(공양물)을 나누어 줄 때는 순서를 거스르지 말고, 반듯하게 걸으며, 큰소리치지 말하지 말고, 비웃거나 쓸데없이 웃지 말라. 일없이 절 밖으로 나가지 말고, 병든 이는 자애심으로 보살피며, 손님이 오면 기쁜 마음으로 대접하고, 웃어른을 만나면 공손히 한옆으로 물러서며, 아끼고 절약하며 만족할 줄 알고, 음식을 먹을 때 소리를 내지 말며, 언제나 조용히 가지런히 움직이고, 서로 양보하고 다투지 말며, 논쟁을 삼가고, 머리를 맞대고 잡담하지 말며, 남의 신을 함부로 신지 말고, 앉거나 눕는 차례를 어기지 말며, 절집의 허물을 드러내지 말라' 라는 내용으로 되어 있다. 여기에는 '소치는 사람(牧牛子:목우자)'이라 일컫는 스승이 여럿이 살 때 지켜야 할 규칙과 '이렇게 수행하라' 일러주신 원효 스님의 가르침과 '수행에 게으르지 않도록 스스로 경책하는 글'의 야운 스님의 가르침이 담겨 있다.

천자문에 쓰이는 한문이 사회에서 어떻게 어떤 말에 쓰이는지 보기로 들어 읽고 쓰게 하는 건 강의의 덤이었다.

휴중은 '다 큰 사람들, 더군다나 승려가 되겠다는 이들에게 뭐 이리 시

시콜콜한 것까지 일러 주고 있을까!'라는 마음이 불쑥 올라오다가, '스님은 잘 지키고 있으신가요?'라는 불손(?)한 마음도 올라오다가, 빨리 끝났으면 좋겠는데 한 글자를 세 시간에 걸쳐 설명할 때면 숨이 턱 막혀 끝이 보이지 않는 터널에 갇힌 기분도 들었다.

6개월 동안 초발심자경문과 함께 염불도 배워야 했는데, 한문으로 된 예불의식문(禮佛儀識文)을 한 글자씩 쓰고 외워야 했고, 목탁을 치며 판소리하듯 범패(梵唄:하늘 노래)도 배워야 했다. 중 될 자격도 없는 게 감히 부처님 말씀을 듣는다며 무시하는 듯한 말을 쏟아내실 때면 초라하고 비참하게 느껴져 그저 펑펑 울고 싶은 마음이 목젖까지 치밀어 올랐다.

눈시울이 붉어지며 눈동자가 갈 곳을 잃으면 아상(我相)이 많아서 그렇단다. 그렇게 야단을 맞는 날이면, 한없이 작아져서는 아무도 모르게 녹아 없어지거나 연기처럼 사라지고 싶다는 마음이 솟구쳐 올랐으나, 온몸이 휘청거릴 만큼 세찬 설악산의 바람을 맞으며 기도하던 때 떠오르던 얼굴들이 생각났다. 더불어 간절하게 기도하던 휴중 자신도 보였다. 그리고 그들은 '너의 적은 너'라며 야단을 치고 있었다.

누가 시켜서 하는 게 아니라 이렇게 하지 않으면 죽은 목숨과 다름없다는 마음, 자신에게 주는 형벌이라고 생각하니 눈물만 흐른다. 베갯잇이 축축해진다. 입술을 깨물며 이불을 얼굴까지 끌어올린다. 새벽에 일어나려면 잠이 안 와도 자야 한다.

그 시절, '아, 나는 정말로 자격이 없는 건가! 왜 이것밖에 안 될까!'라는 자책과 함께 한없이 작아지는 느낌이 아홉 번 일어나면 '내 살림이 늘어가는 것 같다'라는 행복감이 달콤하게 한번 스멀거렸다. 그리고 전국 어디선가 '승려가 되기 위해 휴중과 마찬가지로 이렇게 행자(行者) 생활하는 누군가 있을 것'이라 생각하니 큰 위안이 되어 가슴이 토닥여졌다. 그리고는, '옛 스님들은 출가하기 위해 은사를 정하면 그 스님 밑에서 밥 짓고 1년, 물 긷고 1년, 나무하고 1년을 견뎌야 비로소 받아주고 이름을 지어주었다지? 지금은 나무할 일이 없으니까 2년은 버티자' 다짐하는 밤이 이어졌다.

날마다 베갯잇 적시며
= 불보살이 감동하지 못할까 봐 갈빗대가 걸리도록

휴중의 그런 다짐을 알아채셨던 걸까?

'발뒤꿈치로 싹싹 비벼 문질러 피가 나면 고춧가루와 소금을 뿌릴 테니 있으려면 있고 나가려면 나가라' 해도 '아야!' 소리 안 하고 '잘못했습니다' '예' '알겠습니다'만 하면서 따라가니까 '공양주든 사무장이든 뭔 일을 시키려거든 먼저 제대로 할 줄 알아야 한다'라며, 혹독한 담금질이 시작되었다.

은사는, 배우는 사람은 휴중 한 명이지만 마치 백 명에게 가르치듯 하였다. 그리고 하루에도 몇 번씩 단골로 하는 몇 마디가 있었다.

"나는 너를 시멘트 바닥에 놓고 발뒤꿈치로 싹싹 비빌 것이다. 그때 살이 터져 피가 흐르면 거기에 고춧가루와 소금을 뿌릴 테다. 그러니 붙어서 중이 될 공부를 하든지, 아니면 지금 당장이라도 나가고 싶으면 나가라."

"선승(禪僧:참선 수행만 하는 승려)이든 학승(學僧:경전을 전하고 연구하는 승려)이든 중이라면 탁자 밥(부처님께 올리는 공양물)을 제대로 내려 먹을 줄 알아야 한다."

"너는 나라는 산을 못 넘으면 그 어떤 산도 넘을 수 없다. 나를 뛰어넘어라."

'아상(我相) 덩어리'라며 문자를 곁들여 야단을 치는 건 기본이고, 새벽 도량석(道場釋:새벽에 목탁을 치며 염불로 만물을 깨우는 의식), 아침·저녁 종송(鍾頌: 큰 종을 쳐가며 염불하는 것)이며 예불, 또는 사시불공(巳時佛供:부처에게 점심공양 올리는 일), 또는 법회(法會)를 막론하고 조금이라도 잘못하면 바로 꾸지람이 날아오기 일쑤였다.

그 시절 휴중을 견디게 하는 '한 번의 행복'과 '나를 이기겠다는 마음' 말고도 숨통 트이게 하는 것이 한 가지 더 있었다.

그 절 뒤꼍에는 묶여 있으면서도 절집 사람들과 자주 오는 신도 발자국을 귀신같이 알아듣는 '해님'이라 불리는 진돗개가 있는데, 맨날 묶여 있는지라 사람만 보면 해방(?) 시켜달라 경중경중 뛰었다. 늘 묶여 있다 보니 한옆에 똥을 싸놓는데 그걸 치우는 건 달갑지 않은 일이지만 누군가는 해야만 할 일이었다. 달가운 일이 아니기에 누가 먼저 한다고 해서 뭐라 할 사람(스님)은 없었다.

휴중은 가끔 그 일을 자청했다. 금쪽같은 예·복습시간을 줄이는 일이지만, 그렇게라도 숨통을 트여야 했다. 개의 목줄을 잡고 뒷산으로 내달린다. 뒷산 한적한 곳에 이르러 개는 돌아다니게 두고 휴중은 배꼽 아래에서 소리를 끌어올린 뒤 가슴이 터지도록 내지른다. 후련해진다.

「사미율의」를 마치고 나니 예비승려 자격을 얻도록 종단에서 여는 합동훈련장(수계산림)으로 보내 주셨다. 기간은 한 달. 은사 스님의 눈앞에서 벗어나는 일이고, 전국 어디에선가 그처럼 공부했을 행자 도반(동기)들을 만날 기회다. '한 달 살이'에 필요한 물건들을 바랑에 챙겨 넣는데 어디 여행이라도 가는 듯한 기분이다. 절집이 아니었으면 콧노래라도 불렀을 것이다.

그러나 기대와 망상이 너무 컸던 것일까, 절집 세상을 너무 몰랐던 것일까. 행자 생활을 휴중처럼 한 행자는 없었고, 염불이든 기초 경전이든 휴중처럼 배운 행자는 한 명도 없었다.

예비승려(사미니)가 되고 나니 49재나 천도재 지낼 때 하는 염불을 가르쳐 주신다. 어디서 목탁을 치고 어디서 요령을 흔드는지, 어디서 빠르게 하고 어디서 느리게 하는지, 부처님이나 보살님을 청할 때는 어떻게 하고, 조상을 청할 때는 어떻게 하는지. 그 뜻을 알지 못하면 '아버지 가방에 들어가신다'가 되니 뜻을 정확히 아는 게 중요하고, 뜻에 맞게 해야 한다며 말이다.

어느 날 은사는 조상님을 불러 '향내 나는 자리로 내려오시라'라는 낱말 세 글자를 무려 1시간 동안 하게 하였다. 음정 박자 소리가 당신과 똑같지 않다며. 징 채를 들어 눈앞에 지르며 "다시!" "다시!" "다시!" "너는 나라는 산을 넘지 못하면 그 어떤 산도 넘을 수 없다"

그 말씀이 메아리처럼 까마득히 아득하게 들려왔다.

"그만하면 그럭저럭 됐다" 해도 주눅이 들 텐데 "어째서 그것도 못 하냐? 새대가리냐, 밥버러지냐?" 불호령으로 야단만 치니, 아무것도 보이지 않고 목소리는 자꾸 기어들어 가고 눈앞이 하얘져 왔다. 세상이 그대로 멈춘 것 같다. 목탁과 요령 소리만 울리는 그 공간엔 온통 은사의 호통만 가득 찬 듯하고, 은사는 흉중 앞에 산처럼 우뚝하여 기가 턱 막혀 왔다. 숨을 쉴 수가 없고 그대로 죽을 것만 같았다. 죽지 못하면 그대로 녹아 사그라졌으면 좋겠다는 생각이 찰나찰나 일어나고 있었다. 정신을 차리고 보니 여전히 "다시!"

어느 순간 눈앞의 스님이 안 보였다. 산처럼 우뚝한 스님이 사라졌다.

'죽기 아니면 까무라치기다. 에라! 모르겠다.'

"하～ 아-아～향 아-아～으앙 다～으안! (下香壇)"

"거봐, 되잖아!"

휴중의 은사는 경전을 중요하게 여겼지만, 염불도 정말 중요하게 여기셨다. 한문으로 된 의식문을 이해하고 해석하는 것은 기본이요, '신(神)들이 감응(감동)하지 못하는 염불은 불보살님도 감응하지 못한다'라고 강조하셨다.

목으로 하는 염불이 아니라 배꼽 아래에서 끌어올려 판소리처럼 목에 굳은살 진 소리, 불교 말로는 '범패(梵唄:하늘 노래)'로 하게 했다. 하늘 노래는 목청을 가다듬는 것은 기본이요, 한 낱말을 읊을 때도 길게 끌며 노래하듯 해야 했다. 낱말 일곱 개로 된 네 줄짜리 스물여덟 자 시구(詩句)를 범패로 하면 기본 5분이 걸렸다.

이를테면, 원차종성변법계(願此鐘聲遍法界: 원컨대 이 종소리가 우주에 두루하여)를 읽으면 3초도 안 걸리고, 노래하듯 읽으면 5초면 되는데, 1분 30초 정도가 걸리는 것이다. 날마다 몇 시간씩 지르다 보니 갈빗대가 결려왔다.

은사는 염불과 경전을 완벽하게 할 줄 알아야 한다고 하는 한편, 신도를 대하는 일은 자비로워야 하고, 절에 들어오고 나가는 돈(금전출납부)과 공양물을 쓰는 일에 한 치 어긋남이 없이 완벽하기를 바라셨다. 뿐만 아니라 차를 우려내는 일은 법에 맞게 내되 다인(茶人:차를 밥 먹는 일처럼 하는 이)이 되는 건 못마땅해하셨다.

공양주(작은 절에서는 부엌살림을 하는 이)가 외출하면 휴중을 불러 냉장고

와 냉동고를 정리하게 했다. 냉동고에 뭐가 있는지, 냉장고에 뭐가 있는지를 알아 두었다가 (공양주가) 다음 장을 볼 때 불필요한 걸 사지 않도록 하라는 것이다. 그런데 공양주가 잘 따르지 않자 휴중이 장을 보게 하였다. 10원짜리, 100원짜리 영수증까지 첨부해서 금전출납부를 만들어 드리고 나서야 아무 말이 없으셨다.

법당 살림이든 부엌살림이든 허투루 하지 못하도록 늘 매의 눈으로 살피시고 조금만 허점이 보이면 절이 들썩하도록 꾸지람을 하시니 꾸지람을 안 듣기 위해서는 더 완벽하게 하는 수밖에 없었다.

비구니로서 '옷차림이나 매무새가 흐트러져서도 안 되고' '이를 드러내고 웃지 말라'며 몸가짐 마음가짐이 당신 마음에 들지 않으면 때와 곳을 가리지 않고 꾸지람과 야단이 날아오니 곁에 있는 이들까지 덩달아 좌불안석이 될 때가 많았다.

휴중은 다짐대로 2년을 버텼다(?). 그리고 떠났다. 인연을 끊은 건 아니고 강원(講院)으로 가 도반들과 공부하고 싶어서였다. 휴중이 바랑을 짊어지고 나오던 날 "이제 압박과 설움에서 해방되니 좋겠다" 은사 스님은 당신만의 인사법으로 '잘 살라'는 말을 대신하였다.

한 해가 지나고 방학 때 찾아뵙고 인사를 드리니 "잘 지냈냐?"는 말 대신 책 한 권을 펼치시며 말씀하셨다.

"내가 전에 이렇게 설명했는데 다른 책에는 이렇게 설명을 했더라."

"예, 알고 있습니다."

"그려?"

또 다른 책을 가지고 나와서는 "여기 밑줄 친 부분은 내가 설명한 대로 볼 수 있지만 다르게도 보니 알고 있어라."

"예, 저도 봤습니다."

"그려?"

'반갑다'라는 인사를 그렇게 하셨던 것이다.

'날 닮아라, 날 닮아라!' 스승의 마음, 은사의 마음은 그런가 보다.

2장
—

헤매는 중

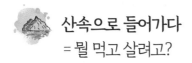

산속으로 들어가다
= 뭘 먹고 살려고?

'은사'가 정말로 고춧가루와 소금을 뿌렸는지, '휴중'이 '은사'라는 산을 넘었는지 넘지 못했는지는 모르겠다. 그러나 한 가지 분명한 것은 경전을 배우면서도 승려가 뭘 하는 사람인지 모르겠다는 것이다. 뭔가 불만족이 자꾸 올라왔다. 어떤(옛) 스님들이 중생들이 이해할 수 없는 행을 하는 게 그런 이유가 아닐까 하는 생각도 들었다. 휴중 또한 어리석은 짓을 자꾸만 하고 있었다. 후회할 짓 괴로울 짓 답답한 짓이 쌓여갈수록 탐진치가 더 커지는 느낌이 들었다. 머리카락을 다시 기르기 시작했다. 처음부터 다시 시작하고 싶었다.

두어 달 되니 손가락 한 마디가 넘게 자랐다. 조금만 더 자라면 다른 절로 가서 다시 '행자 살이'를 할 수 있겠다 싶을 무렵, 도반의 절에 갔다. 도반은 몇 평 안 되는 상가 건물에 세 들어 살면서 새벽부터 밤늦게까지 열심히 살고 있었다. 아니 간절하게 살고 있었다. 그러면서 휴중을 너무도 부러워한다.

도반은 은사로부터 법명(法名: 승려로 불릴 이름) 말고는 받은 것이 거의 없었다. 그런데도, 그런 까닭으로 불단(佛壇) 위의 부처님(佛像)에게 엎디어 절을 하고 또 하고 또 하면서 깨달음을 주시옵소서 매달리고 있었고, 부처님 가르침을 알고자 시간을 내서 돈을 주고 배우러 다니고 있었다.

휴중은 부끄러워졌다. 목이 터져라, 가르쳐 주신 은사 스님의 은혜가 물밀 듯 밀려 왔다. 휴중은 마음을 다잡고 여기저기 부탁(?)을 해두었다. 산기슭에 쓰러져가는 집이라도 좋으니 빈집이 있으면 알려달라고. 드디어 연락이 왔다. 아랫녘 바닷가 토굴에 사는 스님이 당신의 차로 휴중이 살게될 마을까지 함께 해주신다. 산 아래에 사는 마을 어르신의 안내를 받아 억새를 헤치며 찾아간 곳은 쑥대가 우거진 산속이었다. 산등성 아래 햇살이 곱게 내려앉은 쑥대밭이 참 따사롭고 푸근하게 느껴졌다. 마을 어르신이 전하는 말에 따르면 그곳은 몇십 리도 휙휙 나는 듯 축지법을 쓰는 도사가 살았던 곳이란다.

'요즘 절터를 보러 다니는 스님이 있으니 오려면 빨리 와야 한다'라고 말하는 마을 이장님의 말에 마음이 흔들려 몇몇 선배 스님과 어른 스님께 의논을 드리니 '도량 인연은 아무리 구해도 자주 오는 인연이 아니다. 독살이해도 될 만하니 들어가라'라고 힘을 실어준다. 그 덕분(?)으로 바랑을 싸서 산으로 들어갔다.

휴중을 아는 이들은 하나 같이 "뭘 먹고 살려고 그런 산속으로 들어가냐?"고 물었고, 휴중은 "중이 왜 먹고사는 걸 걱정해야 하는가? 두 끼 먹다 안 되면 한 끼 먹고 한 끼 먹다가 안 되면 탁발하면 되지" 입찬소리로 대꾸를 했다.

쑥대밭 둘레에는 낙엽송밭이 있고, 군데군데엔 돌무더기가 있는 것으로 보아 '화전민이 살았었다'라고 말해주고 있었다. 쑥대밭 바로 아래엔 도사가 살았던 곳으로, 그리 굵지 않은 나무들을 잘라다 기둥을 세우고 나무를에 비닐을 대서 만든 문짝, 억새와 나무로 엮고 비닐을 덮은 지붕과 돌과 흙으로 된 벽의 방이 두 칸 있었다. 그리고 두 방 모두 큰 자물쇠가 채워져 있다.

그 옆엔 아픈 사람이 요양하러 와 임시로 지었던 구들 터가 있다. 지붕과 벽을 비닐로 둘렀었는가 본데 비닐은 한 오라기도 없고 앙상한 나무 뼈대만 남아있다. 그마저도 쑥대가 우거져있어서 얼핏 보면 보이지도 않았다. 그리고 부엌으로 쓴 듯한 곳 한편 풀포기 사이 파란 호스에서는 물이 쫄쫄쫄 나오고 있다.

"우와~ 물이 나오네~?" 마셔보니 물맛이 괜찮다.

법당과 먹고 잘 방을 만들어야 하는데 돈이 없다. 맨손으로 하는 수밖에. 아랫녘 토굴 스님과 속가(俗家) 어머니, 그리고 휴중은 산에서 몇십 분 걸어 내려온 뒤, 다시 차로 몇십 분 떨어져 있는 고모님 댁에서 자면서 며칠 동안 출퇴근(?)을 했다.

곡괭이와 호미로 쑥 뿌리 풀뿌리를 캐고, 돌을 골라내며 바닥을 고르는 일로 몇 날 며칠을 보내고는, 천막을 씌울 나무 기둥을 세우기 위해 일해 줄 이를 모시러 간다. 일이 끝나고 옆 마을로 가는데 어둑해 그만 길을 잘못 들어 바위 돌길에서 차가 고장이 났다. 차를 고쳐드릴 형편도 안 될뿐더러 함께 출퇴근하는 일에 염치가 없다. 아랫녘 토굴 스님은 휴중의 마음을 헤아리고 더 도와주지 못하는 것을 미안해하며 아랫녘으로 내려가셨다.

쑥대밭으로 돌아온 휴중은 어머니와 함께 밤이슬을 피하려 앙상한 나무

뼈대에 비닐을 덮는다. 불을 때 본다. 여기저기서 연기가 새어 나온다. 휴중의 어머니는 둘레에 있는 흙을 퍼다가 물에 개서 연기가 나는 곳에 덧바른다. 연기가 안 난다. 사방에서 불어오는 바람을 막아 줄 벽도 비닐로 두른다. 어둠이 내려앉아 풀이 안 보일쯤, 국수를 끓여 먹고 불을 땐 뒤 흙바닥에 신문지를 깔고 잠을 청한다.

이 산속에서 살아가려면 가장 중요한 건 아마도 물과 불이리라. 불이야 산에 널려있는 나뭇가지들을 주워다 때면 될 테고, 물은 골짜기 물을 막아 길어다 먹을 판이었는데, 전에 누군가 살다가 걷지 않고 남기고 간 호스 덕을 보게 됐다. 물을 쓰고 버리면 바위틈 어디론가 사라져 버리니 따로 하수시설을 만들지 않아도 되었다. 물을 받아 불을 때니 양은 솥단지 안 물이 설설 끓는다. 하루 동안 쌓인 흙먼지 땀을 따뜻한 물로 씻을 수 있게 됐다. 자고 일어나면 라면을 끓여 먹고 풀을 뽑고 바닥을 고르는 날이 계속됐다.

몇 달 전, 속가(俗家) 아우가 쓰던 손전화기를 받아 쓰고 있던 터라 안부를 물어오는 전화가 가끔 울렸다. 특히나 도반의 포교당에서 알게 된 신도들은 도량 인연을 맺게 된 것을 축하한다며 법당에서 필요한 물품들을 사서 보내왔다. 기꺼운 마음으로 보시를 하는 덕분에 일거리가 한 가지 더 늘었다. 휴중은 낮에는 풀뿌리를 뽑고 돌을 골라내며 망치질을 하다가 어둑해지면 빈 지게를 지고 산 아래로 내려가는 길 오솔길 들머리에 지게를 내려놓고, 전화 충전기를 갈아 끼우러 마을 반장 댁으로 내려갔다. 올라오는 길에는 오솔길 아래에 부려놓은 (우체국으로 보내온) 물품들을 지고 올라와야 했다.

도사가 살았던 덕분으로 주소가 있었다. 그 주소로 날마다 배달돼 오는 물품은 너무 많았다. 우체국에서는 날마다 배달해 주지 못하고 며칠 동안 보관하고 있다가 임도(林道)까지 오는 차를 빌려 한꺼번에 오솔길 들머리에 부려놓고 갔다. 화전민이 일군 밭, 그 밭으로 가기 위해 만들어 놓은 임도. 일 년에 한 철만 쓰던 길로 낯선 짐들이 날마다 왔고, 그 짐들은 다시 지게나 머리에 얹혀 산속으로 옮겨졌다.

휴중은 지게로 어머니는 머리에 이고 몇 날 며칠을 틈틈이 나른다. 어둑한 오솔길을 무거운 짐을 얹은 지게를 지고 오르자니 중심이 잡히지 않는다. 지게만으로도 무거운데 짐까지 얹으니 참말로 무겁다. 비틀거린다. 지게 작대기를 짚고 간신히 중심을 잡아 본다.

'업보(業報)의 무게가 이렇게 무거운 것일까!'

지게 위에 얹어진 향로며 촛대, 초가 든 상자들은 한 발짝도 움직이지 못하게 했다. 숨이 쉬어지지 않았다. 맨몸으로 빠르면 십오 분 늦더라도 이십 분이면 도착할 길을 사십 분 한 시간에 거쳐 오른다. 마당 끝에 이를 때쯤이면 입에서 단내가 났다.

높이 1,173미터의 산의 팔부능선 산속의 밤, 연기 내음이 가실 즈음 방 안을 밝혀주던 촛불을 끄고 나면 낮 동안 막노동하시느라 힘드셨던 어머니 코 고는 소리와 산이 울리도록 쩌렁쩌렁한 고라니 울음소리와 비닐 벽 펄럭거리는 소리에 풍경(風磬)이 덩달아 우는 밤이다.

죽은 고기가 운다. 바람이 때린다.

땡그렁- 땡그렁- 어쩌지 못하는 몸뚱이

두 눈 동그랗게 뜨고 일어나라- 일어나라-

잠재우라 바람을, 달려드는 거친 파도를 잠재우라.

으르렁거리는 마군(魔軍)을 잠재우라.

살라라- 살라라- 일어나라 - 일어나라 -

(끄적끄적 적바림 가운데)

귀신을 모아 놓은 방
= 전국 귀신 세계 귀신 다 태우고

보름쯤 지나고 나자 얼추 비닐 천막집이 생겨났다.

둘러보면 온통 풀밭, 몇 년 동안 사람의 기운이 없던 곳이라 억세디억센 풀들만 마음껏 웃자라 있었다. 괭이와 호미 그리고 낫으로 뽑고 베어낸 풀 무더기가 쌓여갈수록 빈터가 조금씩 넓어졌다.

자물쇠가 채워진 방문을 열기 위해 자물쇠를 망치로 내려쳤다. 자물쇠가 매달려있던 문틀이 부러진다. 워낙 가는 데다 오랫동안 사람의 기운이 스미지 않아서인지 맥없이 툭 부러지고 만다. 문을 밀치고 들어간 방 한쪽 벽 중앙에는, 한 뼘 넓이 몇십 센티 길이 창호지에 어설픈 글씨체로 쓴 귀신 귀(鬼)자가 붙어있다. 양옆에도 줄줄이, 조금 작은 종이에 같은 글씨체로 '골방 귀신, 녹오 귀신, 둔갑 귀신…' 보도 듣도 못한 온갖 귀신 이름이 쓰여 있다. 또 한쪽 구석 나무 상자 위에는 이불 한 채가 얌전히 개켜져 있는데, 잔뜩 좀이 슨 탓에 들추자마자 그만 바스라져 버린다. 또 한쪽 구석에는 '기문둔갑술'이라는 책 한 권과 천수경 한 권이 놓여있다. 그 옆 검은 비닐봉지에는 붉은 경면주사로 쓴 부적이 몇만 장 들어있다.

옆의 방문엔 더 큰 자물쇠가 매달려있다. 마찬가지로 망치로 열고(?) 들어갔다. 같은 글씨체의 더 큰 귀신 귀 자가 중앙에 붙어있고, 그 양옆으로는 세계 만국기가 걸려있다. 모두 들어내 태워버린다.

방 끝 어둑한 곳에는 아궁이와 부뚜막이 있고 솥단지가 걸려있다. 옆 구석엔 낙엽송 이파리가 잔뜩 쌓여있다. 괭이로 몇 번 긁어내니 딱딱한 무언가가 괭이 끝에 걸린다. 낙엽송 잎을 다 긁어내고 보니 커다란 고무통이 있다. 뚜껑을 열어보니 향긋하면서도 시큼한 냄새가 훅- 올라온다. 옆에 같은 크기의 통이 또 있다. 열어보니 쌀겨가 든 술이다. 아직도 잔뜩 쌓여 있는 낙엽송잎을 걷어내자 또 있다.

'통이 도대체 몇 개나 된단 말인가!'

통 뚜껑을 열자 말로 다 할 수 없는 악취가 난다. 그 속에는 생닭 한 마리와 붉은 핏물이 뚜렷한 넓적 뼈 한 무더기가 있다. 알 수 없는 물에 약초 뿌리가 들어있거나, 가루나 열매가 들어있는 통들이 무려 일곱 개나 되었다. 무엇인지 당최 모르겠는지라 바가지로 떠서 풀밭으로 버린다. 몇 날 며칠 동안 떠내고 바닥이 보이면 바닥으로 기울여 죄다 쏟아 버리고 통들은 풀을 깎아낸 땅에 엎어 포개어 놓고는, 농독(농약)을 섞을 때 쓰려는 마을 사람들이 가져가게 했다.

천막집으로 들어오는 들머리의 풀을 깎고 작은 나무들은 베어내면서 사람들이 다닐 수 있는 오솔길을 만들고, 통나무로 개울을 건널 수 있는 다리도 만들었다. 오랍드리* 돌을 모아 탑을 쌓고, 풀뿌리를 캐낸 곳엔 상추라도 갈아 먹을 요량으로 텃밭을 만들었다.

쑥대와 풀뿌리를 뽑은 곳에 법당을 짓기 위해 크고 작은 각목을 철물점에 주문했다. 오솔길 들머리에 부려놓은 나무들을 머리에 이고 어깨에 메고 며칠 동안 나른다. 법당을 짓는데 노동력을 보태 주실 분이, '다 나르고

---
* 오랍드리 : 강원도 사투리로 집 주변을 뜻함.

나면 연락하라' 하였던 터라 쉴 새가 없다. 드디어 법당공사(?) 시작, 네면 10센티짜리로 기둥을 세우고, 가는 각목들을 필요한 곳에 댄 뒤 벽은 천막으로 두른다. 바람에 덜 펄럭이도록 기둥마다 쫄대를 대고 망치로 못을 박는 건 휴중의 몫인데 안 해보던 일이라 손을 때리기도 하고 힘이 빠지면 손톱을 때리기 일쑤였다. 세게 맞은 손톱 속이 곪느라 뭐만 잡아도 욱신거리고 아려왔다.

알루미늄 사다리도 사고, 지붕도 천막 대신 함석을 얹기로 한다. 함석은, 오솔길이라 생긴 대로 못 나르고 둥글게 말아 어깨에 지고 오른다. 나무 사느라고 주머니가 비었는데 외상을 준 덕분으로 얼추, 천막 법당이 완성돼 간다.

손톱은, 곪을 대로 곪았는지 고름이 질컥거렸는데, 법당 일이 끝나고 보니 몇 개가 덜렁거린다. 아프지는 않지만 뭔지 모를 불쾌감이 있고 오래가지는 못했다. 손톱이 빠져버렸으니까. 새 손톱으로 굳을 준비를 하는 말랑한 손톱을 멀쩡한 손톱으로 꾹 눌러 본다. 아픈 듯 간질거리는 느낌이다.

산속에 양철(함석) 지붕을 얹은 천막 법당과 흰빛과 분홍, 하늘빛 감도는 보온덮개를 덮은 파란 천막집이 생겨났다. 오랍드리 풀을 대충 없애고 난 뒤, 물이 어디서 오는가 샘을 찾아보았다. 법당 위쪽으로 골짜기 물이 흐르고 있다. 물길 따라 올라가 보니 웅덩이가 있다. 웅덩이에는 나뭇잎이 쌓이고 쌓여 꺼멓게 썩고 있었는데 그 아래쪽으로 호스가 잠겨 있다.

"헉, 우웩! 이 물을 먹었던 거야?"

원효 스님의 '해골 물 깨달음'이 생각났다.

'그려, 모르는 게 약이라고, 몰랐을 때는 달기만 했는데 뭘. 이미 오줌똥이 돼도 열두 번은 더 됐겠다, 뭐!'

휴중과 어머니는 더 추워지기 전에 샘물 청소를 하기로 했다.

괭이로 낙엽을 먼저 걷어내자 시커먼 진흙이 쌓여있다. 호미와 삽으로 진흙을 걷어내자 누런 흙이 보이고 바위틈에서는 쉴새 없이 물이 퐁퐁 솟아 나온다. 물은 몇 분도 안 돼 종아리 높이 만큼 차올랐다. 고인 맑은 물로 돌이며 바위 구석구석을 씻어낸 뒤 다시 퍼낸다. (그 뒤, 1년에 한 번씩 연중행사로 샘 청소를 했다. 샘은 제법 깊었고, 한복판은 어른 허리 높이다. 덕분에 몇 년 동안 살면서 물이 메마른 적은 한 번도 없었다.)

흙물이 아닌 맑은 물이 될 때까지 퍼내고 또 퍼낸다. 진흙이 다 씻겨나가고 반짝이는 돌가루가 비친다. 물이 고일 때를 기다린 뒤 호스에 돌을 달아 샘 속에 잠기게 해 놓고는 아궁이와 솥단지가 걸려있는 부엌으로 와서 연결된 호스 끝을 입으로 힘껏 빨아 본다. 물이 나오질 않는다. 샘과 부엌의 거리가 제법 멀어서 한 번에 물을 당길 수가 없다. 어머니와 번갈아 숨이 찰 때까지 빨아 당기고 나서야 물이 왈칵 쏟아져 나왔다. 꿀꺽, 목으로 넘어갈 정도로 몰려왔다. 앞으로는 밤이고 낮이고 이렇게 흐를 것이다.

마을에 사시면서 길을 알려줬던 어르신과 마을 이장을 맡아 보고 있는 어르신의 아들이 천막으로 올라왔다. 마을 사람들이 명산(名山)이라고 여기는 산에 중이 들어왔음을 반가워하며, '뭐 필요한 게 없냐'고 묻는다. 필요한 게 없다고 하자 '부처님은 모셨냐'고 물어온다. 아직이라고 하자 자신이 모시고 싶단다.

천막집에 석가모니 불상(佛像)과 관세음보살과 지장보살상(菩薩像)이 모셔졌고, 산속에 절이 생겼다고 소문이 났다. 점안법회(點眼法會:불상이나 불화에 눈동자를 찍는 의식)를 열었다. 사형 스님을 증명 법사로 모시고 도반들에게 도움을 청했는데 기꺼이, 길도 없는 산속까지 와주었다. 마을에 사는 이들도 초청했다. 멀리서 물품을 보내준 도반과 신도님들도 일곱 시간을 달려서 와주었으며, 큰 잔치를 하는 것으로 마을 사람들에게 눈도장은 확실하게 찍었다.

눈도장은 찍었지만…!

마음 구석구석 틈마다 박혀있는
욕망과 성냄 어리석음(탐진치)이 널뛰기 굿판을 벌이고 있다.
사람들은 겉모습만 보면서 속 살림(마음공부)은 모른다.
자신의 속 살림에 대해 정확히 아는 이는 자신밖에 없다.
남들이 아무리 칭찬하고 좋은 말을 해도 채찍일 뿐이고
입에 발린 소리일 뿐이다.
입이 닳아도 좋다 싶게 산스크리트어로 된 다라니와
주문(呪文) 기도로 애써 억눌러 본다.
그래도 안 될 땐 일기장에 끄적끄적….
날마다 시끄러운 속을 풀어낸다. (끄적끄적 적바림 가운데)

관음·보현보살 나투시다
= 솔잎 굵고 삭정이 끌어오는 날들

점안법회를 마치던 날, 전기도 안 들어오는 깊은 산속에서 삼칠일 동안 휴
중과 함께 신문지 바닥에서 잠을 자며 풀뿌리를 뽑고 못질과 낫질에 짐까
지 여가며 고생하시던 어머니도 집으로 돌아가셨다. 함께 내려가던 도반
의 말을 들으니 몇 걸음마다 돌아보고는 눈물을 찍어내며 우셨다고 한다.
'사람이 살 수 없는 귀신소굴에 남겨두고 가는 것만 같아 발걸음이 떨어지
지 않는다' 시며.

오롯이 홀로 남았다.

낮에는 새와 바람, 물소리만 들리는 곳. 밤은 심지가 타들어 가는 몽당
초의 불빛이 없다면 말 그대로 칠흑 어둠이다. 펴 놓은 책에 일렁이는 촛
불이 기괴한 그림자를 만들며 글씨들을 아른거리게 한다. 만약, 눈이 일
찌감치 침침해진 원인을 찾으라면 (노안(老眼) 현상도 있겠지만) 그때 아궁
이에 불을 때면 방으로 들어온 연기와 촛불 그을음이 한몫하지 않았을까
싶다.

어깨가 움츠러들 만큼 냉랭한 새벽, 어디에도 쓰이지 않은 물통에 가득
담긴 맑은 물을 떠서 주전자에 담고 컴컴한 법당으로 간다. 비닐 문을 열
고 울퉁불퉁한 비닐 바닥 위를 걸어 불단 위 촛대에 꽂힌 초에 불을 켜고,
놋쇠 그릇에 물을 따른다.

향을 사른 뒤 목탁을 들고 바깥으로 나가 도량석을 돈다. 법당 밖을 한

바퀴 돌고 마당 끝까지 갔다 왔다, 법당 앞으로 다시 와 마친 뒤 종을 치면서 하는 종송과 목탁을 치면서 하는 예불까지 마친다.

둘레는 조용하다 못해 고요하다. 예불을 마치고 나와도 아직 어슴푸레한 산속, 해가 산등성 위로 올라오려면 한참 있어야 한다. 방으로 다시 들어가 이불 속에 발을 넣는다. 어젯밤에 데워진 구들장이 아직 식지는 않았지만 미지근한 것이 금방 식을 듯하다.

새벽 예불과 저녁 예불, 기도하는 시간 빼고 종일 하는 일이라곤 밥 먹고 솔밭을 헤집고 다니며 불쏘시개로 쓸 솔잎을 긁어모으거나, 부러진 나무를 끌고 오는 것뿐이다. 해가 지면 불 때고 물이 데워지면 씻고, 촛불 켜고 찬 한 잔 마시고 책 읽는 일이 전부다. 한가하고 한가하기 이를 데 없다. 종일토록 있어도 염불할 때와 전화가 걸려올 때 말고는 말할 일도 없다.

하루 또는 이삼일에 한 번씩 마을로 내려갔다가 온다. 우편물이 와서 또는 손전화기 충전기를 갈아 끼우러. 세상과 연결된, 또는 연결해주는 건 전화기와 카세트 라디오 그리고 전화기니까.

인간은 휴중뿐, 종일토록 사람 구경을 할 수 없는 곳이기에 다람쥐가 보이면 다람쥐의 의견과 상관없이 벗 삼고, 거미가 보이면 거미도 벗 삼는다. 움직이는 모든 것들 다 그의 벗이 되어야 했다. 구름 하늘 바람에 흔들거리는 소나무도.

곧 겨울이 들이닥칠 것이다.

헐어낸 도사의 집 기둥에서 나온 나무들이 한동안 견디게 해줄 것이지만 그 뒤부터는 휴중이 해야 한다. 산속이라 더 빨리 찾아올 겨울을 위해 땔감을 더 마련해야 하는 데 자신이 없다. 해보는 데까지 해보자던, 겨울이 멀지 않은 어느 날 오후, 밖에서 누군가 부르는 소리가 들렸다.

"계세요?"

바깥으로 나가니 젊지도 늙지도 않은 웬 남자가 서 있다.

"어떻게 오셨어요?"

"(혼잣말인 듯) 어, 맞네?" 하더니,

"누가 여기 가서 나무를 해주고 오라고 해서 '거기는 사람이 살지 않는다' 했더니 '가보라. 땔감이 필요할 것 같으니 가서 해주라'기에 진짜 사는지 확인하러 왔어요."

뭐라고 대꾸할 수가 없다. '이럴 때 뭐라고 하면 좋을까!' 할 말을 찾고 있는데 그 남자는 내일 올게요 하고는 마당 끝으로 멀어진다.

다음 날 아침, 마당 끝에서 웅성거리는 소리가 들린다. 나가보니 어제 온 남자와 또 다른 남자들이 지게에 기계톱과 도끼를 챙겨 와서는 자기들끼리 일을 정하고 있었다. 놀라운 마음과 고마운 마음이 서로 튀어나오겠다고 아우성치는 바람에 인사도 제대로 못 하고,

"아, 예, 오셨어요? 오시느라 힘드셨을 텐데 차 한 잔 드릴게요."

"아니요, 절의 것 축내면 안 돼요. 우리 먹을 건 싸 왔어요. 신경 쓰지 말고 들어가세요."

특유의 강원도 사투리와 억양으로 손사래 치는 그들은 너무도 완고해서 그냥 있을 수밖에 없겠다.

그들은 지게를 지고 산으로 올라갔다. 잠시 뒤, 우우우웅 기계톱 우는

소리가 들려온다. 아니 나무들 울음소리가 들려왔다. 두어 명은 그렇게 나무들을 울렸고, 두어 명은 토막나무들을 지게에 져서 마당 한쪽에 부려놓는다. 한나절 동안 그러다가 해가 서쪽으로 넘어갈 무렵 산 아래로 내려갔다 다음 날 또 올라왔다. 이번엔 마당 끝에서는 기계톱으로 팔꿈치 길이 조금 더 되게 자르고, 한쪽에서는 장작을 패기 시작했다. 퍽, 퍽, 쫘악, 쩌억! 이번에도 차 한 잔도 안 받아 마신다. 밥과 반찬을 싸 왔단다. 그들은 겨우(?) 물만 받아 마시면서 이틀이나 더 출근(?)하였다.

나무틀에 비닐을 씌운 방문을 열면 물소리와 불 내음이 가득한 부엌이다. 열린 건지 닫힌 건지 모를 정도로 덜렁거리는 부엌문을 열고 나가면 삼각 지붕처럼 솟아오른 큰 바위가 먼저 보였는데 이제는 잘 쌓은 장작 가리가 먼저 보인다. 이름이 뭔지 어디에 사는지도 모르는 이들, 누군가의 말을 듣고 이 깊은 산속까지 무거운 기계톱과 도끼를 지고 와서 한 해 동안 때고 남을 나무를 해주고 간 덕분이다.

'누가 시킨 걸까, 나도 모르는 누가 이곳을 알아 나무를 해주고 오라고 한 걸까!' 궁금하지만, 알아낼 방법이 없다.

휴중은 웬만한 일로는 아무리 잘 아는 이라도 부탁 같은 건 할 줄 몰랐다. 그래서인지 도무지 생각나는 이가 없다.

'관세음보살이? 아, 정신 바짝 차리고 잘 살라고 보현보살들을 보내주셨구나!'라고만 생각할 뿐(이었다. 그때는) 달리 생각할 길이 없었다. 그리고는 일기장에 다짐의 마음을 끄적인다.

사랑하는, 사랑했던 그대에게 오늘도 편지를 씁니다.

쓰고 또 쓰건만 맺음말은 떠오르질 않습니다.

가슴 밑바닥에서 솟는 눈물을 찍어 안부를 써 봅니다.

보고 싶단 말 차마 못 한 채 주소도 없고 우표도 없는

편지를 부칩니다.

만약, 다음 생이 있다면 부모 자식으로 만나지 말아요.

형제자매로 만나지 말아요.

친구 연인으로 만나지 말아요.

도반(道伴)되어 오세요.

스승(師僧)되어 오세요.

선지식(先知識)되어 오세요. (끄적끄적 적바림 가운데)

산에 길이 나다
= 그 산을 마주 보고는 문도 안 내는데

설날이 지나고 마을 이장님(을 꼭 붙여야 한다. 시골에서는)이 낯선 남자와 함께 휴중의 천막집에 찾아왔다. 함께 온 이는 군의원이란다. 이장님이 군의원에게 휴중과 휴중이 사는 곳을 어떻게 소개했는지 모르겠지만 군의원은 대뜸 제안했다.

"우리 군의 명산에 이렇게 좋은 스님이 오셔서 수도하시니 너무 든든하고 좋습니다. 제가 전기를 끌어다 주고 싶지만 어려울 것 같고요. 무거운 짐 나를 때 사륜구동차라도 드나들 수 있게 길을 내주겠습니다."

군의원은 약속을 지켰다. 처음에는 오솔길 쪽으로 길을 내려고 애썼는데 개인 땅이 있는 데다가 땅임자들이 허락을 해주지 않아 할 수 없이 군(郡) 땅인 계곡 쪽으로 내주기로 했다며. 나흘 동안 산이 쩌렁쩌렁 울었다. 큰 굴착기가 우르릉 그르렁거리며 나무들을 뽑아대고 꺾어대고, 바위와 돌들을 들어 이쪽으로 저쪽으로 옮기고, 땅을 여기저기를 파대니 골짜기는 통곡하듯 울어댔다. 울음이 그쳐 갈 무렵 마당 끝에서 이어지는 신작로가 생겼다. 길이 완성된 날 마을 이장님 반장님 청년회장님과 마을주민들이 다 함께 축하를 해주며 길을 다져주어야 한다며 마당 끝까지 차를 몰고 올라왔다 간다.

버젓한 신작로가 생겼어도 나갈 일 없으니 종일, 밤새도록 빗소리와 벗을 하고 있다. 방문 앞은 원래 물길인데 보통은 물기가 좀 있을 뿐이다. 밤새도록 비가 쏟아지면 물길에 물이 흐르는 폭포 같은 우렁찬 소리는 방문 앞과 마당 끝에서도 났다. 하지만 비만 그치면 '이곳에 정말 물이 흘렀을까?' 싶을 정도로 돌들만 허옇게 남아있다.

하얀 물거품을 일으키는 물줄기, 물보라와 물안개를 피워내는 계곡 아니, 폭포를 떠올리게 하는 곳이 또 있다. 바로 천막 지붕이다. 실비나 이슬비, 안개비가 나릴 때는 사락사락하지만, 장맛비 같은 소나기가 마구잡이로 나릴 때면 어찌나 시끄러운지 건전지로 듣는 라디오 소리를 최고로 높여도 들리지 않았다.

물안개가 골짜기를 덮었다 걷어냈다를 거듭하며 풀잎에 물방울이 맺혀 있을 틈을 주지 않을 때, 방구석으로 스며든 빗물은 퀴퀴한 냄새를 얹어준다. 처마 없는 지붕인지라 도무지 막을 재간이 없다.

그나마 방의 곁문으로는 해가 날 때 빛을 구경할 수 있었는데, 문제는 이 집(이라기보다는 방)이 누가 잠깐 살려고 지었던 것이고 사람이 떠난 뒤 몇 번이나 철을 넘겨 삭을대로 삭은 나무만 남은 것이었다. 그걸 그대로 비닐과 천막을 씌워 못을 박았으니… 잘못 건드렸다가는 주저않을 것 같지만 달리 손 쓸 방법도 만만치 않아서 궁여지책으로 종이상자를 펴서 깔아두며 장마철을 나고 있었는데… 궁여지책으로 종이상자를 펴서 깔아두는 것으로 물기를 덜어내며 장마철을 나고 있는데….

열흘 넘게 태풍과 장마가 번갈아 왔다. 대한민국, 특히 강릉 일대를 더 심하게 휩쓸고 지나간 태풍 루사(15호 태풍)가 오기 전, 그가 사는 산골짜기에는 펑센(9호 태풍)이 먼저 다녀갔다. '산속에 길이 웬 말이냐?'라는 듯 몇 달 전 낸 길이 깡그리 없어졌다. 오솔길로 내려가 새로 생긴 폭포 길(?)로 오른다. 며칠 전까지 길이던 (그전은 산이었던) 곳은 집채만 한 바위가 우뚝우뚝 솟아있는가 하면 크고 작은 돌들만 들쭉날쭉 펼쳐져 있다. 몸뚱이(산)에 온갖 생채기를 내 허연 뼈다귀(바윗돌)가 드러나 있는 걸 보니 '모순(矛盾)'이라는 생각에 가슴이 아려왔다. 군에서 내준 길이라 '수해복구'라는 이름으로 다시 길을 만든다.

처음 길을 낼 때는 6더블 굴착기가 들어와서 나흘 걸렸는데, 복구하러 들어온 굴착기는 6더블과 10더블 두 종류다. 흙이라고는 한 삼태기도 없는 돌산, 마당 끝까지 올라온 굴착기 바퀴는 전쟁영화에서나 봄 직한 탱크 바퀴와 같이 생겼다. 산골짜기까지 힘겹게 올라온 굴착기 기사들은 난처해했다. 난처해하는 그들에게 휴중은 더 염치없는 부탁을 했다. 마당에 들어서면 비탈에 비스듬히 기대어있는 (도사가 살던) 토굴이 법당보다 먼저 반기고(?) 있으니 오는 이마다 귀신을 만나기라도 한 듯 무서워하며 달음박질해서 들어왔다. 하여, 굴착기의 힘을 빌려 그 흉물스러운 건물(?)을 다 헐어달라 부탁하니, 기사들은 그건 안 될 말이라며 펄쩍 뛴다.

"항공촬영에 찍히면 나 감옥 가요."

"나라 밥을 먹게 되면 제가 먹을 테니 해주세요."

"이것 참! 안 되는데…."

그러면서 휴중을 한 번 보았다가 그 건물(?)을 보았다가 작심한 듯 억새 지붕을 굴착기 바가지로 툭 건드린다. 그랬을 뿐인데 그 힘없는 것들은 한순간에 와르르 무너져버렸다. 가뜩이나 볼품없던 것들은 아예 쓸모없게 돼버렸다.

작업을 하다가 갑자기 "어이, 잠깐만~ 살살, 조심~ 조심~" 비탈 쪽의 기사가 마당 끝에 있는 기사에게 귀한 보물을 건져 올리듯 굴착기 바가지로 무언가를 옮기고 있다. 다가가 보니 잔뜩 궁굴린 구렁이가 담겨 있다. 기사는 '업구렁이는 함부로 하면 안 된다'한다. 땅 파는 일을 오래 하면서 생긴 믿음인 듯하다. 그렇게 길을 복구하는 일은 이레가 걸렸고, 덕분에(?) 아랫마을 사람들과 내 건넛마을 일부 사람들의 (축복해주고 응원해준 길이었음에도) '산속 한 집을 위해 길을 내고 수해복구를 해주는 게 말이 되는가?'라는 불평도 들어야 했다. 어쨌든 길 덕분에 덩그러니, 마당 넓은 천막집이 되었다.

아궁이 앞에서, 금생을 잘살아 보자던 도반의 편지들을 태운다. 스치는 바람에도 마음 싣고, 앞산 자락에 걸려 마음 홀려 내는 운무에도 마음 얹고, 흐느끼던 매향(梅香)에 마음 실어 보내던 그 순간을 태운다. 타닥-타닥 탁-! 불꽃을 튀겨 내는 장작개비 위로 한 장 한 장 올려놓는다. 지난날들이 너울거린다. 그리움들이 사라져 간다. 눈을 감는다. 언제나 곁에서 같이 살자고, 혼자 하는 공부보다 함께하는 공부가 신날 거라던 약속의 말들이 타들어 간다. 한 줌도 안 될 재로 사위어간다. 아련해진 사연들을 소리 없는 웃음에 담아 장작불 위에 올린다.

봄 여름 가을 겨울 그리고…
= 적바림을 벗 삼으며

글을 잘 짓는 소설가가 지은 역사소설의 영향일까! 은자의 삶이 참 좋아 보였다. 정치나 권력, 명예와 부를 초월하고 굳이 알음알이를 드러내지 않아도 은은히 풍기는 맑음의 향기가 저 스스로 세상으로 나가는 삶. 붓다의 가르침을 따르는 불자(佛子)의 삶도 그래야 한다 믿었다. 가르침 그 향기에 저절로 무릎 꿇고 의지하며, 비록 은자의 덕목을 갖추진 못했으나, 비록 은자의 맑은 향기 배어 나오진 않으나 그리 살고파 산속으로 들어간 것이다.

너도나도 세상에 드러내고 싶어 안달복달 발버둥 칠 때 누군가는 은자이어야 한다. 화사한 오월의 장미 향기도 좋지만, 뼛속을 에이는 겨울바람 안고 핀 매화의 시린 향기도 좋은 법이라고 그래야 세상의 균형이 맞는다 여겼다.

어느 해, 봄! 난설(亂雪)이 분분(粉紛)한 날이다.

봄이 들어선다는 입춘(立春)이 지나고 대동강 물이 풀린다는 우수(雨水)도 지났건만 도량을 가득 메운 눈이라니. 겨울 한복판 같다. 겨우내 겨울답지 않은 날씨가 이어졌다. 따뜻하여 눈 구경하기 힘들다는 아랫녘도 눈이 많이 와서 차를 통제하고 학교를 쉰다는 소식이다. 예년에는 강원도 산간지방의 겨울은 눈의 고장이라 할 만큼 눈 천지였다. 휴중이 어렸을 때만 해도 눈이 한 번 내리면 어른 허벅지까지 쌓이는 일이 흔했고 좀처럼 녹지 않아 굴을 파고 다닐 정도였는데 요즘은 그런 눈을 보기 어렵다. 바로 옆

동네는 눈 구경이 힘들어 가뭄이 들까 걱정이고, 아랫마을 윗동네에서는 물차가 와서 물을 나누어 주었다고 하니 여간 걱정이 아니다.

땅심이 다 풀리고 파릇파릇 봄빛이 물오르는 날들이다. 만약 그림을 잘 그릴 줄 안다면 짙푸른 능선 그 아래 푸른 소나무 숲과 연푸른빛 새순 드문드문 산 복사꽃 앙증맞은 아름다운 봄을 그릴 것이다. 몽글몽글 봄이 부풀어 오르면 냉이랑 꽃다지, 방울 나물, 물잔대 싹이 앞다투어 나오는데, 자칫 싸늘한 바람을 앞세운 봄눈이라도 흩뿌린다면 다래 순 두릅 순은 삶아 놓은 것처럼 거무죽죽해진다.

겨울 기운이 완전히 사라진 봄, 나뭇가지마다 움터오는 새싹에서는 우주의 에너지가 느껴진다.

봄엔 산들의 풀꽃만 바쁜 게 아니라 휴중도 바쁘다. 사시예불(巳時禮佛: 부처님께 밥을 지어 올리는 예불)이 끝나면 바로 연등(燃燈)을 만들어야 한다. 연등을 만들다 보면 시간이 어찌 가는지 모른다. 혼자서 하는 일이라 더딘 감이 없지 않다. 연꽃이 될, 물감들인 주름 종이 끝을 모으고 풀을 묻혀 말아 꼭 여미며 빚어놓고, 팔각으로 된 철사에 흰 종이를 붙인다. 다 마르면 꽃잎 한 장 한 장 풀칠을 하고, 열두 장씩 여섯 일곱 줄을 붙이면 예쁜 연꽃등이 된다. 종일토록 만들었는데도 열 송이(?) 조금 넘는다.

해가 기울면 연등 만들기를 내려놓아야 한다. 전깃불 대신 촛불로 어둠을 밝히는 곳이라 아궁이에 불을 조금 지펴놓고는 마당을 장악해가는 풀들을 뽑는다. 돌이 반 흙 반인 땅, 풀을 뽑아가며 흙 속의 돌을 걸러내 바닥에 깐다. 풀 뽑은 곳과 돌 깐 곳이 손바닥만큼 넓어졌다. 며칠을 꽃과 풀,

돌과 보내다 보면 산 복사꽃이 손짓하는지 두릅이 손짓하는지도 모른다. 등산화에 장갑으로 무장한, 선크림 뽀얗게 바른 여인들 몇이 모자를 눌러쓰고 저마다 가방 한 개씩 들고 올라와 법당 언저리를 서성대더니 "물 한 잔 마실 수 있냐?"고 묻는다. 물을 떠주니 시원스레 마시고 두릅나무가 있는 쪽으로 가서 알뜰히도 따고들 있다. '마당 가'라고는 하지만 산자락이고 법당 뒤도 산자락이지만 휴중의 처지에서 보면 법당 언저리가 마당이다.

산나물이 한창일 때면 산속에 사는 사람 오줌은 아마도 푸르스름한 빛에 푸른 냄새가 날 것이다. 어쩌면 뱃속도 푸르스름할지 모른다. 마을 어르신들이 "이건 메느리취, 이건 미역취, 이건 방울 나물, 요건 무잔대싹, 저건 나비나물, 이건 곰취…"라고 자세히 일러주며 "뜯어먹으라" 하지만 까막눈엔 다 같은 풀로 보일 뿐이고, 언제나 세상 사람들이 따가고 난 뒤에야, '반찬 없는데 좀 마련해 둘걸!' 하고 욕심을 내본다. 두런거리는 소리가 멀어지는 쪽을 바라보다가 연꽃 피우는 일에 손길을 주지만 집중이 안 된다.

'저녁예불 올리고 돌아다녀 봐야겠는걸, 깻잎장아찌 한 가지는 좀 그렇지? 산나물 먹을 철인데 문 앞에 두고도 맛을 못 본다는 건 좀 그렇지. 그럼, 그럼!' 망상 피우느라 연꽃 피우는 일을 잠시 멈춘다.

山堂精夜坐無言(산속 집 말없이 앉아 있으니)

寂寂寥寥本自然(고요하고 고요함이 본디 그러한 것을)

何事西風動林野(무슨 일로 서풍은 숲을 흔드는가)

一聲寒雁長天(아득한 하늘 기러기 울며 날아가네)

게송 한 구절을 아랫배에서 끌어올려 큰소리로 찬송(讚頌)한 뒤, 마음을 가다듬고 '모든 이들이 평화롭고 행복하게 살기를 원합니다'를 되풀이하며 연꽃을 빚는다.

여름날, 오전 일과는 새벽부터다. 새 부리에 쪼이던 괴불나무 빨간 열매가 파르르 떠는 가지 끝 이슬방울이 대롱거리는 아침은 진즉 한나절을 달려와 집 주위를 맴돌지만, 뜨겁게 차를 우려 마시며 불교방송에서 진행하는 '차 한 잔의 선율'에 빠져든다. 클래식엔 까막눈이지만 9시만 되면 귀 기울이는 버릇이 들었다. 오케스트라 협주 피아노 바이올린 독주 소나타…. 글과 말에 싣지 않은 그 무엇인가를 듣고 느끼려 귀를 열고 마음을 한껏 연다. 하지만 까막눈은 그저 '좋구나, 참 좋구나!' 할 뿐이다.

햇살 가득한 날, 오솔길을 걷고 오면 한 아름 햇살 내음이 안겨있고, 바람 부는 날엔 바람 내음 한 아름을 안고 들어온다. 문득, '아침 골짜기로 올라오는 짙은 안개 속에 서 있으면 안개 내음도 날까?' 운무 서린 날, 팔 벌리고 서 있어 보고 싶다는 생각도 인다.

초암(草庵)　　　－ 초의선사 －
나는 본시 맑고 아름다운 것을 사랑하는데
청산을 두고 어찌 속세에서 놀리오
소박하고 한가한 곳에 먼저 가고
떠들썩한 영화스러운 곳에는 발걸음 더디어야 하는 것
개천 길 깊고 물줄기 소리 멀며

솔바람 가늘고 차 달이는 연기 솟는 곳

이곳에서 속세의 모든 인연 끊었나니

잘 꾸민 좋은 집일지라도 어찌 이곳과 견줄 수 있으리오.

비록, 속세 모든 인연은 못 끊었으나 속세의 잘 꾸민 집이나 크고 화려한 절집이 부럽지 않다. 며칠 전, 얼키설키 못을 박고 천막과 비닐을 덮어서 창고로 쓰던 곳을 헐어냈다. 비바람을 견디던 천막과 비닐이, 한 해가 지나면서 삭고 찢어져 바람이 불 때마다 펄럭거리니 거슬리고 볼썽사나웠다. 비록 삭은 나무지만 창고 버팀목이 되어 주던 나무는 이제는 땔감이 되어 마당 한쪽에 누워있다.

세상 그 무엇도 부러울 것 없는 행복한 보금자리지만, 장마철이 되면 여기저기서 곰팡이가 피어났다. 방이야 불을 때면 된다지만, 법당 바닥은 비닐과 스티로폼 따위를 깐 데다가 세월의 더께가 쌓여가자 물기를 고스란히 바닥 위로 올려보내 깔아둔 방석에서조차 곰팡이를 피워내고 있다. 볕도 나지 않으니 밖에 널 수도 없고….

방구들은 여기저기 막혔는가 불을 때면 굴뚝으로 가지 못한 연기가 방 안과 부엌으로 새 나오는 통에 눈과 코와 목이 따갑다. 날아드는 불나방들 때문에 촛불도 켤 수 없다. 아침이면 나방주검이 여기저기 흩어져 있다. 그 옆에서 밥을 먹고 차를 마시고 있는 자신을 바라보는 일 또한, 여름날의 일이다.

입으로 마음으로, 자연과 하나임에 모든 생명이 평안하고 즐겁기를 바라면서도 생명의 주검을 앞에 놓고 아무렇지도 않게 밥을 먹고 차를 마시고 쓰레받기에 담아 버리고 있는 자신을 보는 일은 섬뜩하게 느껴지기도 하고 무디고 담차다는 생각도 든다.

'만일, 사람의 주검이라면 이렇게 무디고 덤덤할 수 있을까!'

가을, 도심에 살 때는 가을만 되면 나무 타는 내음을 아니, 소나무 장작이 지글거리는 송진을 뱉어내며 타닥타닥 타들어 가는 냄새를 그리워했다. 알싸하면서 구수하고 구수하면서도 달콤한 내음, 그 내음이 스민 거뭇한 화롯불 위에는 할머니의 손맛이 담긴 뚝배기 장이 뽀글거리고, 마당을 차지한 멍석 위에는 도토리와 고추가 누워있던 가을을 그리워하는 것이었다. 기억이 저 혼자 신나서 떠돌아다니는 걸 보면서 낙엽을 태운다.

'번뇌(煩惱)가 태워 질라는가! 어리석음이 태워 질라는가! 죄업(罪業)이 태워 질라는가!'

주절거리다 보니 부는 바람에 불꽃이 인다. 가을이 깊어 간다. 풀빛 옷자락을 펄럭이며 춤추던 나무들에 노란 옷을 입힌다. 진홍빛 옷을 입히다가 빨강 노란 옷을 벗긴다. 하루가 다르게 아니, 아침저녁으로 옷을 갈아입혔다 벗겨낸다. 떨어진 나뭇잎이 쌓이고 나부끼다 또 어딘가에서 쌓이고 밟히다가 태워지고….

보이는 산자락에 앙상한 뼈만 드러낸 채 삭풍 맞는 나무들 늘어가는 바람의 계절이 왔다. '비움으로써 채우는 슬기로운 이'를 흉내 내보겠다고 '탐내는 마음으로 비우고자 하는 중생'이 가을을 맞는다. 분별 망상으로 짜증 내고 성내고 슬퍼하고 속상해하고, 그도 아니면 의심하고 들뜨고 어리바리하면서 하루를 또 헛되이 보내고는 문득, 바라본 나뭇가지들, 소리 없는 채찍으로 성큼 다가와 있다. .

겨울, 앙상한 가지마다 소담스레 피워냈던 눈꽃들을 칼바람이 속절없이 떨궈버린다. 무상(無想)으로 향하려는 안간힘을 인정사정없이 뒤흔들며 산등성이를, 골짜기를, 오솔길을, 솔밭 사이를, 지칠 줄 모르고 밤새도록 사락거린다. 문을 열자 하얀 세상이 반겨준다. 아무도 지나가지 않은 하얀 세상이다. 또 한 번의 겨울이다.

신발 속으로 들어온 눈이 양말을 적시면 발이 시릴지나 발 시린 줄도 모르고 눈밭을 헤치며 썰매를 타고 얼음판을 지치던 어린 시절을 추억으로 떠올리며, 하얗게 쏟아지는 눈. '대설주의보'와 함께 '쏟아진다'는 말이 어울리는, 온통 눈만 보이는 날이다.

많이 쌓이면 치우기가 더 힘듦을 알기에 빗자루를 들고 나가 자주 오가는 데를 쓴다. 비질하는 휴중이 안쓰럽다는 듯, 함박눈은 머리와 어깨에 내려앉다가 금방 눈물처럼 젖어 든다. 동안거 해제(冬安居解制) 기도 회향(祈禱回向)을 하루 앞둔 날. 녹여야 할 탐진치(貪瞋癡) 업(業)은 수미산 같으나 녹여내지 못하고 한숨 쉬는 처지를 안다는 듯, 그의 마음 같은 눈이 오신다. 회향할 그 어느 공덕도 짓지 못했음에 가슴에 쌓인 눈 한 줌이 스며 나오는 듯하다. 뚝! 뚝!

열나흘 밤, 지금 상태라면 망월(望月)을 볼 수 없을 듯한데 보름날에는 볼 수 있단다. 이런저런 나물에 오곡밥을 준비했지만, 이 같은 날씨에 누가 올 수 있으려는지! 이런 그의 생각을 경책하려는 듯 눈보라를 헤치고 밤길을 더듬어 산속을 찾은 이들이 있다. 다시 또 부끄러움이 인다.

> 천황씨가 죽었는가 인황씨가 죽었는가 (天皇崩乎人皇崩)
> 산과 나무 천하가 모두 상복을 입었구나 (萬樹靑山皆被服)
> 해님이 소식을 듣고 내일 문상을 오면 (明日若使陽來弔)
> 집집이 처마 끝에서 눈물 흘리리라 (家家詹前漏滴滴)

몇백 년 전 시인 김삿갓이 쓴 글, 오늘 같은 풍경이 아닐까 싶다. 겨울 동안 구경 못 하던 눈은 입춘 즈음, 설날 즈음, 정월 보름 즈음과 경칩을 하루 앞둔 날에도 손님처럼 찾아온다. 소리 없이 소복소복 숨도 쉬지 않고 나려 주는지 하얀 염주 꾸러미가 한가득 널려있는 듯한 마당, 장독 뚜껑 솔가지 바위 돌멩이에도 담뿍담뿍 얹힌 눈 무덤을 바라보자니 불현듯 슬픔이 밀려온다. 벌써, 네 번의 겨울을 보내면서 치솟는 부끄러움은 부끄러움을 넘어 우울하게 한다.

여럿이 살 때는 모르고 몰랐던 사람들의 말버릇이 보였다. 외국 사람들이 한국 사람들로부터 듣고 실망하기도 하는 말이, "다음에 밥 한번 같이 먹자"라는 걸 어디에서 본 적 있다. 휴중 또한, 사람들이 암자에 왔다가 돌아가면서 인사처럼 하는 말, 또는 전화로 쉽게 아무 생각 없이 내뱉는 말들이 보였다.

"조만간 다시 올게요."

"조만간 갈게요."

'조만간(早晚間)'은, '머지않아'라는 말이다. 머지않음, 오래지 않다는 뜻이다. 휴중은, 그 '조만간'이 보름 안에는 온다는 말, 일주일 안으로 오겠다는 말로 들렸다. 주말만 되면 오솔길이 있는 쪽을 바라보면서 막연히 기다리고 있다. 하루 한 달 한 해가 지나면서 '조만간'은 그저 '그 순간만의 진심'이었음을 알게 되었다. 그리고 아무리 그 순간만의 진심이라 할지라도 함부로 쉽게 할 말은 아니라는 생각이 들었고, 휴중은 '조만간, 머지않아' 따위의 말은 될 수 있는 대로 하지 않아야겠다는 다짐을 하면서 어느 해보다 슬픈 겨울을 맞고 있다.

문득 바라보니 구름은 여전하고 바람도 여전히 바쁘다. 비바람 눈을 막아 주던 법당 벽 비닐은 갈가리 찢어져 바람에 맡긴 채 제멋대로 펄럭이고, 풍상을 겪던 천막 비닐 지붕도 요란을 더해주고 있다. 지게 작대기로 버티고 있는 들창 문설주와 틀 없는 문은 비닐을 끌고 여닫느라 징징거린다. 몸서리치던 부엌문이 바람에 쾅 닫히면서 천정에 덕지덕지 앉은 검댕이 물방울들을 후두두둑 떨군다. 구석구석 스민 연기 덕분에 옷과 책 이불은 제 빛깔 잃은 지 오래다. 촛불 켠 정감 어린 밤. 그러나 이 밤도 슬프다.

슬퍼하는 것도 사치라고 어떤 이들은 말한다. 옳은 말이다. 그러나 달리 표현할 말이 없다. 슬픔이 아닐 수도 있다. 표현 못할 그 무엇이 가슴을 채우고도 모자라 목젖까지 치밀어 오르는데 어쩌지 못해 다만, 슬픔이라고 할 뿐이다. 자신의 그릇됨이 슬프고, 이런 그를 어여삐 보아주는 눈길조차 슬프다. 슬픔이 꽉 차면 삐질삐질 눈물이라도 솟으련만, 엉엉 소리 내어 울기라도 하련만, 이런 것들조차 그를 멀리한다. 그래. 더 끝까지 가보자꾸나!

슬프고 또 슬픈 것은,

사랑하는 이로부터 '아무것도 아님'의 존재여서가 아닙니다

함께 밤을 새운 이가 '날 밝으면 떠나감'에 홀로여서가 아닙니다

그리운 이로부터 '흔한 안부조차 없음'에 서글퍼서가 아닙니다

행복한 웃음꽃이 '아픔의 굳은살'이 되어서가 아닙니다

가슴 저려 온몸으로 울어도 '손 내밀어 눈물 닦아줄'이 없음에서가 아닙니다

정말로 슬프고 또 슬픈 것은 이런 것들을 안고 있음을 보고있는 것입니다.

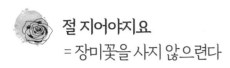

절 지어야지요
= 장미꽃을 사지 않으련다

몇 년 동안 사람이 살지 않던 곳에서 첫 겨울을 나고 봄을 맞았다. 호미로 땅을 건드리자 흙 속의 풀씨들은 기다렸다는 듯 너도나도 고개를 내민다. 감당하기 힘들다 할 때, 산속에서 혼자 산다는 소리를 듣고 "어찌 사나?" 보러 왔던 도반이 '풀과의 전쟁에서 이기는 방법'을 알려준다. '제초제를 뿌려 두었다가 이 삼 일 뒤에 뽑으면 아주 쉽게 뽑히며 다른 풀도 나지 않는다'라며 당장 해보라는 것.

장을 보러 나간 길에 종묘상(씨앗 파는 가게)에 들러 풀 죽이는 약(제초제) 한 병과 분무기까지 사서 짊어지고 왔다. 설명서 대로 물에 섞어 마당에 있는 풀에 골고루 뿌렸다.

며칠 뒤, 풀들은 살아있는 기운을 잃더니 끝내 말라 죽고 있었다. 그러나 워낙 많은 풀씨가 잠들었던 땅인지라 제초제의 기운이 사라지자 웬걸! 다시 고개를 내밀고 바깥 구경을 나오기 시작한다. 그런데 자세히 보니 뭔가 이상하다. 약물이 스몄던 땅에서 올라오는 풀들은 모두 뒤틀리고 휘고 구부러져 있다. 심지어는 오그라져 있고 쪼그라지기까지 한 것이 야릇한 모습이었다. 아뿔싸! 땅의 기운까지 뒤틀어 놓았구나! 그 뒤로 그 어느 곳에서도 다시는 풀 죽이는 약을 쓰지 않는다.

휴중이 사는 산 아랫마을은 하얀 바위 마을이라고 불렸다. 그러나 아무리 봐도 마을에 하얀 바위는 보이지 않았다. 그러던 어느 날 사시예불을 올리러 법당으로 가다가 문득 바라본 산꼭대기를 보고 의문이 풀렸다. 맨 꼭대기 산 정상은 멀리서도 딱 한눈에 보이는 큰 바위가 있는데 그 산의 해발 고도는 1,173미터로 결코 낮은 편이 아니다. 그래서인지 산 아래와 산 위의 기온이 많이 차이나는 여름날에는 운무가 하얗게 서리고, 늦가을부터는 해가 능선에 올라앉을 때까지도 서리가 하얗게 덮여있다. 그런 날들에는 바위까지 온통 하얘져서 정말 하얀 바위처럼 보였다.

'아, 참 아름답다!' 감탄하면서 법당에 드나드는 날들이 늘어갔다.

제법 높은 산에 암자가 있어서인지 '암(庵)'이라는 글자를 보고 가끔, 아주 가끔 등산하듯 찾아오는 사람들이 있다. 이마저 없을 일인데 이곳에 터를 잡을 때, 우편물이랑 그와 인연이 있어 일부러 멀리서 찾아오는 이들이 길 찾기 쉽게 만들어둔 이정표를 세워놓은 것이 사람을 번거롭게 하고 있다. 일 년에 몇 번 없는 일이긴 하나, 찾아오는 이들의 모습이 참 여러 가지다. 정말로 절을 찾아 부처님을 만나러 온 이도 있지만, 거의는 절 구경도 할 겸 풍경 구경도 하고 물 한 잔 마시러 오는 경우다.

보고 나서 반응 또한 여러 가지다. 저으기 실망하고는 "여기가 그 이정표의 암자인가요?" 실망 끝에 바라본 뒤 맥 빠진 목소리로 "터가 참 좋네요." 덩그러니 마당만 넓은 것을 보고 "불사(佛事)하실 건가 봐요?" 또는 "새로 지을 겁니까?" 묻기도 한다.

'그저, 사람들을 만나고 싶지 않고, 공부를 잘하고 싶을 뿐'이라고 말해봤자 알아들을 것 같지 않아 묵묵부답할 때가 많다. '운 좋은 날(?)'은 방에 있느라 만나지 않아도 되지만, 풀을 뽑고 있다거나 법당에서 나올 때 마주

치면 어쩔 수 없이 말대꾸를 해줘야 한다. "불사하려는 것 아닙니다" "새로 지을 것 아닙니다"라는 뻔한 말이지만.

달이 지나고 해가 지나자 불사(佛事:절을 짓는 일을 비롯한 절집의 모든 일)에 훈수를 두는 이들이 많아졌다. 무르익지도 않은 풋중이, 돈도 없는 가난한 중이 산속에 들어가더니 얼마 되지 않아 길이 생기고 마당도 넓어지니까 '큰 야망(?)을 품고 들어갔구나' 여기는 모양인지 한 수 가르쳐 준다는 식으로, 어떻게 하면 돈이 생기는지 어떻게 하면 법당을 지을 수 있는지를 친절하게 알려준다.

휴중은 불사하면 어느 비구니의 얼굴이 떠오른다. 생김새나 이목구비가 분명하게 떠오르는 것도 아니고 손톱만치도 생각나지 않는데 그 얼굴에서 풍겨 나오던 기운은 (지금까지도) 분명하게 남아있다.

휴중의 은사는 휴중이 행자 때, 어느 비구니 스님이 어느 마을에 들어가 (처음에는 허름한 집을 얻어) 열심히 기도하면서 산 지 채 10년도 되지 않아 마을에서 제법 큰 가람(절)을 이루었다며 앞으로 휴중도 그렇게 살기 바라며 자상하게도 견학(?)을 시켜준 적이 있다.

그때까지만 해도 휴중은 스님들을 만날 기회가 없는 데다가 나이든 비구니를 만나는 일은 더더군다나 없었기에, 연륜 있는 비구니를 만나 볼 수 있다니까 알 수 없는 설렘이 일었다. '얼마나 맑을까! 얼마나 빛이 날까! 얼마나 평온할까! 얼마나 고결할까!' 기대가 얼마나 컸던지 가슴까지 두근거렸었다.

은사님을 따라간 절은 과연 큰 절이었다. 마을 들머리에서 훤히 보이고 마을에서 제일 큰 집이었다. 절 마당을 훑어보면서 법당에 들어가 삼배를 올리고 나오자 그 절에 사는 젊은 스님이 나와 인사를 하고는 주지승이 있는 곳으로 안내했다. 따라 들어가니 인사를 시켜서 인사를 하고 올려다본 주지승의 얼굴, '아, 어째서?' 그때 휴중의 눈에 비친 주지승의 모습은 휴중이 상상하고 기대했던 모습이 아니었다. '실망'이라는 두 글자가 아른거렸다. '고결'은커녕 욕심이 덕지덕지 붙은 장사치 모습이었기 때문이다.

'실망'이라는 낱말을 마음 밑바닥에 눙쳐두면서 한옆에 앉아 내주는 차를 마시는데 어른들끼리 나누는 이야기가 들렸다.

"이 절 불사를 하면서 내 얼굴이 이렇게 됐지 뭡니까?"

그날 그 순간 주지승의 '불사하다가 이렇게 됐다'라는 그 말이 휴중의 뇌리에 콕 박혀버렸다. 날카로운 조각칼로 새겨 넣듯 머릿속에 깊이 새겨져 버렸다. 휴중의 도반이 불사하는 방법을 자세하게 알려준다. 휴중은 도반에게 말한다.

"나는 장미 한 송이를 사지 않겠다"라고.

어떤 이가 장을 보러 갔다가 아름다운 장미꽃을 보고 너무나 마음에 들어 무엇을 사러 갔는지도 잊고 장미 한 송이를 사서 집으로 돌아왔더란다. 꽃을 사 왔건만 꽃을 데가 없어 꽃병을 샀고, 꽃병을 사고 보니 꽃병을 둘 식탁이 없어 식탁을 샀는데 식탁이 부엌과 어울리지 않더란다. 식탁을 사고 보니 부엌이 마음에 안 들고, 식탁과 어울리는 부엌을 지었더니 집이 부엌과 어울리지 않더란다. 하여….

욕심의 끝은 가없고 한없다.

'그것'만 가지면 만족할 줄 알았는데 '그것만으로는 안 된다' 여기게 하는 마음이 바로 욕심이다. 그 뒤로도 쭈욱, 그는 (아직까지는) '장미 한 송이'를 사지 않았다.

사주 궁합 이사 날짜 봐주면 안 돼요?
= 불사(佛事)를 위한 불사(不辭)는 안 할 거야

"스님, 스님도 사주나 궁합, 이사 날짜를 봐주면 좋을 텐데…. 이렇게 공부만 하면 절은 언제 커지나요?"

한 달에 한두 번, 한 번도 빠지지 않고 2시간 가까이 걸어서든 아들이 마을 끝까지 태워다 주든 농사지은 토마토며 고추 호박 따위를 가방에 지고 올라오시는 칠십 대 어르신께서 짐짓 걱정된다는 듯 말을 건넨다. 어르신의 눈에는 휴중이 그저 (책 보며) 공부만 하는 것으로 보이나 보다.

"보살님, 사주나 궁합 보러 오는 신도는 없어도 돼요. 보살님처럼 이렇게 오시는 한 분이 더 중요해요. 그런 것 보고 싶은 사람은 저 아래 깃발 꽂은 곳으로 가라고 하세요. 거기서는 다 봐주잖아요."

"그래도, 스님이 봐주면 더 좋을 텐데. 스님도 볼 줄 알잖아요?"

"볼 줄 몰라요. 우리 부처님은 그런 것 하지 말래요."

"그래요? 아유, 어쩌나…. 언제 절이 커지나…!"

어르신은 휴중의 말을 곧이곧대로 믿지 않았다. 다 볼 줄 알면서 일부러 안 봐준다고 생각했다. 어느 날 아랫마을 어르신이 찾아오셨다. '초파일' '입춘'에만 오시는 분이다.

"어서 오세요. 어떻게 오셨어요?"

"저~ 이장댁 어머이가 스님한테 가서 물어보라고 해서요. 우리 아들을 올가을에 결혼시키려고 하는데요. 어디 가서 보니까 색시가 띠가 안 좋아서 절대루 결혼시키믄 안 된다잖어요. 스님한테 오믄 뭔 수가 생기려나 해서요. 이장 어머이가 그러는데 스님은 다 안대요."

아, 어쩌란 말인가!

노인 양반을 그냥 매몰차게 내려보낼 수도 없고….

"그래요? 그런데 보살님보다는 아들한테 해야 할 말인데…. 아드님이 직접 오면 알려드릴게요."

"그래요? 알았어요. 아들 오믄 올라올게요."

얼마 뒤, 어르신은 아들을 데리고 올라오셨다. 서른 중반의 아들은 스님은 처음이라는 듯, 낯설어하면서 어색해했다. 마음을 편하게 가지라고 한 뒤, 차 한 잔을 내주면서 아들에게 사실대로 말했다. '사실대로'란 경험담을 이야기하며 '마음 의지를 다지게끔' 하는 것이다.

"사주, 없는 건 아닙니다. 그러나 모르는 게 약일 수도 있지만 아는 게 힘이 되기도 합니다. 안 좋은 점을 안다는 건, 단점을 고칠 수 있다는 기회지요. 보완할 수 있는 점이 있다고 알고 노력하는 거죠. 아내의 단점, 남편의 단점을 서로 보완하고 고쳐가면서 진짜 아름다운 부부가 되어가는 겁니다.

제 경험을 말하자면, 제가 절집에 있을 때 누가 제 사주를 보았어요. 눈이 안 보이는 분인데 생년월일을 알려주자 봐줬다는데, '여섯 달도 못 있다가 산에서 내려간다' 다시 말하면 '중노릇 못 하는 팔자다'라는 겁니다. 무슨 말인지 아시겠죠? 저는 지금 여기 있으니까요.

그리고 제가 몇 년 전에 있던 절에서 만난 아가씨는 남자친구와 결혼하고 싶은데 어머니가 말렸어요. 어머니가 다니시는 절의 주지 스님이 둘의 사주가 결혼하면 일 년도 못 살고 헤어지는, 도시락 싸 들고 다니며 말려야 할 사주라고 했다는 겁니다. 딸은 몹시 괴로워했죠, 그러다가 저와 하룻밤 지내면서 같이 기도하며 이야기를 해줬어요. 제가 그 절에서 나올 때, 그 아가씨가 고맙다며 연락처와 사진을 편지로 보내왔어요. 까맣게 잊고 있다가 며칠 전 짐을 정리하면서 그 편지가 눈에 띄었고, 혹시나 하고 전화를 걸었어요. 어떤 남자가 받더군요. '저, 지연 씨 전화번호 아닌가요?'하고 물었더니 '맞습니다. 혹시, 스님 아니세요?' '예, 맞습니다. 어떻게…?' '아, 잠깐만 기다리세요. 아기엄마 바꿔드릴게요. 그러지 않아도 조금 전 스님 얘기하고 있었거든요' '……?' 알고 보니 그때 그토록 말리던 그 남자와 결혼해서 아기 낳고 잘살고 있는 겁니다."

"아, 알겠습니다. 무슨 말씀인지. 그렇게 하겠습니다. 제 의지가 중요하다는 말씀인 거죠? 예, 잘 살겠습니다."

"빨리 알아들어서 고맙습니다. 그래서 직접 오시라고 한 겁니다. 어머니께 말씀드릴 말이 아니라."

"예, 고맙습니다."

절을 크게 지으려면 이것도 저것도 해야 한다고 생각하는 게 사람들의 흔한 생각이다. 그런데 부처님의 도량은 세속 삶의 방식이나 세속 삶의 명분으로 따지면 안 된다. 참되고 바른 불자, 불교도라면 감히 생각조차 않을 것이다. 휴중도 그 이치를 몰라서 어리석었던 적이 있다.

법당을 짓고 사는 곳은, 300평 남짓의 개인 땅이 군유림으로 둘러쳐진 산속이다. "산속에 무슨 밭이냐?" 하겠지만 화전민(火田民)이 살았기 때문에 밭도 있고 대지도 있다.

비록 천막 법당에 먹고 자는 방도 천막이지만 몇 번의 겨울을 나면서 오랍드리를 다듬었더니, 일 년에 한 번씩 조상 묘소 벌초하러 왔다가 달라지는 걸 본 땅임자가 무슨 마음으로 느닷없이 일 년 전부터 땅을 팔겠다는 말을 마을 반장댁에 전했다.

그 소식은 휴중도 들었지만, 공부 핑계 대고 절을 짓는 일에는 마음을 두지 않았다. 못 들은 척 모르는 척하기를 몇 개월 지났는데 또다시 말이 전해져 오고, 어느 날 여러 사람이 있는 자리에서 이러저러한 상황을 설명하기에 이르렀다.

'이곳에 개인 땅이 조금 물려있는데 땅임자가 땅을 팔겠단다. 아마도 내가 사기를 바라는 것 같은데 솔직히 나는 아무것도 없다'라고. 사건은 여기부터 시작됐다. 가끔 오던 이가 '이곳은 산속인 데다가 길도 없고 전기도 없으며 집을 지을 곳도 못 되니 그리 비싸지 않을 것이다. 뜻 맞는 사람과 함께 땅을 사주겠다. 그러니 반장한테 말을 해서 살 수 있는 쪽으로 해보라'라는 것이다.

하여, 그 말을 마을 반장에게 전했고 속으로는 싸게 살 수 있기를, 또 이루어졌으면 하는 욕심도 냈다. 그러나 나중에 들리는 말은 예상했던 값의 세 배가 웃돌고 아무리 깎아도 세 배가 되니 약속했던 이들은, '터무니없이 비싸게 살 수 없다. 좀 더 기다리자' 하였고, 휴중은 '지은 공덕도 없이 쉽게 될 리 없지'라며 느긋하게 마음을 가지면서도 한편으로는 싸게 살 수 있기를 희망하고 있었다.

얼마나 욕심이 꽉 찬 생각이었는지…. 파는 사람은 오죽해서 팔겠는가를 생각지 못한 것이다. 들리는 말에 따르면, 나이는 사십이 넘었고 아직 결혼도 못한 노총각에 늙으신 어머니를 모시고 산다는데 그 속은 얼마나 팍팍하겠는가. 그런 이에게 땅을 사주겠다고 한 이는 전화를 걸어, "무슨 근거로 그렇게 비싸게 팔겠다는 거냐?"를 따졌고, 땅임자는 "내 땅 가지고 내 마음대로 팔겠다는데, 무슨 근거가 있어야 하냐?"라며 되 따지는 건 마땅한 일일 터. 그들은 고운 말은 모두 소풍 보내고 듣기 거북한 말들만 서로 내뱉다가 끝내 땅임자는, "가서 몽땅 헐어 버리겠다" 막말을 쏟아내는 지경까지 갔나 보다.

이러한 소식을 전해 들은 휴중은 그저 부처님 앞에서 무릎을 꿇고 참회하는 일 말고는 아무 할 말도 할 일도 없었다.

'제 욕심만 차리려 한 모든 망상 부처님께 참회합니다.'

사실 이 일은 휴중의 덕없음(不德)에서 온 일이다. 싸게 사면 좋겠다는 욕심과 함께, '파는 사람, 사는 사람이 모두 잘 되어 불편한 마음 없어야 할 텐데! 서로 안 좋은 말 안 좋은 감정을 가진다면 불선업(不善業)을 키우는 일이 될 텐데!'라는 우려와 걱정을 하였으니. 거기다 아무런 원력(願力)과 공덕(功德)도 없이 욕심만 부렸으니…. 모두 휴중이 불러들인 결과가 틀림없다.

부처님께 정사(精舍)를 지어드리기 위해 '기타' 태자의 동산에 자신의 모든 재산을 털어 금으로 깔던 '수닷타' 장자의 원력에 기타 태자도 자신의 동산을 부처님께 드린 이야기는 온 신경이 마비되는 듯 뭉클한 감동이 인다. 경전에 자주 나오며 붓다께서 많은 법을 펴신 제따와나(기원정사)는 그렇게 지어졌다.

　불사, 불사(佛寺 또는 佛事)라는 이름으로 해서는 안 될 일, 불사(不辭)하면 안 되리라.

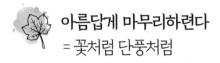

아름답게 마무리하련다
= 꽃처럼 단풍처럼

늦은 밤이건만 잠은 오지 않고 엉켜 있는 머릿속은 음악은 물론 책도 마다하고 있다. 먼 산, 산짐승의 "크엉- 캬악- 캭-!" 울음만이 어둠의 밤을 채울 뿐 바람도 쉬고 있다. 가만히 들으니 울부짖는 듯한 소리다. 가족을 잃었을까?

울음의 종류는 참으로 많다. 조용히 눈물만 흘리는 소리 없는 울음이 있는가 하면 흐느끼는 울음, 터져 나오는 것을 참고 삼키느라 끄억- 끄억-대는 울음, 큰 소리로 엉엉 우는 울음, 슬픔이 복받쳐 두고두고 우는 울음, 악에 받쳐 울부짖는 울음, 가슴 밑바닥에서 끌어 올리며 절규하는 울음도 있다.

지금 저 울음은 가슴 밑바닥에서 끌어내 온몸으로 우는 듯 절규에 가까운 울음으로 들린다. 울음소리는 여기저기에서 나지 않고 한 자리에서 움직이지 않는 듯 들리는 걸 보니 정말로 가족을 잃었는지 모를 일이다. 울음소리는 점점 더 구슬프게 들린다.

얼마 전 도시에 갔다가 우연히 본 인터넷 동영상이 떠오른다. 까치 두 마리가 큰길 한가운데 있는데 자세히 보니 한 마리는 누워있고, 한 마리는 누워있는 까치 주위를 종종거리며 돌고 있는 모습이었다. 한 마리가 사고를 당한 모양이다. 짝을 잃은 듯, 종종거리는 까치는 누워있는 까치의 곁으로 다가가 일으켜 보려는 듯 부리로 건드려 보다가 주위를 뱅뱅 돌다가 다시 다가가 건드려 보기를 되풀이하며 누워있는 까치 주변을 떠나지 못하고 있었다. 영상 속 두 주인공, 참으로 안타까운 모습이었다. 자동차들이 씽씽 달리는 큰길 한가운데의 그 모습은 세상에서 가장 슬프고도 아름다운 모습 같았다.

승려라는 이유로, 승려이기 때문에 때로는 애별리고(愛別離苦)의 한복판에 있어야 할 때가 있다. 물론 출가의 길 위에서 가장 먼저 그리고 가장 늦게까지 끊어내기 위해 맞부닥치는 괴로움이기도 하다. (적어도 휴중의 경우에는 그렇다) 어쨌든, 여러 가지 애별리고를 만나다 보면 같이 아파하고 같이 괴로워할 때가 있다. 또한, 절대로 휩쓸리지 않아야 하기에 붓다의 가르침을 마음 한가운데에 꼭 붙들어 매기를 거듭하기도 한다. 그러기에 냉정하고 비정해 보이기도 하는가 보다.

엊그제, 알고 지내는 이로부터 시어머님이 돌아가셨다고 연락을 해 와 만사 제치고 달려(?)갔다. 망인(亡人) 되는 분과 몇 차례 인사를 나눈 인연으로, 또 믿거나 하고 연락한 그 마음이 전해져 지체하지 않고 서둘러 갔다. 그러고 보니 올해 들어서 벌써 세 번째 '시다림(尸多林)'을 갔다. '시다림'이란 범어(梵語) 시타바나(Śītavana)를 소리 나는 대로 옮긴 말로, '시체를 버리는 숲' 또는 '서늘한 숲'이라는 뜻인데, 우리나라 불교에서는 '죽은 이에게 하는 마지막 설법'이라는 뜻으로 쓴다.

감히 설법할 처지는 아님에도 돌이켜보면 시다림 인연이 참 많았다. '병원 영안실' 또는 '집'에서 만나서 '화장터', '공원묘지'로, '선산'으로 이어지는 애별리고 현장을 마주하곤 했는데, 사람 모습이 저마다 다르듯 삶을 마무리하는 모습도 다 다르다. 천수(天壽)를 다하고 떠난 이, 오랜 지병으로 고생하다가 떠난 이, 사고를 당하여 갑자기 비명횡사한 이, 불행하게 살다가 떠난 이도 있다.

남은 가족들의 모습도 저마다 다르기 마찬가지다. 호상(好喪)이라 절차에 따라 내는 곡소리(號哭) 말고는 울음소리를 들을 수 없는가 하면, 갑자기 닥친 일로 절대로 보낼 수 없다는 듯 울고불고 몸부림치거나 오랜 병치레로 진기가 다 빠진 듯 지쳐 있기도 하다. 사뭇 다른 분위기로 사는 동안 가족이나 친지들과 뜻이 잘 맞고 사이가 좋았는지, 아니면 남보다 못하게 살았는지도 짐작할 수 있다.

승려를 불러놓고 의견이 맞지 않아 옥신각신 웅성웅성, 한술 더 떠 목소리를 높여 주장하고 고함을 지르는가 하면, 스님의 독경(讀經)에 맞추어 같이 읽지는 못할망정 제 설움에 울부짖거나, 술에 취해 소리를 벅벅 질러대는 모습이 마치 도떼기시장 같은가 하면, 서로 의논하면서도 행여 스님에게 누가 될까 염려하는 듯 차분하고도 정갈하다 못해 자못 엄숙하기까지 한 이들도 있다.

그래도 모두 한결같은 생각은, '스님이 와서 염불했으니까 (죽은 이가) 좋은 곳으로 갈 것'이라는 믿음 아닌 믿음, 기대 아닌 기대를 한다는 사실이다. 불교를 의지하든 안 하든.

종교가 있든 없든 죽은 이 또는 그 가족들이 평소에 어떻게 살고 있는지를 알 수 있는 곳도 초상집이다. 요즘은 거의 병원의 장례식장에서 문상객들을 맞기에 크기만 다를 뿐 같은 구조를 띠고 있다. 중앙에 곱고 멋지게 찍어둔 영정사진을 두고, 그 둘레에 꽃으로 꾸민 것도 판박이 같다. (물론, 가난한가 부자인가에 따라 꽃이 많고 적음과 사진 둘레에 두른 꽃의 넓이는 다르지만.)

그러나 삶의 결이 다름은 손님을 맞는 자세나 찾아온 손님들의 모습을 보면 대충 알 수 있다. 상주나 친인척들이 우왕좌왕 어수선은 기본이고 벗어놓은 신발까지도 제멋대로인 집도 있고. 마치 수도원이나 선원처럼 고요하고 차분한 가운데 신발까지도 가지런한 집도 있다. 모두가 살아온 방식, 삶의 버릇, 삶의 결이 이루어내는 모습들임을 초상집에서도 배우기에 휴중은 가끔 말한다. '삶에서 죽음을 보고 죽음에서 삶을 본다'라고.

어쨌든, 절집 법당(法堂)이 아닌, 늘 갖추어진 곳 가르침을 펴는 자리가 아닌 초상집은 어수선하다. 문상객들의 웅성거림, 유족들의 울음, 울부짖음이 어지러운 곳이다 보니 독경이나 염불하기에는 쉽지 않다. 오롯이 그 야말로 집중해야 하기에 두어 시간 하고 나면 등골에서 땀이 주르륵 흐른다. 가르침을 의지하는 불자로서 사실, 죽음을 그리 슬픈 일로 받아들이지 않기에 남은 가족들에게 부탁의 말, 꼭 지켜야 할 것들을 일러주곤 한다. 그 가운데 한 가지는 '울지 말라'는 것이다. 이 말을 바로 알아듣고 멈추는 이는 거의 없다. 그런데 한마디에 뚝 그친 분이 있다. 지금도 기억이 생생하다.

비구니로서는 시다림 인연이 많은 편이라고 하지만, 상여꾼들 앞에서 선(先)소리까지 할 줄은 몰랐던 초상집. 그 산에서 살 수 있게 하고, 군의원으로부터 길을 내주게 했던 이장님이 돌아가셨다. 신심이 돈독하지는 않앗지만 큰 법회 때는 빠지지 않고 오셨더랬다. 그런데 며칠 전 '부처님 오신 날'에 안 오셨기에 궁금해하던 참에 마을 내려가는 길에 만났다. "무슨 일 있으셨어요?" 물으니, "개고기를 먹어서 부정 탈까 봐 못 갔노라"라고 한다.

"부정 탈수록, 그럴수록 오셔야지요."

"예, 다음에는 꼭 갈게요."

며칠 뒤, 고요한 새벽에 전화벨이 소스라치듯 울린다.

"여보세요?"

"스님, 우리 아들이 죽었어. 스님이 와 줘."

풀이 덮인 오솔길을 앞서 헤쳐가며 오르시던 어르신, 명산에 우리 절이 생겼다며 때때마다 한 번도 빠지는 법 없던 어르신이 울먹이며 휴중을 찾는다. 목탁이랑 금강경과 탑다라니를 가방에 챙겨 넣고 새벽이 되길 기다렸다가 택시를 불러 장례식장으로 향했다. 벌써 발인(發靷)하는 날이란다. 참다가 전화하신 것이다. 한국불교의 상용영반과 금강경 1편으로 마지막 상식(上食)을 올린 뒤, 운구차에 올라 이장님(?)과 함께 마을로 돌아온다. 마을로 건너가는 다리목에는 마을 상두꾼들이 기다리고 있었다. 이장님을 상여에 옮겨 태운 뒤 운구차를 돌려보낸다.

문제는 상여와 상두꾼들을 이끌고 갈 사람이 없다는 것. 그동안 (돌아가신) 이장님이 그 역할을 해왔단다. 시골은 도시와 달랐다. 도시에서는 장례식장에서 상주와 시신을 실은 리무진 또는 유족들과 시신을 실은 운구차로 화장터 또는 장지(葬地)로 간다. 그런데 시골은 장례 운구차로 왔더라도 장지까지 상여로 간다는 것이다.

웅성웅성하던 상두꾼들 가운데 한 명이 휴중에게 다가오더니 요령을 내밀며, "스님이 허셔야 겠어요." 상두꾼들 모두가 휴중을 바라보았다. 얼떨결에 요령을 받아든다. 절에서 쓰는 요령과 크기도 다르고 모양도 무게도 다르다. 손목의 힘으로 살짝 흔들어 본다. 소리도 다르다.

어쩌겠는가?

'이제 가면 언제 오나, 북망산천 멀다더니 집 앞이 북망이네'라는 선소리도 모르고 선소리꾼도 아니니 상여 위에 올라서서 하지 않는 것만으로도 다행으로 여기면서 상두꾼들에게 부탁의 말을 한다.

"제가 앞에서 게송을 읊으면 뒤에서 '어야 디야'가 아니라 '나무아미타불'이라고 해주세요."

"야~(예)"

"아미~타불~재하방~(阿彌陀佛在何方:아미타부처님 어디 계시는가?)"

"나무 아이미 타아 불~"

"착득~심두~절막망~(着得心頭切莫忘:마음속 깊이 새겨 절대 잊지 말라)"

"나무 아이미 타아 불~"

"염도~염궁~무렴처~(念途念窮無念處:생각하고 생각 다 해 생각 없는 곳에 이르면)"

"나무 아이미 타아 불~"

"육문~상방~자금광~(六門常放紫金光:온몸에서 자주 금빛 빛나리라)"

"나무 아이미 타아 불~"

한국불교에서 돌아가신 분들을 위한 재(齋)를 지낼 때 (반드시) 하는 장엄염불(莊嚴念佛)을 선소리로 하며 무거운 요령을 흔들며 굴착기가 미리 파 놓은 장지까지 올라간다. 운구가 내려지고 흰 밧줄에 들려진 관이 땅속으로 들어간다. 그 상황을 바라보던 어머니(어르신)가 주저앉으며 절규하신다. 열일곱에 시집와 낳은 큰아들이 이제 막 환갑을 넘겼는데, 어머니보다 먼저 세상을 떠나가고 있으니 어찌 아프지 않고 어찌 슬프지 않을까.

가뜩이나 작은 키의 바싹 마른 노인이 더 작아 보였다. 얼마나 울었는지 눈물이 흐르다 말라붙었다 버짐처럼 번져있다. 입술도 허옇게 말라 생기라곤 없어 보인다. 죽은 이야 그렇다 치더라도 노인이 잘못될까 걱정이 일었다.

"보살님~ 이렇게 우시면 아들이 좋은 데 못 가요. 아들이 좋은 데 가야겠지요?"

"아들이 좋은 데 못 가~? 알았어요. 안 울게요."

연극배우처럼 뚝! 그치신다.

상주들이 차례로 삽으로 흙을 떠서 관 위로 던져 넣는다. 봉분이 될 나머지 흙은 굴착기가 떠넣는다. 그러자 상두꾼들과 친인척들이 긴 막대기를 하나씩 들고 달구질을 해댄다. 그때도 어르신은 울음을 참아 내셨다. 오로지 아들이 좋은 곳에 가기를 바라는 마음으로.

'울음', 정말로 죽은 이를 위해 우는 게 아니라 거의는 제 설움 제 슬픔에 빗대어 울다 보니 듣기에도 썩 좋지는 않다. 그렇다고 웃으라는 게 아니다. 다만 조용히 망자와의 추억이나 기억을 떠올리되 될 수 있으면 좋은 기억

좋은 추억을 떠올리고, 망자가 모든 집착에서 벗어나 진정 해탈하기 바라는 마음으로 있는 게 좋다. 그것이 망자나 남은 가족 그리고 자신에게도 이로운 일이다. 이렇게 말하면 쉬이 알아듣고 그대로 하는 이가 있는가 하면, "무슨 쓰잘데기없는 소리냐? 초상집에서 울음소리가 나야지"라며 울음을 강요하는 이도 있다. 어쨌든 참 많은 공부를 하게 되는 곳이 곧 초상집이다.

죽음이란 세상에서 가장 슬픈 이별이라 했던가!

그러고 보면 불가의 이별은 슬픔이 아닌 듯하다. 평생 수행자로 살다가 떠나는 스님의 모습이야말로 멋진 이별이지 싶다. 아무 흔적 없이 보통 때와 다름없이 움직이고 생활하다가 잠자듯 간다면 말이다. 세속의 이별과는 다르다. 멋진 이별이며 아름다운 마무리일 것이다.

가장 아름다운 마무리는, 한 사람이라도 더 괴로움에서 벗어날 수 있도록 붓다의 가르침을 전하면서 평소와 다름없이 호들갑스럽지 않고 불편하지 않도록 그저 그렇게 가는 게 아닐까?

아무 일 없다는 듯 밥 먹고 물 마시고 이야기하다가 쉬는 듯 그냥 마음 한 자락 내려놓는 일처럼.

너무 젊지도 않고 늙지도 않고 정신 맑을 때 그냥 그저 그렇게 내려놓는, 그렇게 마무리할 수 있기를…! 가장 큰 바람이다.

3장

어리석은 중

둘레의 이웃들
= 살아 움직이는 모든 것들과 친해지기

(산으로는) 가을에 들어왔기에 겨울나기 준비하느라 마음의 여유 없이 풀 뿌리 뽑고 쑥대 베어내며 돌멩이 돌덩이 들어내기 바빴다. 궁여지책으로 비닐과 천막으로 우그려 만든 집에서 하루하루를 보내다 보니 새소리가 들린다. 밤에도 또 다른 생명이 많이 있음을 알아가고 있다.

쥐가 이리저리 돌아다니며 바스락거리는가 하면, 앞산에서는 이름을 모르겠는 산짐승이 컹컹거리는 걸 듣기도 한다. 새벽이면 이름 모를 새들의 바쁜 날갯짓을 본다. 짹짹- 삐삐-삑— 까악- 까까깍- 포르르 소리와 날갯 짓은 바쁘고도 힘차 보인다.

흉중을 바쁘게 하는 녀석들도 있다. (정확한 이름을 모르겠는) 작은 집게벌 레들이다. 사시예불(巳時禮佛) 즈음이면 산등성이로 해가 올라오는데 잔뜩 햇살을 받은 비닐 벽은 포근해지고 스티로폼을 댄 바닥도 폭신하게 느껴 질 때, 어디서 모여들었는지 집게벌레들이 새카맣게 몰려있다. 해지기 전 까지는 몇 번이나 쓸어내야 하는데, 쓰레받기에 쓸려진 집게벌레 가운데 는 언 몸이 풀려 꼼지락거리는 녀석도 있고, 뒤쪽 집게를 바짝 세우고 쏠 쏠거리며 어디론가 가려는 몸짓을 되풀이하는 것도 있다. 어떻게 들어가 는지 비닐과 비닐 사이에 있거나 단열 시트 이음새 사이사이에서 '나 없다' 라는 듯 꼼짝 않고 있는 것들도 있다. 이 구석 저 구석 들어가 있는 걸 보 면, 어지간히도 추위를 싫어하는구나 싶다.

방 안에서 제멋대로 돌아다니는 거미들을 보자. 동그랗고 튼실하게 생긴 새카만 거미, 흑갈빛 길다란 모양의 거미, 다리가 엄청 가느다랗고 긴 거미, 연한 풀빛을 띤 귀여운 거미, 잿빛 갈 빛 흰 줄이 섞인 거미들이 구석구석을 제 방 인양 돌아다닌다. 거미는 바깥의 마당 돌 틈이나 나뭇가지 틈바구니 여기저기에 정말 많다.

봄이 되면 만나는 이웃이 더욱더 많은데 먼저 꼽자면 벌이다.

나비들이 나타날 즈음 같이 나타나 초가을까지 돌아다니는 여러 종류의 벌들은 늘 얼마나 바쁜지 모른다. '벌은 지능이 있는 것만 같다'라는 생각이 들 정도로 휴중을 놀라게 한 벌도 있고, 지치지도 쉬지 않고 방 벽 사이에서 앵앵거리는 참 시끄러운 벌도 있고, 책꽂이 사이사이에 집을 짓느라 진흙을 물어 나르는 벌도 있다.

한번은 책꽂이 사이에 집을 짓는 벌을 골탕 먹인 적이 있다. 책과 책 사이 틈에 집을 짓고 있길래 책을 빼서 다른 칸으로 옮겨 놓고 지켜보았다. 녀석은 진흙을 물고 와 늘 가던 곳으로 간다. 뭔가 달라졌다는 걸 눈치채고는 몇 미터 뒤로 가서 자신이 작업하던 곳을 한참 살핀다. 아무리 봐도 거기가 맞다 싶은지 다가간다. 갔다가 아니다 싶은지 다시 뒤로 물러 나와 또 살피다가 바깥으로 나갔다가 다시 들어와 그 언저리를 맴돌기를 거듭한다. 반나절쯤 그러더니 다른 곳으로 가서 다시 짓는다.

또 다른 벌은 법당 천정에 (아기) 집을 짓고 있다. 주먹 두 개 크기만큼을 짓는데 한 달이 넘게 걸렸다. 보통은 더 빨리 더 크게 짓는데, 아마도 향냄새 때문에 더뎌진 것 같고 그 때문에 작은 집을 지은 것 같다. 그다음 해는 아예 법당 천정에는 짓지 않고 다른 곳에 지었는데, 아주 크고 둥근 집을 며칠도 안 걸려 짓는다.

땡삐(땅벌)이라고 불리는 벌도 있다. 녀석들의 집은 언덕 위 오미자 덩굴 아래 돌 밑에 있다. 노오란 빛깔에 작은 몸을 가지고 날갯짓도 아주 빠르고, 땅이 마주 닿는 돌바닥 틈에 짓는다. 눈이 아주 매섭고 날카로워 보인다. 잘 피해 다니면 된다.

휴중이 된통 당한 벌이 있다. 삭고 오래된 느낌을 주는 검은 잿빛 집을 짓는 녀석들이다. 언젠가 이 녀석들이 뒷간 천장에 짓는 것이다. 뒷간은 팔뚝보다 조금 더 굵은 낙엽송으로 기둥을 세우고, 지붕은 버려진 함석, 문은 무지갯빛 보온 천을 덧댔다. 키가 큰 사람은 고개를 숙여야 하고, 보통 키의 사람이 일어서면 머리 위가 되는 딱 그곳에 말이다. 며칠을 고민하다가 '집을 없애면 저 녀석들도 가겠지?' 생각하고 없애야겠다 마음먹었다. 녀석들은 천정으로부터 한 마디 정도 끈을 늘어뜨리듯 까만 진액으로 줄을 만든 뒤, 한 칸씩 늘려가는데 볼 때는 대롱대롱 힘없을 것 같아 톡 치면 똑 떨어질 듯 보였다.

그러나 그 끈(?)은 엄청 단단했다. 그것도 모르고 툭 쳐낼 요량으로 부엌칼을 들고 가서 천으로 된 문 뒤에 얼굴을 숨기고, 팔만 뻗쳐 부엌칼로 끈(?)을 툭 쳤는데 그만 실패했다. 할 수 없이 돌아 나오는데 공격수쯤 되는 벌들이 휴중의 손을 본 것이다. 한 녀석이 휴중의 손만 노리면서 날아오더니 손가락 사이를 쏘고 간다.

그날 그 순간을 떠올려 보면 달려들던 벌은 마치 자살부대 공격수 같았다. TV에서 보았던 가미가제 말이다. 그날 쏘인 손등은 삶은 호박처럼 부어오르고 겨드랑이까지 욱신거리게 했다. 덕분에 목탁 채를 잡을 수도 없고 젓가락을 집을 수도 없이 며칠 동안 무척이나 고생했다.

그래서 집 떼는 걸 포기했냐고? 아니 포기할 수 없었다.

뿌리는 모기약을 써서 녀석들을 내보낸 뒤 집을 떼어버리고 그 자리에 치약을 발라 놓았다. 그냥 집만 떼었더니 그 자리에 다시 짓는 것이었다. 그래서 생각해낸 것이 그들의 고유 냄새를 없애면 되겠지 싶어 치약을 듬뿍 발라놓았다. 마침내 성공!

향기를 따라 날아드는 벌도 있다.

꽃향기보다는 과일 향을 얼마나 잘 맡는지 방에 과일만 있으면 들어와서 먹어댄다. 포도 몇 알쯤은 몇 녀석이 달려들어 먹으면 잠깐이면 되었다. 사과도 며칠이면 껍데기만 남는다. 때로는 휴중의 얼굴에도 달려들어 몇 분간 구석구석 더듬다가 먹을 게 없음을 알고 나서야 떠난다. 아마도 그가 먹은 과일 향을 따라 왔다가 허탕 쳤음을 쉽게 인정하고 싶지 않아 곳곳을 돌아다녔는지도 모른다.

혹, 벌들이 얼굴을 돌아다닐 때 그 느낌을 경험해 본 적 있는가? 빨대가 살갗을 더듬을 때는 따끔따끔하다. 날갯짓은 마치 작은 선풍기가 도는 것 같다. 여름에만 있는 일이다.

사람들은 벌을 보면 손사래 치며 쫓으려 하는데 그러지 말라. 그러면 더 위험하다. 가만히 있어야 한다. 겁먹지 말고 아무렇지도 않은 듯 신경 쓰지 말고 놔두면 된다. 가만히만 있으면 곰곰 살펴보다가 별 볼 일 없으면 있으라고 해도 날아 가버리니까.

벌들은 마음을 느끼고 아는 능력이 있는 듯하다. 겁을 내면서 나쁘다고 생각하고 손사레 치면 나쁘게 굴지만 '나와 같은 귀한 생명'이라고 생각하고 편하게 보면 아무 짓도 안 한다.

다람쥐, 아! 오랍드리에 가장 많이 돌아다니면서도 가까이 오지는 않고 먹을 것만 찾아 물고가는 애들. 너무 많아서 헤아릴 수 없다. 녀석들은 먹을 것이 있는 곳을 용케도 알고 물고 가곤 하는데, 때로는 염치없는 짓도 많이 한다. 그러다가 된통 당하는 것을 보았다. 법당 지붕 함석과 스티로폼 사이의 새 둥지를 건드렸는가 보다. 어느 날 천장 속에서 투다닥 하는가 싶더니 째액- 소리와 포륵- 포르르르- 날갯짓이 바쁘다 싶더니만 이어 다람쥐가 지붕에서 후다닥거리며 꽁지 빠지게 도망쳐 내려오고 있는 게 아닌가. 벽이라야 천막 비닐, 그 힘없는 비닐 벽을 미끄러지듯 도망치는데 작은 새 한 마리가 쫓아가며 다람쥐를 공격해 댄다. 낮게 날면서 도망가는 다람쥐를 쫓아가 쪼아댄다. 다람쥐는 찌익-! 비명을 지르며 바위틈으로도 미처 못 들어가고 언덕 위로 냅다 뛰어간다. 작은 새는 다람쥐가 사라지는 곳을 향해 날아간다.

새 둥지에는 알이 있었나 보다. 그런데 염치없는 다람쥐가 새알을 건드렸다가 어미 새에게 쫓기는 것이었다. 며칠 뒤, 천정에서 구더기들이 떨어져 내렸다. 또 며칠 뒤에는 털이 부스러져 날렸다. 사다리를 놓고 올라가 합판 틈새를 벌리고 가느다란 막대기로 후벼 보니, 바싹 말라붙은 다람쥐 주검이 툭 떨어진다. 에휴!

조용한 이웃들로는 곳곳의 흙에서 살아가는 개미는 물론, 흙 속에 사는 지렁이들인데, 생땅에는 그나마도 없다. 풀이 썩고 썩어 거름이 된 곳에서 나 볼 수 있는데 풀 뽑느라 호미질하다 보면 본의 아니게 지렁이를 다치게 할 때가 있다. 가슴이 저릿해지는 순간이다. 지렁이만큼 나비들도 조용하다. 나비들은 꽃잎하고만 어울린다. 나방이들도 있는데 나방이는 불빛만 좋아한다. 노린재는 뽕잎이나 채소를 좋아한다. 그리고 비가 오면 볼 수 있는 달팽이들도 있다. 이곳에는 집을지고 다니는 달팽이가 아니라 민달팽이들뿐이다. 아, 참! 모기들도 있다. 처음에는 사람 피 맛을 모르는 어리바리한 모기라고 생각했는데 아니었다.

아차차, 뱀을 빠뜨릴 뻔했다. 따뜻한 계절에 많이 볼 수 있는 뱀이 있는데 사실 휴중은 몇 번 못 보았다. 그것도 꼬리만 몇 번. 그런데 유난히 자주 보는 이들이 있다. 그것도 하루에 몇 번씩, 어떤 이는 법당에 들어가다가 봤다며 그러도 봤냐고 묻는다. 두어 번 봤다고 했다. 그이는 법당 들어갈 때마다 본다며 하루는 먼저 가다가 또 마주치고는 나를 부른다. 빨리 와 보라하여 가보니 그이 하는 말, "어머, 애 좀 봐! 사람 차별하네. 내가 올 때는 피하지도 않고 꼿꼿이 있다가 스님 발소리 들리니까 얼른 가버리네." 그래서 못 봤는데 어린 독사란다.

한낮에 부엌에서 설거지하다가 볼 수도 있다. 문지방 앞에서 볕을 쬐고 있다가 감시하듯이 목을 빼고 빤히 바라본다. 모른 척 신경 쓰지 않으면 어느새 사라지고 없다. 가끔 운 좋은(?) 이는 설거지하다가 만나기도 한다. 어떤 이는 놀라서 공 튀어 오르듯 방으로 들어오는가 하면, 또 어떤 이는

'너는 거기 있어라, 나는 설거지하련다' 하고 못 본 척 하다가 나중에 보면 사라졌더란다.

또 어떤 이는 법당 언저리에서 독사가 똬리 틀고 있는 걸 보고 뒤로 자빠질 뻔했다고도 한다. 뒷간 가다가 보았다는 이, 부엌으로 들어가는 것을 보았다는 이, 이곳저곳에서 봤다며 한결같이 혼자 다니는 것을 꺼린다. 그리고는 백반을 사다 둘레에 뿌려라, 잡아라 등등 별별 걱정을 다 한다.

그 산은 돌이 아주 많은 곳이어서 뱀도 많을 수밖에 없다. 뱀이 살기 좋은 조건이다. 다시 말해 뱀들의 명당에 인간이 제 마음대로 들어가 주인 노릇을 하는 셈이다. 그러니 위험한 것, 나쁜 것이라고만 생각지 말고 그저 '생명 있는 귀한 것'으로 봐 주면 좋겠다 싶다.

처지 바꾸어 생각해보라. 뱀이 인간들에게 '당신은 나쁘다, 위험하다, 보기 싫다, 죽여야 한다'라며 꺼리면 당신은 좋겠는가? 그들이 뭐 어쨌다고 덮어놓고 싫어한단 말인가. 그들은 그들의 삶을, 당신은 당신의 삶을, 제가끔 있는 곳에서 살면 아무런 문제가 없다.

허! 그런데 뱀들은 손발이 없어선지 벗어놓은 옷을 아무 데나 버리고 갈 때가 있다. 그럴 때는 한마디 한다.

"칠칠치 못하게 아무 데서나 갈아입고, 벗은 옷을 치우지도 않고 가니? 이게 뭐야! 주욱 늘어놓고. 나보고 개켜 달라는 거니?"

헉, 다음 날 뱀 허물이 보이질 않는다. 들었나?

두꺼비가 자기 얘기도 하란다. 어느 여름날 법당 문지방 아래 돌 틈에서 저녁예불 시작할 때부터 끝날 때까지 날마다 보이는데, 그 시간 밖에는 어디에 있는지 통 보이질 않는다. 꼭 그 시간에만 있어서 말을 몇 번 붙여본다. "문안 인사드리러 왔니, 잘 드렸어?" 꿈벅꿈벅, 대꾸가 없다. 아니, 했는데 내가 못 알아들었는지도. 그렇게 며칠 동안 보이더니 어느 날부터 안 보인다. 미루어 생각건대, 몸 풀고 세상 떠났는지 싶다. '두꺼비는 새끼 낳을 때 일부러 독사에게 먹힌다'라는 글을 본 것 같다.

휴중이 며칠 전 보았던 두꺼비는 보통 덩치의 두꺼비가 아니라 아주 통통한 게 홀몸 같지 않았다. 그 뒤 그렇게 통통한 녀석은 안 보이고 올망졸망한 녀석들만 가끔 비가 오려고 할 때 본다. 개구리도.

또 여름밤에는 반딧불이도 한몫한다. 특히 여름에 많이 나타나는 잠자리, 메뚜기들도 있다. 베짱이도 있다. 그런데 이들은 날씨가 추워지면 어디로 가는지 모르겠다. 요즘 부쩍 메뚜기주검이 많이 보이는데 '모두 죽는 건가? 한 철만 살고 삶은 마감하는가?' 궁금해진다. 나비, 잠자리, 메뚜기 모두 어쩌면 그렇게도 계절을 잘 아는지.

선들해지면 더 많이 보이는가 싶다가 서리 내리고 나면 드문드문 보이다가 무서리 내리고 땅이 얼기 시작하면 눈 씻고 찾아도 안 보인다. 밤잠 없고 약삭빠른 쥐들만 계절 없이 여기저기 설쳐대며 공양물에까지 입을 대어 야단을 맞곤 한다.

도마뱀들도 아는 척한다. 얘들도 겨울에는 보기 힘들다.

겨울이면 토끼를 볼 수 있고, 너구리, 고라니 울음소리를 들을 수 있고, 산등성이에서는 까마귀들이 아침저녁 깍깍거리는….

참 많은 이웃이 있지만 하나도 제대로 모른다.

하긴, 아는 게 무에 중요한가! 중요한 건 한 공간에 어우러져 산다는 것, 그렇게 살다가 주어진 삶을 마감할 뿐인걸! 태어나는 것들과 죽는 것들, 끊임없이 나고 사라지는 생명일 뿐인걸!

불망울만 휙휙
= 산짐승 이웃이 마중 나온 밤

서울에 볼일이 있어 산 아래로 내려간다. 마을까지 택시를 부른다. 버스가 들어오지 않는 곳, 서울로 가는 버스터미널까지 빠르게 걸으면 세 시간 좀 안 걸리겠지만 한 번도 그렇게 간 적은 없다. 누군가의 도움 아니면 택시로 터미널까지 가서 서울 가는 버스를 탔다.

표를 사고 보니 십 분 정도 여유가 있다. 뒷간을 다녀와서 터미널 안 알록달록 의자들 가운데 하나를 차지하고 버스를 기다린다. 버스가 도착했는지, "동서울~ 동서울 가실 분 나오세요~"라는 안내 도우미의 외침이 들린다. 몇몇이 크고 작은 짐을 챙겨 종종걸음으로 버스를 향해 나간다. 버스에 오르니 특유의 냄새가 먼저 달려온다. 이럴 땐 아무 생각 없이 자는 것이 제일이지만 뜻대로 안 될 때가 더 많아 나름의 방법으로 견디어 본다.

휴중은 서울 갈 때마다 낯설고 적응이 안 된다. 가뜩이나 적응 안 되는데 지하철을 타기 위해 역으로 가면 더 어리바리해진다. 고개를 잔뜩 젖히고 거미줄처럼 얽혀 있는 노선안내도를 한참이나 쳐다보면서 가고자 하는 곳과 타는 곳을 몇 번이나 속으로 되뇌고 나서야 차표를 사러 간다. 한 번은 갈 곳을 잘못 알고 표를 끊었다가 바꾸어야 할 일이 생겼다.

"저, 이거 00역으로 바꾸어 주시면 안 될까요?"

"수수료를 내셔야 하는데요."

"수수료요? 얼마예요?"

"많이 내시면 좋지요."

멍하니 서 있으니, "아니에요"하고 웃음과 함께 표를 바꾸어 준다. 역무원이 시골서 올라와 어리바리한 휴중을 알아보고 놀린 것이다.

나가는 곳으로 가서도 어느 방향으로 가야 할지를 한참이나 보고 또 보아야 한다. 그래도 미심쩍으면 주위 사람들에게 묻곤 하는데, 서울 갈 때마다 으레 치르곤 하는 일들이다.

서울서 볼 일을 마친 휴중은 이것저것 담은 바랑을 메고, (짐을) 들고 되돌아오는 버스를 탔다. 여름 같으면 아직 훤할 텐데, 오후 네 시 차를 타니 도착 즈음엔 제법 어둑하다. 마을까지 들어오는 택시를 탄다. 포장도로가 끊긴 곳까지 오니 캄캄하여 산은 보이지도 않는다. 택시기사가 걱정된다는 듯, "누구 마중 나오라고 하세요"라고 말한다. "예" 대답은 했지만, 그러게, 마중 나올 이웃이 있을지 모르겠다. 쥐, 다람쥐, 곤줄박이도 제집으로 들어가 잘 준비를 하고 있을 텐데…!

휴중은 두루마기를 걷어 허리춤에 묶고 길을 더듬어 한 걸음 한 걸음 산속을 향해 걷는다. 낮이라면 단풍나무나 아가위 열매, 구름에 눈길 주느라 더딜 텐데, 칠흑 어둠 속이라 보이는 게 없으니 걸음에 집중한다. 서울서 적응 안 되던 몸과 마음을 흙내음이 반겨 푸근히 감싸주니 참 좋다. 한편 캄캄한 산길을 오르려니 무서움도 살짝 인다. 무서움을 능치려 어릴 때 살던 집 뒷산, 학교 가는 길에 있던 산을 헤매던 어린 시절을 떠올린다. 사실 휴중은 어릴 때 기억이 그리 많이 떠오르지 않는 편이다. 남들은 돌 때 뭘 집었는지도 기억한다는데, 휴중은 손에 꼽을 정도로 별 기억이 없다. 그 가운데 어머니가 들려준 네댓 살 때의 어린 시절을 생각하면서 걷는다.

앞을 보면 앞산, 뒤를 보면 뒷산, 옆을 보면 옆 산인 깊은 산골짜기 집에서 시집살이하다가 어느 날 친정에 가게 된 엄마를 따라 외갓집에 가게 된 다섯 살도 안 된 아이(휴중)는 재를 넘고 크고 작은 길을 걷다가, 오르막에 접어들자 그만 주저앉아버렸다지. 두 살짜리 아이를 업은 엄마는 보따리를 머리에 이고 들고 아이의 손까지 잡고 가다가 지쳐서 "너는 여기 있어, 호랑이가 물어가게"하고는 오르막 재를 올라가 버렸다지. 엄마가 저만큼 멀어지는데도 아이는 겁을 먹거나 울지도 않고 따라가지도 않고 멀어지는 엄마를 물끄러미 바라보다가는 그 자리에 앉아버렸다지. 재 꼭대기에 아기와 짐을 내려놓고 아래로 내려가 보니 아이는 아까 그 자리에서 조금 더 뒤로 가 앉아서 개미들이 바쁘게 오가는 걸 보고 있었다지.

생각해보니 어머니가 참 막막하고 애가 탔을 듯하다.

아직 갈 길이 멀다. 이번에는 분명하게 기억하는 일이기는 하나 몇 살 때인지는 정확히 모르겠는, 또 다른 기억을 떠올려 본다. 할아버지 할머니 아버지 어머니와 동생 둘이 있는 맏이(휴중)를 아침밥을 차리던 어머니가 큰 소리로 깨워 개울로 내보냈다. 세수하고 오라고.

할아버지 할머니 아버지가 진지를 드시러 오셨는데도 세수하러 간 아이는 밥상 앞에 나타나질 않았다. 흘러가는 물을 보느라 낯 씻는 일도 잊고 앉아 있었으니까. 아이는 등짝에 화를 실어 내려치는 어머니의 손바닥 매를 맞고서야 자리에서 일어났다지.

기억을 떠올려 보니 어른들 속 터지게 만드는 재주가 있었다. 그나저나 어린 게 무슨 생각으로 그러고 있었을까! 인간이란 자연의 한 조각일 뿐이라는 걸 이미 깨달았던 것일까! 실없는 생각을 하다가 다시 길에 집중해 걷는다.

눈에 힘을 주고 크게 뜬다고 더 잘 보일 리는 없지만, 흙보다 많은 돌 덕분에 길을 잃을 일은 없다. 희끄무레하게 보이는 건 거의 다 돌멩이고 바위다. 오솔길로 들어서는 언저리에 일부러 계단처럼 돌을 몇 개 놓았는데 그 덕도 본다. 쉽게 오솔길로 들어섰고 (이곳에 들어가던 해부터) 쉼터가 되어 주는 잣나무 아래 바위에 걸터앉아 한참을 쉰다. 고개 들어 하늘을 보니 별들이 마중 나와 있다. 택시에서 내릴 때는 별도 보이지 않아 구름이 끼었는가! 했는데 머리 위에서 제법 반짝인다. 어느 스님은 새벽하늘 초롱한 별들을 일러 "연약한 이슬처럼 기침 소리에도 우수수 떨어질 것만 같다"라고 하였지만, 휴중은 '밤마다 미리내 이불을 덮고 잔다'라고 여기면서 곧잘 동무 삼아 놀다가 내일 보자 인사를 하곤 했는데 지금은 그냥 웃음만 보낸다.

지난여름 그믐 즈음에 오를 때는 숲이 우거져 정말 칠흑 같다는 생각을 했는데, 지금은 숲을 이루던 나뭇잎이 발밑에서 바삭바삭 소리를 내주니 심심치 않다. 문득 오솔길 저 건너편을 보니 불망울 두 개가 휘익 움직인다. 움찔한 휴중은 가슴을 쓸어냈다.

'늘 다니던 덴데 뭘. 고라니나 살쾡이가 마중 나온 걸 거야.'

"안녕, 나 서울 갔다 오는 길이야. 마중 나왔니? 함께 가 줄래?"

무서움을 털어내려 일부러 큰 소리로 말을 건다. 어떤 짐승인지는 모르겠지만 불망울 두 개는 잠시 머물러 있다가 앞서 움직인다. 휴중도 걷는다. 조팝나무숲을 지나 다래 넝쿨이 있는 곳을 지나 지난여름 일광욕하던 뱀을 놀라게 한 곳도 지난다. 불망울 두 개는 또 저만큼 가 있다. 휴중은 숨을 고른다. 그곳엔 앉을 데가 마땅치 않아 그냥 서서 쉰다. 불빛 두 개도 잠시 서 있다. 걸음을 뗀다. 두릅나무밭이 있는 곳을 지나 솔밭에 들어선다. 불망울 두 개는 잠시 서 있더니 저쪽 낙엽송밭으로 사라진다.

휴중은 법당으로 들어가 불단의 향로에 향을 사른 뒤 "다녀왔습니다" 인사 올리고는 서둘러 불을 지핀다. 한 이틀 비운 동안 싸늘한 찬기가 주인 노릇을 하고 있는지라 서둘러 내보내야겠다. 허기가 지고 춥기도 하여 주전자에 물을 끓여 꿀물 한 잔 마시면서 허기와 추위를 달래 본다.

세 개의 촛불로 어둠까지 내보내고는 서울 서 사 온 수첩을 펴 놓고 쓰던 수첩을 정리한다. 8년 동안 바랑 속에서 휴중과 함께 돌아다니던 수첩, 월간지 부록으로 나온 수첩, 낡고 낡아 제구실 못 한지 오래여도 버리지 못하고 속지만 바꾸기를 몇 차례였다. 촛불 앞에 펴 놓는다. 버리고 지우고 없애고 채워야 할 인연들이 늘어났다.

새벽, 여느 때와 마찬가지로 쥐가 갈그작 대기 시작한다.

빗장을 풀겠습니다.

힘겹다 느끼는, 아프다 느끼는,

미련한 어리석은 울고 싶은 슬퍼지려는

서글퍼지려는 놓지 못하는 게으른 화나는,

탐(貪)·진(嗔)·치(癡)에서 스멀스멀 올라오는

이것들을 제- 발- 모두 가져가세요.

빗장을 활짝 열어 놓을 테니. (끄적끄적 적바림 가운데)

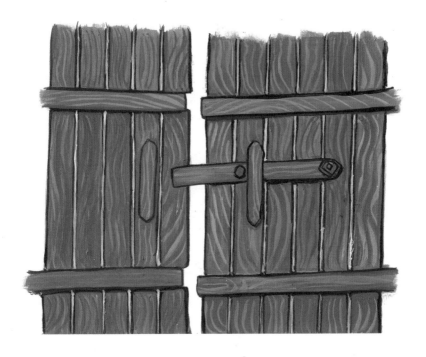

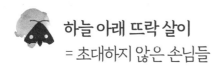

하늘 아래 뜨락 살이
= 초대하지 않은 손님들

새벽이면 썰렁해지는 공기 때문에 저녁이 되면 불을 지펴야 한다. 휴중에게 찬 기운은 끔찍한 불청객인지라 장작 몇 개비를 태워야 밤을 보낼 수 있었다. 아궁이로 불땀이 들어가 구들장을 지나가야 하는 연기는 굴뚝으로 바로 달려가지 않고 방으로 더 많이 새어 나왔다. 정식으로 구들을 놓지 않은 까닭이다.

장작이 다 타고 연기가 어느 정도 빠져나간 뒤에 비로소 촛불을 켜고 방으로 들어간다. 여름엔 일찌감치 아궁이에 장작 몇 개비를 밀어 넣고 풀이 안 보일 때까지 풀 뽑기를 하고, 겨울엔 아랫목 이불 속에 발을 묻고 연기가 빠져나갈 때까지 기다려야 했다. 어쨌든 사철, 불을 때면 연기가 빠질 때까지 덧문을 열어 두어야 했다.

연기는 잡을 수도 없고 막을 수도 없는데, 여기저기 자취는 엄청 많이 남긴다. 책이며 옷이며 온갖 물건들에 내려앉아 만지면 손이 새카매진다. 뿐만이 아니라, 플라스틱 작은 서랍 안의 속옷, 수건, 다른 철에 입을 옷들에도 스며들어 누르스름한 빛깔로 바꾸어 놓는다. 불 때는 집의 멋 아니겠는가 싶다가도 빨아도 지지 않는 누르스름한 땟국이 흐르는 이불을 볼 때면 연기가 야속하다.

연기만큼 골칫거리는 불빛 따라 날아드는 불나방 무리다. 어둠이 내려앉고 연기를 다 빼고 촛불을 켜고 책상 앞에 앉으면 빛깔도 크기도 저마다 다른 나방이가 죽을 줄 모르고 막무가내로 촛불로 달려든다. 밥을 먹고 차를 마시는 동안에도 나방주검을 마주해야 한다. 그렇다고 문을 열지 않을 수도 없고, 문을 닫아도 어느 틈으로 비집고 들어오는지 날마다 몇 마리의 나방주검을 촛농에서 건져내곤 한다.

풀꽃, 하늘 아래 뜨락, 둘러보면 온통, 풀밭이다. 쇠뜨기가 시들면 명아주와 쑥대, 익모초가 키재기를 한다. 한 곁에선 하늘나리가 까만 씨를 다닥다닥 품고서 하품할 준비를 한다. 이른 봄에 뿌려 몇 번인가 입맛 돋우어 주던 고소는 장맛비에 쓰러졌다가 어렵사리 추스르고 일어나 씨앗 여물리기에 바쁘다. 손바닥만큼의 크기 배추밭, 얼갈이배추가 있어야 할 곳에 성근 풀만 가득하고, 배추는 눈 씻고 찾아보기 힘들다. 안 뽑자니 참말로 사람 사는 집 같지가 않다.

일손은 더 없는데 풀꽃은 하루가 다르게 크고 옮겨 심은 꽃모종들은 잡초들의 힘에 눌려 아예 자라지도 못하고 있다. 아무리 천막이라지만 '사람이 산다네'를 알리느라 꼼지락꼼지락, 틈틈이 법당 드나드는 길목과 사람들이 (오면) 오갈 곳의 풀만 겨우 뽑으면서 풀과 전쟁(?)을 하는데 언제나 휴중의 완패다. 특히나 장마철엔 1초마다 자라는가 싶을 만큼 온통 풀빛 세상을 만들어 놓는다.

한 달 가까이 비가 오락가락한 뒤면 풀빛 내음 가득 품은 풀들이 튼실하게 자라는데, 비 온 뒤 바로 뽑으면 뿌리에 한 무더기 흙을 달고 올라온다. 가뜩이나 흙이 없는 곳 흙 한 줌이 아쉬운 곳이라 한 이틀 그냥 내버려 두었다가 사흘째쯤 마지불공(摩旨佛供) 끝나자마자 호밋자루를 쥐고 쭈그리고 앉는다.

한 움큼의 풀을 잡고 호미로 풀포기를 퍽 찍어 들어 올린다. 워낙 돌이 많아서인가! 빗물기는 어디론가 다 잦아들고 풀뿌리에 달려 나온 흙은 탈탈 두어 번 털면 푸슬거리면서 바닥으로 쏟아진다. 뽑아낸 풀을 삼태기에 담고 잔돌들은 추려서 오가는 바닥에 깐다. 잡힌 풀포기가 뽑힐 때마다 풀내음 흙내음 햇살 내음 배어 나온 땀 내음이 버무려지고 어우러지면 달콤하고 싱그러움이 코끝을 파고든다.

많은 풀꽃 가운데서도 무서운 기세로 번져가는 건 바로 마거리트, 눈이 녹고 땅이 녹으면 제일 먼저 땅심을 받고 올라오는 노란 괴불주머니와 함께 피는 꽃은 나비도 찾지 않는 마거리트가 '너도 이렇게 될 거다' 법문(法問)하듯 한 차례 찬란히 활짝 피었다가 시커멓다 못해 흉측한 꼴로 져버린다. 그러나 곧바로 눈치 보다가 늦게 올라온 또 한 무리의 마거리트가 다시 마당을 차지한다.

사실 휴중은 처음 본 (마거리트) 꽃 이름을 몰라 식물도감을 사다가 꼼꼼 넘겨 가며 찾아보았었다. 아무리 봐도 닮은 꽃은 없고 그나마 구절초랑 아주 비슷하다 싶어 휴중 마음대로 '오구절초'라고 이름을 지었다. 오월에 피는 구절초인가 보다 하면서.

쑥갓처럼 올라오던 잎들은 하루가 다르게 크기 시작하면서 튼실하고 소담스러워지다가 이내 줄기를 쑥 내밀고는 하얀 꽃잎에 노란 술을 안았다. 꼭 국화를 닮은 꽃에 굳은 믿음은 가질 수 없었지만 두 해가 넘도록 구절초라고 굳게 믿었던 꽃의 이름을 알게 된 건, 어느 날 천연염색을 하는 지인이 와서 보고는 서양 국화 '마거리트'라고 알려 준 덕분이다. 구절초 꽃에는 한없이 미안해지는 순간이었지만 한바탕 웃음을 자아내게도 한 꽃이었다.

쥐, 사람 기운이 없던 곳에 웬 중이 들어와 살기 시작하니 넘보는 녀석들이 많다. 천정으로 벽 틈으로 돌아다니다가 드디어 방으로 들어오는 틈을 만들었는지 (아니면 알아냈는지) 무시로 때때로 드나들고 있다. 처음에는 살금살금 피해 다녔는데 얼마쯤 지나자 들켜도 놀라지 않고 슬금슬금 도망친다.

또 다른 쥐, 등 한가운데 줄무늬를 띠고 있어 다람쥐처럼 생겼지만, 다람쥐는 아니고 들쥐인가 싶으면 들쥐도 아니다. 가늘고 긴 꼬리가 그렇다. 또 다른 녀석은 입이 뾰족하고 길어 두더지 같은데 또한 아니다.

처음엔 이 녀석들과 신경전을 참 많이 벌였다. 밤만 되면 부스럭거리며 벽 사이를 오가는 통에 자다 말고 깨기 일쑤였다. 잠결에 코앞의 벽을 툭 치면 '후다다다닥-' 했는데, 이젠 잠깐 잠잠하다가 다시 부스럭댄다. 무뎌진 것일까?

솔직히 말하면 점점 늘어나는 녀석들이 싫다. 안 되는 줄 알면서도, '오는 사람들을 위해서!' '병을 옮긴대잖아!' '나를 위해서 그러는 것이 아니야' 이런저런 핑계를 대며 운 나쁜 녀석 몇을 저세상으로 보냈다. 그러나 휴중도 무뎌졌는지, 아님, 살생을 피하려 함인지, '더 가까이만 오지 말아다오!' 하며 지내기로 했다. 헌데, 녀석들은 너무도 당당하게 방에다 (똥으로) 흔적까지 남긴다. 참으로 무례하기 짝이 없다.

"어쩌라는 거야, 이젠 너희 흔적까지 치워야 하는 거니?"

뒷간의 녀석은 또 어떤가! 눈앞의 비닐 벽에서 빤히 쳐다보면서 꼼짝도 하지 않는다. 낮에는 거기가 제집인지 발소리를 듣고도 그대로 있다. 볼일 보려고 바지춤을 내리는데도 눈앞에서 꼼짝 않고 코만 벌름거리고 있다.

"야, 저리 가!"

허! 이러다가 내가 이 녀석들의 눈치를 보고 살아야 하는 것은 아닌지 모른다. 불청객, 초대하지 않은 손님은 그대들인가, 나인가!

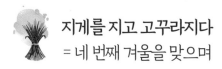

지게를 지고 고꾸라지다
= 네 번째 겨울을 맞으며

햇수로 벌써 다섯 해, 네 번째 겨울을 맞는다. 그러다 보니 맺은 인연들도 몇 생겼다. 그들은 가끔 우스갯소리로, "창건주(創建主:절을 처음 지은 이)가 업(業)이 두터워 오는 사람마다 고생시킨다" "인연 따라오는 이들도 창건주처럼 업이 두터워 힘 안 들이고 올라오는 날 없이 제 업의 무게만큼 꼭 지고 오게 한다" 따위의 말들을 했다.

휴중도 꼭 그렇게 생각한 적이 있다.

보름 가까이 막노동을 하면서 힘들다 느낄 때가 한두 번이 아니었던 그 고생을, 산속으로 살러 간다니까 연락을 끊고 살던 속가(俗家) 어머니가 오셔 (스무날 남짓) 입에서 단내가 날 정도로 함께 하셨다.

막노동뿐만이 아니라 짐도 나르셔야 했다. 어떤 날은 지게로 어떤 날은 머리로. 그러니 보통 무거운 업은 아니라고.

마을을 지나 산으로 접어들면 한 사람이 겨우 지날 수 있는 좁은 길이 나온다. 그것도 사람이 다니지 않아 들풀만 무성한 오솔길, 사람 키보다도 웃자란 쑥대, 조팝나무 따위들을 헤쳐가며 겨우 사람 발자국을 남기기 시작할 무렵, 그야말로 쑥대밭에 천막치고 살러 오는데, 인연 있는 이들이 법당에 쓰일 물건들을 보내 온다. 택배도 면(面) 소재지 또는 버스터미널 가까운 곳까지 오고, 우편물도 마을까지만 오는 곳인데 하루가 멀다 않고, 한 달 가까이 오는 물건들을 돌려보낼 수도 없는 참으로 딱한 지경이 한두 번이 아니었다. 그렇게 불상과 보살상도 마을까지는 봉고차로 오고 나머지 거리는 지게로 져왔다. 그런데 고맙게도 휴중의 사정을 헤아린 우체국에서 오솔길까지 올 수 있는 차를 빌려 한꺼번에 실어다 주었다. 물론 오솔길부터는 몇 번에 걸쳐 지게로 날라야 했지만 그게 어딘가!

그런데, 진짜 악! 소리도 나지 않을 만큼 힘들었던 것은, 법당에서 깔고 앉을 방석들을 지게에 얹고 일어설 때였다. 허리가 구부러져 한 발짝도 뗄 수 없었다. 열두 자짜리 나무 나르는 일도 만만치 않았는데 솜 방석 열세 개를 졌을 때는 정말 신음조차도 나오지 않았다.

낮 동안 흙과 돌 풀뿌리와 씨름하다가 어둑해지면 짐 나르기를 되풀이하다 보니 어머니께는 참으로 죄송스러웠던 터라 "마지막 남은 짐은 내가 나르겠으니 내려오시지 말고 쉬시라" 큰소리치고 오솔길 들머리로 내려왔다. 그런데 막상 지게에 짐을 얹고 지고 일어서려니 지게가 꿈쩍도 하질 않는다. 젖먹던 힘까지, 아니 죽을힘을 다해 일어서서 한 발짝 떼는 데 산 오솔길이 까마득해 보였다.

달빛은 휘영청 밝은데 비틀비틀 꼬여 내딛는 걸음걸음은 수미산을 진 듯했다. '아! 내 업, 죄업 무게인가 보구나!'라고 뼛속까지 느끼던 순간이었다.

그렇게 지고 온 방석은 몇 년 동안 푹신하더니 처음의 그 푹신함과 두께는 어디로 간 지 오래다.

전기가 없는 곳이니 양초가 많이 필요하다. 법당은 물론 밤마다 켜야 하니 겨울을 나려면 미리 몇 상자 준비해야 한다. 문제는 무게가 만만치 않다는 것. 사륜차 길이 생긴 뒤 운 좋으면 차에 실려 올 때도 있으나 겨울이 아니어도 장마 한 번 지나면 길이 없어지니 지고 다닐 때가 더 많다. 지게가 있어 다행이다.

그래도 절이라고, 크고 작은 일이 있을 때마다 불공(佛供) 올리러 찾아오는 사람들이 있으니 불단(佛檀)에 올릴 공양물(과일, 채소, 과자, 초 따위들)을 조금씩이라도 사다 올리곤 하는데, 사람의 욕심이란 끝없어 공양물이 늘어만 간다. 문제는 체력이 자꾸 떨어진다는 것.

오늘도 여러 과일과 나물, 건전지와 부탄가스 상자를 지고 오른다. 지게에 걸터앉은 크고 작은 상자들이 제멋대로 휘청거린다. 30분이면 넉넉히 오를 길을 한 시간을 넘기고 있다. 솔밭이 보이고 거의 다 왔다 싶을 때, 그만 지게와 함께 눈밭에 나동그라지고 말았다.

"어이쿠! 죄송합니다. 정성이 모자라서…!"

눈밭에 내동댕이쳐진 상자들을 정리하고 두 번에 걸쳐 날랐다.

지게 이야기를 좀 더 하자면, (전문가의 말에 따르면) 지게를 만들려면 먼저 좋은 지게가 될 만한 나무를 만나야 한다. 지게 만들기에 맞춤한 나무란, Y자를 닮은 듯하지만 Y자가 아닌 ㅏ자를 닮은 듯하지만 ㅏ자도 아닌 생김새의 나무로 지게 다리가 될 부분은 굵어야 하고, 짐을 얹을 부분은 조금 가늘어야 하는데 꼭 닮은 나무 두 짝이 있어야 하나의 지게를 만들 수 있다. 그런데 그런 나무는 산에 아무리 돌아다녀도 만나기 쉽지 않단다. 옛날에는 짐을 나르기에는 그만한 도구가 없기에 집집이 지게 한 두 개쯤은 다 있었는데 어느 때부턴가 (지게가) 사라지고 요즘은 알루미늄 지게가 나오기에 이르렀다. 그것도 그리 흔하지는 않다. 시골 장터 철물점에나 가야 만날 수 있는 데 휴중도 알루미늄 지게를 사려고 했다. 그런데 이장님이 쓰던 낡은(?) 지게를 얻은 덕분에 (산에서 사는 동안) 잘 써왔다. 문제는 너무 무겁다는 것.

산 아랫마을로 내려가면서 첫 집에 사시는 할아버지 지게를 가끔 빌려서 짐을 지고 올라간 적이 있는데 튼튼하면서도 참 가벼웠다. 지게 다리 사이에 등이 닿는 부분도 짚으로 꼼꼼하게 엮어 푹신하고도 시원하였고, 어깨에 닿는 지게 끈도 짚과 잘 꼬아진 새끼줄로 엮어 어깨가 아프지 않았다. 알고 보니 휴중이 지고 다녔던 지게는 솜씨 좋은 이가 만든 게 아니었다. 등이 닿는 쪽도 오래되어 낡은 것도 있지만 성글고, 지게 끈도 노끈을 섞어 엮었기에 어깨도 아팠다. 그나마도 지게 다리 쪽의 나무가 부러졌는지 양철판으로 덧대어 이어붙여 놓은 아주 굵고 무거운 지게였다. 그러니까 짐을 얹기도 전 지게 자체로도 무게가 나갔다.

빈 지게는 가벼워야 하는데 휴중이 지던 지게는 빈 지게도 무거웠던 것. 휴중은 할아버지 지게가 탐났다. 하여 지게를 돌려주면서 "이 지게는 누가 만드셨어요?" 여쭈어보니 할아버지께서 손수 만드셨다고 한다. 할아버지가 쓰는 지게를 달라고도 팔라고도 할 수 없어 혹시 나무를 만나면 지게를 만들어 달라고 부탁을 하였다. 할아버지는 "그러겠다"고 하셨는데….

휴중도 산을 떠나고 할아버지도 세상을 떠나셨으니 지게도 인연이 안 되고 말았다. 지금 생각해보면, 보이지도 않고 알 수도 없는 삶의 무게도 결코, 가볍지 않음을 새삼 새삼 느끼는 건 어쩌면 빈 지게가 일깨워준 깨달음인지도 모르겠다.

산속에서 산다는 것
= 행복함 속에 욕심이 넘나드네

초승달, 촛불을 켠다. 심심산골 깊은 여름밤 어둠을 몽당 초 셋이 제 몸을 태워 불빛을 일렁이며 밝혀준다. 비닐 몇 장과 보온덮개로 된 벽이 바람에 잠시 진저리칠 때 연둣빛 몸통의 거미 한 마리가 책 위로 방바닥에서 허벅지로 팔뚝을 가로지르고 세로 지르며 어느 쉴 곳을 찾느라 바쁘다. 초승달도 잠시 쉬고 있는 밤 1.5V 건전지 여섯 개의 힘으로 어른 스님의 카랑카랑한 강설(講說)을 듣다가, 건전지 힘이 떨어질 때는 세상 속 월드컵 소식도 들어본다.

보름달, 책을 읽는다. 굴뚝으로 나가지 못한 연기가 스미고 서렸다가 눈가에 스밀 때면 주르륵 눈물이 난다. 한번 솟기 시작하면 쉬이 멈추지 않는다. 불 내음을 모두 씻어내야 멈추려는가 보다.

어스름 초저녁, 달이 산등성이로 살금살금 올라온다. 곁문을 활짝 열어 달을 마중한다. 눈부시게 시리디시린 얼음 빛 달이 한 여름밤을 식혀 주면서 고맙게도 방안까지 덥석 들어와 앉는다. 차를 마시다 만 찻잔에, 어지러이 늘어져 있는 책들 위에 잠시 내려앉았다가 찻잔들 콧잔등에도 앉았다가 일렁이는 촛불 껴안고 문지방에 걸터앉는다. 책 읽기는 글렀다. 달빛에 취하는 밤이다.

낮, 한낮에는 된 더위다 뭐다 해서 움직이는 대로 땀이 흐르는 요즘이다. 해발 800이 넘는 곳이 이러하니 도심지는 오죽할까! 생각만 해도 숨이 막힌다. 온통 시멘트 덩어리로 뒤덮인 공간, 나무 몇 그루, 흙 몇 홉으로 숨쉬어야 하는 도심지 사람들에 견주면 이곳은 온통 산으로 둘러싸여 있으니 무슨 공덕으로 이런 복을 누리는지! 호사를 누림에 죄스럽고 그저 고마울 따름이다. 해가 지고 나면 선들바람에 가을 맛이 느껴진다.

아침, 깊은 새벽 아랫마을 계곡에서 소리 없이 올라오는 안개구름이 검은 산을 하얗게 덮으며 골짜기를 메운다. 구름안개 노님은 아침까지 이어진다. 이렇게 아침을 맞고 저렇게 저녁을 맞고, 또 그렇게 밤을 맞이하며 하루하루를 보낸 것이 어느덧 몇 번의 겨울을 보냈다. 말 그대로 연하지표(煙霞之表:안개와 노을이 노니는 곳)에서 휴중 또한 노닐고 있다.

도시에 사는 이들이 안부를 물으면서 인심 쓰듯 하는 말이 있다.

"구름 따먹고 사는 신선 같은 생활을 하니 얼마나 행복하냐?"

"공기 좋고, 물 좋고, 돈 벌 걱정 없고, 근심 없으니 신선이 따로 없고 거기가 바로 신선 놀이터다."

그네들이 내린 결론이다. 하여, "그럼, 신선처럼 나와 함께 살자"라고 하면 현실을 핑계로 이런저런 말을 하다가 "전기라도 있으면 모를까⋯." 얼버무리고 만다.

순간순간 바뀌어 가는 경치를 보며 아름답다고 감탄하지 않는 이 몇이나 있을까? 순간순간 보이고 들리는 것마다 감동한다면 온갖 아름다운 말을 끌어와도 모자랄 터이다. 사실, 경치만 보고 경치에만 젖어 사는 삶은 아니다. 봄나물이 돋고 복사꽃이 흩날려도 눈길 한 번 제대로 못 주고 살 때가 많다. 안에서 쉴 새 없이 자라나는 무명초(無明草:번뇌)들을 뽑고 잘라

내는 것도 잘하지 못하는 데다가, 겨울나고 눈 녹으면서 땅심이 풀리면 하루가 다르게 쑥쑥 자라는 온갖 풀들이 때와 곳을 가리지 않고 꾸짖음으로 오기 때문이다.

장마철이 오기 전에 정리하지 않으면 장마가 끝날 무렵에는 사람 사는 곳이 아닌 쑥대밭이 된다. 조금이라도 구분을 짓고 살려면 손바닥에 굳은 살이 들어야 한다. 뿐이던가! 가을이 오면 땔감 걱정을 안 할 수가 없다. 흔히들 '오랍드리에 널린 게 나무인데 뭣이 걱정?' 하는데, 나무를 마구잡이로 잘라 쓰는 시대도 아니고 혼자 톱질하고 낫질하면 하루나 며칠 거리야 어찌 되겠지만 긴 겨울나기 땔감으로는 턱없이 모자란다. 넉살 좋게 부탁하거나 도와달라고 하는 주변머리도 못되지만 그렇다고 걱정만 하지는 않는다. 오로지 믿는 것은, '나의 본분을 지키고 살면 무슨 수가 생긴다'이다.

밤, 화창(和暢)하지 않은 여름밤도 그런대로 그윽한 멋이 있다.

이불 솜 뜯어 놓은 듯한 구름에 언뜻언뜻 달빛이 비치면 어디선가 피리 부는 선녀라도 나올 듯하다. '성가시다'며 고운 눈길 한번 안 주는데 잔뜩 이슬 머금은 풀들은 내일을 준비하고 있고, 밤이 깊어 갈수록 달빛은 마당 한복판을 비추고, 풀벌레 찌르르 울면 밤을 노래하는 새가 벗을 한다.

전깃불이 없으니 초로 어둠을 밝힌다. 기도해달라고 보내주는 초 상자를 지고 날라도 밤에 책을 읽으려면 모자란다. 가끔 상원사 보궁에 다녀오면서 몽당 초라도 얻어와야 한다.

어쨌든, 뭐든 걱정하는 것에 견주면 늘 쉽게 해결되곤 하였다. 모두의 염려 덕분이리라. 덕분에 한 번도 냉방에서 잔 적 없고, 쌀 걱정 없이 굶지 않고 오히려 나누어 먹고 있으니 얼마나 고마운 일인가!

처음 산에서 살려고 한다니까 모두 한결같이 걱정하는 말이 '무얼 먹고 살려는가?'였다.

그러나 정작 휴중은 '무얼 먹고 살지?'라는 걱정은커녕 생각조차 해본 적 없다. 그냥, 해야 할 일이 무엇인가를 잊지 않고, 잃지 않기를 바라며, 처음 마음 잃지 않으려 (힘쓴다고는) 하지만 간절한 마음이 아니어서 부끄럽고 또 부끄러울 따름이다.

산속인데도 마다하지 않고 찾아오는 이들에게 부끄럽고, 먼 곳에서 이것저것 보내주는 이들에게 부끄럽다. 부끄러워 이렇게 살고 있는지도 모른다. 지게에 초를 지고 오르면서 고마운 마음을 두루 전하는 것도 행복한 일이고, 과일상자를 지고 오를 때 쉼터를 내주는 바위, 나무, 그늘에도 고마운 마음을 전하는 것도 행복한 일이다.

밀짚모자 속이 땀 냄새로 찌들어 가는 여름 한낮, 호미질에 손바닥의 굳은살이 옹이가 져도 숨을 쉬고 있음이 고맙고 행복하다.

한 달에 한 번 사람 구경하기 어려운 겨울, 심심치 않게 오시는 눈 빗자루질로 등골에 땀이 흐르는 일도 고맙고 행복한 일이다. 복잡하고 괴로운 일 잠시 내려놓고 싶어 찾아오는 이들과 차 한 잔, 웃음 한 잔 나누는 일 또한 참으로 고맙고 행복한 일이다.

무엇보다도 산이 주는 고즈넉함에 절대고독과 마주하며 나 자신을 끝없이 들여다볼 수 있음이 가장 행복한 일이 아닐까 싶다.

마주치는 탐(貪:욕심), 진(嗔:성냄), 치(痴:어리석음)를 볼 때마다 슬프고 안타깝고 속상해서 눈물 흐르기도 하지만 바로 행복한 웃음이 번짐 또한 고맙고 행복한 일이다. 하늘호수 하늘뜨락 향기에 취할 수 있음은 산에 사는 이들이 누리는 절대 행복이다.

산에 살다 보니 '자연에 고마운 마음을 가져야겠다'라는 생각이 인다. "풀, 꽃, 강, 나무, 숲이 아니라면 우리의 고운 마음 어디에 비추어 볼 것인가! 햇살 바람 머금은 물이 아니면 우리의 목마름은 무엇으로 풀겠는가! 나무, 숲, 산이 아니라면 우리의 숨결이 있겠는가!"라는.

하여 산신제(山神祭)라는 이름으로 산 아랫마을에서 사는 이들을 초청하여 자연이 주는 은혜를 생각하는 자리를 만든다. 일 년에 한 번 그런 자리를 갖는다고 달라지지는 않을 것이다. 다만, 농사지을 때 온갖 풀과 보이거나 보이지 않는 생명 존재들이 죽이며 죽여가고 있음을. 휴가철 더위를 피해 오고, 공기 좋은 곳을 찾아오는 이들을 맞으려는 무슨 무슨 펜션들, 민박집들이 있는 곳은 산자락과 나무 풀꽃들이 잘려나간 아픔의 자리라는 걸. 몇 시간 몇십 분을 줄여서 오가고자 하는 욕심이 산허리를 끊고 산 뱃속에 구멍 냈다는 것을 잊지 않으려는 발버둥이었다.

사람들이 쏟아내고 뱉어낸 탐욕의 찌꺼기로 땅이 신음하고
강이 거품을 토해낸다. 더불어 사는 온갖 만물(萬物)들이 뒤틀리는 고통에
헐떡거린다. 지구촌 곳곳이 이와 같으니 지구별은 오한발열(惡寒發熱)로
지독한 몸살을 앓고 있다. 누구에게 '하소'하리. (끄적끄적 적바림 가운데)

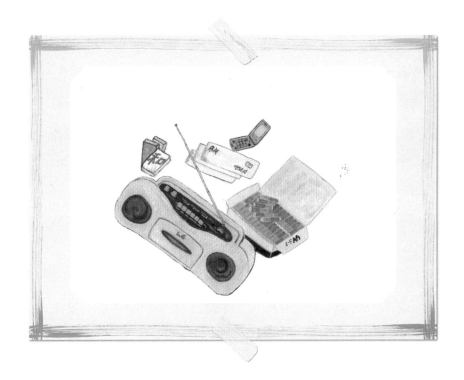

살아있는 귀신을 보다
= 앉으나 서나 꿈에도 놓지 못한다면

휴중이 사는 곳은 화전민이 살던 곳이기는 했으나 그 뒤에는 평범한 이가 살지 않았다. 마을 사람들에게 들은 이야기로는, 늙지도 젊지도 않은 남자가 병든 몸을 고치려고 그 산으로 들어와 약초를 캐서 달여 먹으며 살았단다. 몇 년 지나면서 건강이 좋아졌는데 어느 때부턴가 비닐 집을 짓고 불상(佛象), 장군상(將軍像), 신상(神像)을 짊어지고 와서 모셔놓았다가, 또 어느 때는 다 때려 부수더란다. 어느 때는 환자들이 묵을 거라며 비닐 집을 크게 짓고, 마을 사람들이 나물 뜯으러 올라가면 막대기를 들고 쫓아내면서 그 누구도 가까이 오지 못하게 했단다. 그러다가 또 어느 때는 지어놓은 비닐 집을 다 때려 부수고는, 날아가는 까마귀만 보아도 '생불(生佛)이 날아간다' 하질 않나, 또 어떤 때는 경찰서나 파출소, 면사무소에 '귀신 좀 잡아 달라'고 밤마다 전화를 걸었단다. 하도 전화를 하니까 어느 날 면장이 살피러 갔는데, 면장이 올라오는 걸 보자마자 '귀신 잡아라~'며 쇠꼬챙이를 들고 쫓아 나와 그만 삼십육계 줄행랑을 쳤다는 말도 있다. 그 뒤로도 오랫동안 마을 사람들은 나물 한 줌도 뜯으러 가지 못했다고 한다.

그 흔적은 휴중이 처음 갔을 때도 고스란히 남아있었다. 여기저기 조금만 크다 싶은 바위에는 검은 또는 붉은 페인트로 귀신 귀(鬼) 자를 써 놨다. 뿐만이 아니라, 가로세로 1미터 이상 되는 함석판에도 붉은 페인트로 '백리 이내 인간 접근 금지. 암이나 백혈병을 치료할 수 있으며 에이즈는 아직 실험 중'이라고 써놓은 것도 그대로 있었고, 나무와 흙, 돌과 억새를 엮어 지었으나 마치 도깨비나 귀신이 나올 것처럼 으스스해 보이는 방도 두 칸이나 있었으니 말이다. (방 안의 풍경은 저 앞에 있으니 생략.)

같은 면에 큰 절을 지으신 어느 어른 스님을 찾아뵙고 인사를 드린 적이 있다. "어디에서 사는가?" 하시어 사는 곳을 말했더니 "아, 그 산에 절터가 있긴 하지. 내가 몇 년 전에 군 안에 있는 산을 둘러보면서 절터를 알아보고 다닌 적이 있어. 그 산에 맞춤한 곳이 있긴 한데, 어느 노인이 살고 있어서 '내가 이 땅을 사서 절을 짓고 요사채를 지어줄 테니 같이 삽시다' 했더니 막무가내로 쫓아내면서 절대로 그럴 수 없다는 거여. 그 누구도 이곳에 들어올 수 없다고. 그래서 포기하고 여기를 사서 지은 거여" 하시면서 "임자가 따로 있구먼"이라는 말을 덧붙이시는 것이었다.

그 노인, 병을 고쳤으면 산에서 내려가야지 내려가질 않고 전문 지식도 없이 병든 이들을 고치겠다는 욕심을 내고 토굴까지 지었다. 동의보감에도 없을 (몇 말들이 고무통에 온갖 뿌리로, 핏빛이 선명한 생닭 한 마리와 뼈다귀로, 온갖 열매로, 이런저런 걸 담은) 약(?)을 만들고, 방마다 온갖 귀신 이름을 써놓고, 온 오랍드리에 페인트로 귀신 귀자를 써놓았으니…. 그 흔적만 보아도 '삿된 믿음을 가졌었구나!' 싶은데, 마을 사람들 말을 들어보면, 두려움과 공포심의 고통을 받다가 끝내는 떠난 것 같다.

'왜 떠나는가?' 물어보니 '神이 나가라고 해서 간다' 하더란다. 그 뒤 소문은 '정선 어딘가에 가서 살다가 죽었다' 였다. 그 말을 증명이라도 하듯, 휴중과 인연 있는 스님들 또는 신도들 가운데 귀신(헛것)을 보았다는 이들이 있었다. (신기하게도) 보았다는 귀신의 모습이 모두, 마을 사람들이 이야기하는 노인의 모습과 닮았다. 하다못해 귀신의 존재를 믿지 않는 기독교인까지 그 환영(헛것)을 보고는 휴중에게, "스님, 귀신이 있나요?"라고 물었다.

그때만 해도 한국불교 문화를 배우고 그대로 행하던 때라, "예, 있답니다. 사람이 죽을 때까지 집착을 놓지 못하고 죽으면 갈 곳을 못 가고 중음신(中陰身)이 되어 자기가 살던 곳을 떠돈다고 합니다. 그 존재가 바로 귀신인 거죠"라고 했다.

뿐만이 아니라 '신도가 오면 귀신 또는 죽은 조상이 몇이 보이고 천도재를 몇 번 해야 하는지를 말해주는, 천도재를 아주 잘 지낸다는 도반 스님이 왔는데 마찬가지로 그 환영을 보았다는 거다.

암튼 그곳에 왔던 이들 가운데 절반가량은 노인의 형상과 같은 헛것을 보았다고 하고, 그 또한 중음신의 존재를 인정하고 한국불교 의식을 답습하던 때라, '아, 노인이 이곳에 집착이 많아 이곳을 못 떠나고 있구나!' 생각하고 법회(法會) 때마다 당연하다는 듯 시식(施食:영가(靈駕)에게 음식을 베풀고 법문을 해주는 의식)을 했다.

'산 살이'가 익숙해져 가던 어느 해. 아랫녘에 사는 도반과 도반의 신도가 만행 삼아 휴중이 사는 천막 암자에 들렀다. 여느 날과 마찬가지로 사시불공을 드리는데 바깥에서 시끄러운 소리가 들려온다. '등산객인가, 뭔 시비가 붙었나?' 축원까지 다 마치고 법당을 나서니 12시가 넘었는데, 마당 끝에 웬 노인이 도반의 신도와 앉아 있다. 점심때라 간단하게 먹을 것

을 준비해서 마당 끝에 앉아 있는 이들을 불렀다. 그런데 방으로 들어온
이는 도반과 신도뿐이었다.

"노인은요?"

"내려갔시유."

"왜요?"

"그 노인네 여기서는 안 먹겠대요."

"그래요? 그런데 아까는 왜 그렇게 시끄러웠어요?"

"아, 그거유, 그 노인네 여기서 살았대유. 근디 약이 궁금해서 왔는데, 아
무리 찾아도 안 보인다면서 화가 나 소리를 지른 거예유."

"약요? 무슨 약이지…?"

"여기에 세계 인류를 구할 약을 만들어 놓았다던디유."

"아…. 그건가? 고무통에 뭐가 들어있긴 했는데 다 버렸거든요."

"그건가 보네유. 그래서, '난 몰러유. 법당에 들어가 저 스님한테 물어 보
세유' 했더니 '내가 거길 왜 들어가냐?'며 온 사방 다 둘러보고 오더니 '세
계 인류를 구할 약이고, 백억을 줘도 못 구할 귀한 약이 하나도 없다'며 화
를 냈다가 한숨 쉬었다 그러드만유. 그래서 '그러게 왜 약을 두고 떠나셨시
유?' 그러니까, '나가고 싶어서 나간 게 아니라 신(神)이 나가라고 해서 나
간 것'이라는 거유. '그러믄 진즉에 오지 왜 이제야 오셨시유?' 했더니 '오
고 싶어도 신이 허락하지 않아서 못 왔다'고 그러든디유. 법당에도 안 들어
간다고 허구."

노인은 아직도 두려움에서 벗어나질 못했는지 법당에 안 들어왔고, 휴

중이 주는 음식도 안 먹고 내려간 것이다. 그리고는 마을에 내려가 어느 어르신 댁에서 점심을 얻어먹고 갔다고 한다.

어쨌든, 중요한 건 분명하게 살아있었다는 것. 그런데도 환영(귀신, 헛것)은 여러 사람 눈에 보였다는 것이고….

휴중은 크게 깨달았다.

'아, 귀신이라는 건 죽어서만 되는 게 아니구나! 집착이 강하면 산 귀신도 되는구나!'

보이지 않는 마음이지만 앉으나 서나 오로지 어느 한 곳, 어느 한 사람, 어느 한 물건, 어느 한 가지에 집착하고 집착하여, 그 집착의 힘(에너지)이 강해지면 귀신이 된다는 사실을 분명하게 알았다.

다시 말해, '집착의 에너지가 모이고 뭉쳐 응결(凝結)된 게 귀신'이다.

죽은 귀신이든 산 귀신이든 '귀신이 무서운 게 아니라 집착이 무서운 것'임을 알아야 하리라. '집착을 무서워하고 두려워해야 한다'는 사실을 깨달아야 하리라.

그대여, 무엇이든 간에 절대로 집착 말라. 귀신을 만날 수 있다.

잠 못 드는 밤은 길기만 하고
= 새벽마다 악쓰며 우는 날은 늘어가고

휴중이 산속에 들어가 천막 짓고 살기 시작한 뒤부터 그를 아는 스님들은 욕인지 칭찬인지 모를, '저 스님은 사막 한가운데 던져 놔도 살아남을 거야'라는 말을 심심찮게 하곤 했다. 그러나 그건 휴중을 잘 모르고 하는 말이다.

'목마른 사람이 우물을 파라'는 속담처럼, 목이 말라 우물을 판다면. 그것도 날마다 몇 시간씩 판다면 마을 사람들이 마시고도 남을 우물이 될 것이다. 그러나 어찌 된 일인지 마을 사람은커녕 자신조차도 목마름을 해결하지 못하고 있으니 잘못돼도 한참 잘못된 일이리라.

휴중이 천막 법당 비닐 집에서 몇 번의 겨울을 나는 동안 사람들은 많은 위로의 말을 건넸다. "이곳에서 사는 것 자체가 수행이겠네요" "도인이 따로 없네요" 심지어 일흔이 넘으셨다는 어느 노스님은, 등짝을 후려치며 "야, 이놈아, 아무리 공부 욕심이 있어도 그렇지. 어찌 이곳에서 이렇게 사노? 나도 젊었을 적 공부 욕심에 산에 들어가 절을 짓고 살며 비구들도 갈구지 못할 정도로 담대하고 당차다고 했다. 그래도 혼자는 엄두가 안 나서 도반이나 사제들과 같이 살았다"라며 칭찬인지 욕인지를 하고는 눈물을 훔치기까지 하셨다.

마을 사람들도 비가 추적추적 오거나 어두컴컴해지면 눈길도 안 준다는 산을 한밤중에 손전등도 없이 오르내린 걸, 먼 지역에서 일 끝나고 출발해

오는 이들이 산 아랫마을에 도착해 마중 나오라고 하면 밤 열두 시가 되어도 마중을 나가는 걸, 남자들도 무겁다는 짐을 지게에 지고 올라가는 걸 본 이들이 소문을 내고 있었다. '남자도 때려눕힐 정도로 힘이 장사더라' '귀신도 물리친다더라'라고. 그러면 뭐 하는가! 소문은 소문일 뿐이다.

몇 해 동안, 참법(懺法:참회하면서 하는 기도)을 몇 번 하면서 늘어가는 건 악쓰고 우는 날 뿐인걸. 어찌하여 후회할 짓은 자꾸만 하는지, 어찌하여 가슴치고 머리 짓찧을 짓만 자꾸 하는지. 몸을 괴롭힐수록 몸은 죽겠다고 발버둥 치고 있었다. 들어간 숨이 나오질 않고 나간 숨이 들어올 생각을 않는 순간들도 생겼다. 목탁 치면서 염불을 하는데 숨이 안 쉬어져 뱉지도 들이쉬지도 못하겠고 가슴은 금방이라도 터질 듯 힘들다. 그런 날은 어김없이 새벽까지 잠을 못 자고 머리를 짓찧으며 악을 쓰고 울면서 발버둥 칠 뿐이었다. 딱 죽고만 싶은데, '미안해서 못 죽겠다'라는 마음이 밀려왔다. 정확히 말하면 그동안 받은 양초값, 기도값이 두려움으로 밀려와 무서워졌다.

'너는 밥 먹고 할 짓이 오로지 부처님 가르침 행할 일밖에 없는데 어찌하여 탐진치가 더 커지는 게냐?'

'너도 해결 못 한 주제에 무슨 법문이냐? 1년에 한두 번 올라오는 저 마을 사람들에게 사기 치는 것밖에 더 되는가? 그 빚을 어찌 다 갚으려고 그러는가?'

양심이 밤마다 채근하는 통에 머리가 깨질 것 같다. 한밤중에 벌떡 일어나 아무리 악을 쓰고 울어도 탐·진·치로부터 자유로워지는 법을 모르겠다.

아무리 부처님, 관세음보살님, 지장보살님을 찾아도 알려주지 않는다.

불확신은 자꾸 더 커지고 있었다.

'분명 교리(教理)에는 (부처님이 살아 계실 때) 일곱 살 아이도 알아듣고 수다원 아라한이 되었고, 기생이나 밭 갈던 농부, 이발사도 수다원 사다함 아나함 아라한(번뇌를 여의고 큰 자유를 얻은 단계)이 되었다는데, 어찌하여 더 많이 배우고 더 똑똑한 세상인데도 깨달았다는 이, 수다원이나 아라한 같은 성자가 없단 말인가!'

의심이 커지고 있던 차에 의심의 불길에 휘발유를 퍼붓는 듯한 글이 눈에 들어왔다. 불교계 소식을 알리는 신문에 실린 광고였고, 천년 법보 사찰에서 10대 조상의 위패(位牌)를 모시고 천도재를 지낸다며 위패 1위당 얼마씩 받는다는 내용이었다.

'천년 법보 사찰에서 10대 조상 위패를?'

교리에는 분명 사람이 죽으면 살아있을 때 지은 죄업대로 여섯 갈래 삶의 길로 가게 되어있다고 했다. 능엄경에서도 무거운 죄업은 무거운 대로, 가벼운 죄업은 가벼운 대로 죄업이 다할 때까지 그 삶의 길에서 살아야 한다고 했는데. 함께 여럿이 살 때는 보이지도 않던 문제의식이 스멀스멀 기어 나와 활개를 치고 있었다.

'알아보러 가자!'

해마다 음력 4월 15일이 되면 전국의 모든 절에서는 여름 한 철, 석 달 동안 절 문밖을 나가지 않고 수행(기도, 참선 등)을 하는 하안거(夏安居)에 들어간다. 그리고 끝나는 날에는 지옥에 (있다고 믿는) 있는 조상들을 구제

하기 위해 천도재를 지내면서 하안거를 끝낸다. 휴중 또한 해마다, 기도에 동참하는 이들과 그들의 조상 위패를 건 뒤, 공양물을 올리고 '석 달 동안 이렇게 하겠습니다.'라고 입재식(入齋式)을 하고 석 달 동안 마을 밖을 나가지 않으며 기도비를 보낸 이들의 축원카드를 들고 하루에 세 번의 기도를 하며 보냈다.

그러나 그 해엔 하안거에 들지 않았다. 기도비를 보내며 동참하겠다는 이들에게는 "진짜로 천도하고 싶은 조상 또는 먼저 죽은 이를 꼽아 보라" 고 이르고는 발길 닿고 인연 닿는 대로 이 절 저 절의 스님들을 만나 여쭈었다.

"어떻게 하면 탐진치를 소멸할 수 있는지요?"

대답이 모두 달랐다.

어느 스님은 앉으나 서나 걷거나 앉거나 머무르고 잘 때도 천 길 낭떠러지 끝에서 한 발 앞으로 내딛는 (百尺竿頭進一步) 마음으로 오로지, 참선(參禪)만을 하라 하고.

어느 스님은 들숨 날숨 헤아리며 관찰하는 수식관(數息觀)을 하라 했다.

어느 스님은 경전을 베껴 쓰면(寫經)서 절을 하라고 했다.

또 어느 스님은 참법 기도를 열심히 하라 하고.

어느 스님은 관음 기도를 간절히 하면서 소리를 통해 깨달음을 이루는 이근원통(耳根圓通)을 해야 한다고 했다.

'어찌 다 다를까!

부처님의 법이 탐진치를 소멸하는 가르침이라면 모두 같은 말이어야 할

텐데 어찌 다 다를까! 부처님이 아니면 조사 스님, 둘 가운데 하나는 분명 사기를 치고 있구나!'

의심은, 의심이 해결될 때까지 사라지지 않겠다는 듯 더 커졌다.

책 속에 해답이 있을까 싶어 책을 파본다. 도반이 보내준 책들 가운데 초기불교라는 말이 눈에 들어왔다.

'초기불교? 붓다의 가르침을 처음 그대로 이어오는 불교인가?'

몇 권의 책을 통해 초기불교에서 한다는 수행법을 알게 되었다. 뿐만이 아니라 우리나라에도 그 수행법으로 수행하는 곳이 있었다. 찾아갔다. 그 곳에서 수행하려면 돈이 필요했다. 마침, 제사를 지내 달라고 돈을 부쳐왔 는데 '진짜 제사는 내가 깨닫는 것'이라는 마음으로 제사 비용을 들고 찾아 갔다.

모든 게 낯설었다.

그동안 휴중이 해온 수행법은 (겉으로 보기에는) 가만히 앉아 있거나(참 선), 엎드렸다 일어섰다 하는 절, 무슨 말인지도 모르게 부처나 보살 이름 을 부르는 염불(念佛), 다라니를 외우거나 하는 식이었다.

도량 사무실로 가서 수행하러 왔다고 접수하고 법당으로 갔다. 조립식으 로 된 법당으로 들어갔더니 휑한 공간 끝에 석가모니 불상(佛像)만 덩그러 니 놓여있고, 수행하러 온 이들은 양쪽을 가로질러 천천히 걷고 있었다. 그 런데 걷는 모습이 마치 텔레비전에서 본 천천히 걷고 있는 좀비들 같았다.

발끝을 내려다보며 천 천 히 아 주 천 천 히.

걷고 있는 모습은 세상 사람들의 모습이 아니었다. 뭘 해야 할지 모르겠어 따라 걸어본다. 허공으로 든 발끝과 다리가 바들바들 떨려온다. 책을 보고 혼자 오솔길을 걸어봤지만 이렇게 전 천 이가 아닌 그저 조금·천천히 걸으면서 땅이나 바위, 풀 무더기를 밟을 때 고무신 바닥으로 전해져오는 느낌을 느낄 뿐이었다.

그러나 이곳에 온 이들은 다르다. 언제부터 이런 수행을 했기에 이렇게 자연스럽게 잘하고 있을까! 얼마쯤 했을까! 구름 모양으로 된 운판(雲板) 종을 치니까 사람들이 천 천 히 움직이면서 방석 위로 올라가 앉는다. 그렇게 한 시간을 앉아 있다가 다시 한 시간을 좀비처럼 걷기를 되풀이하다가 오후가 되니 법사(法師:수행지도 해주는 스승)에게 도움말을 들으러 다른 건물로 간다. 따라갔다. 하루가 지나서야 감을 잡았다.

마음과 마음작용에 대해 알게 되니 탐진치로 하는 짓이 보였다. 어리석은 짓인 줄 알면서도 끊어내지 못하고…. 끊고 싶은 마음이 커져만 갔다. 틈만 나면 갔다. 어떤 때는 한국 법사, 어떤 때는 미얀마 법사로부터 수행 지도를 받으면서 며칠씩 지내다 왔다.

그러다가 아예, '미얀마로 가자'라는 생각이 일어났다.

미얀마에 가기 위해 돈을 모으기 시작했다.

기도비가 생기면 빚지는 느낌에 누가 빌려달라면 (못 받을 줄 알면서도) 얼른 줘버렸기에 항공요금과 미얀마에 가서 쓸 돈이 없었다. 그렇다고 신도들 도움을 받고 싶지는 않았다. '제 공부 모자라 가는 주제에 어떻게 보태 달라 하겠는가!'라는 마음에.

어쩌다 어른 스님을 뵙고 인사드리면 받는 용돈이나, 다른 절에서 불공이나 재(齋) 지낼 때 (가면) 받는 돈을 1년 모았지만, 편도비행기 요금밖에 안 된다.

탐진치가 목을 조르고 있어 더 미룰 수가 없다. '먼저 가는 비행기 표만이라도 끊어서 가고 보자' 가는 날을 잡고 비행기 표를 끊었다. 무를 수 없다. 무르지 않을 것이다.

소식 들은 이들이 비행기 요금에 보태라고 보태주기 시작했다. 참선하다가 미얀마에 가서 공부하셨던 어른 스님은, "그곳에 가면 아무거나 다 잘 먹어야 한다"라며 소고기를 사주고 한의원에도 데리고 가신다. 6대째 한의업을 이어오는 의원은 진맥 해보더니 가지 말라고 한다. "지금 건강으로는 그 나라에 가는 것은 죽자는 일이고, 가 있는 날만큼 몸이 더 안 좋아진다"라며 먼저 몸을 추스르란다. 비행기 표를 끊었다고 하니 "공항에 발만 콕 찍고 오라" 한다. 죽어도 그곳에 가서 죽고 싶었다. 공부하다가 공부한 만큼 탐진치를 줄인 상태에서 죽고 싶었다.

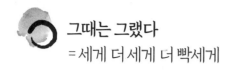

그때는 그랬다
= 세게 더 세게 너 빡세게

'산 살이'는 휴중도 처음이다.

오래전부터 작정하고 준비했던 게 아니라 상황과 흐름에 따르다 보니 어물쩍 산에 들어갔고, 어찌저찌 첫 겨울을 보냈다. 이듬해는 아무것도 갖추어지지 않은 풀밭인 산속의 봄과 여름에 적응하느라 정신없었다. 때로는 동식물 벗들이 주는 행복감에 취해 게을러지는 것도 몰랐다. 그렇게 게으름과 탐진치가 덕지덕지 군살 붙듯이 늘어나면서 순간순간 숨통을 죄어왔다.

휴중은 승려다. 누가 봐도 승려다.

한 올도 남기지 않고 말끔히 밀어낸 머리 모양이 그렇고, 입고 있는 잿빛 바지저고리가 그렇다. 무엇보다도 십 년 가까이 배워온 공부가 뼛속까지 박혀있고 읽는 책도 불교 관련 책이 많다. 세속의 소설이 밤을 새우게 할 정도로 더 재미있지만, 일부러는 읽지 않았다. 은사의 가르침도 있지만, 무엇보다도 스스로 한 말, '어중이떠중이는 되지 않겠다'라는 다짐이 그를 자꾸 꾸짖고 보챘기 때문이다.

누군가와 거울 보기 할 수가 없으니 스스로 자신에게 경책할 거리가 있어야 했다. 제일 먼저 한 것은 행전(行纏:바짓가랑이를 좁혀 무릎 아래로 묶어주는 것)이었다. 행전을 치고 종일토록 움직이다 보면 종아리가 터질 듯하다. 혈액순환을 막기 때문에 불편해지는 것이다. 특히나 쭈그리고 앉아서 호미로 풀을 매거나 낫으로 풀을 벨 때면 더 불편한데 일부러 불편하기 위해 맨 것이다. 잘 붓는 휴중에겐 안 좋지만 그렇게라도 승려라는 걸 잊지 않으려 했다. (남들은 이해하지 못했지만) 그 방법은 탁월했고 얼마간 먹혔다.

'목탁이 깨져라' 두드려가며 염불을 한다.

노래를 아무리 불러도 목이 쉬지 않았기에 염불도 괜찮겠지 하는 생각에 한껏 목소리를 높였다. 누군가 듣고 귀를 막을 정도만 아니면 좋겠다는 생각에 목소리를 관찰하니 목소리가 다시 낮아졌다.

목탁을 힘껏 두드린다. 팔이 부러지든 목탁이 깨지든 갈 데까지 가보자. 하였지만 목탁이 깨지거나 팔이 부러지는 일은 없었다. 은사로부터 '공음(空音: 맑은소리)이 나는 데를 제대로 두드려야 한다'라고 배워서인가, 목탁 소리를 들으면서 하니 힘을 못 주겠다.

'번뇌야, 어리석음아, 제발 사라지렴. 어떻게 해야 사라질 거니?' 울면서 매달리듯 염불하지만, 번뇌는 조롱하듯 알짱대며 소멸할 기미를 보이지 않았다.

승려들 세상에는 '뭐니 뭐니 해도 조상들을 천도해주는 지장 기도를 먼저 해야 한다'라는 말이 있다. 그리고 휴중에게도 권한다. 휴중은 '지장경을 읽고 츰부다라니를 밤낮으로 외우면서 지장보살께 조상기도 하면 업장 소멸이 빨리 된다'라는 말에, 2시간 가까이 걸리는 지장경을 읽고, 맨 끝에 있는 (지장경의 엑기스라고 하는) 츰부다라니를 앉으나 서나 외워댔다. 입안에 모터를 단 듯 츰부다라니가 줄줄 나온다. 꿈속에서도 외우고 있다. 꿈에 귀신이 나타나면 츰부다라니를 외우면서 '귀신아 물러가라, 사라져랏!'하면 스르르 사라지는 꿈도 꾸었다. 자나 깨나 츰부다라니, 앉으나 서나 츰부다라니. 밥 먹을 때나 똥 쌀 때나 앉거나 걸으면서도 "츰부츰부 츰츰부 아가서 츰부…" 무슨 뜻인지도 모르고 하면 좋다니까 입에 달고 살았다. 딱 그뿐이었다. 꿈속에서도 외울 뿐인.

'참법을 하자!'

한국불교에는 참법(懺法)이라는 게 있다. 살아오는 동안, 아니 태어나기도 전에 지은 죄업까지 참회하면서 다시 짓지 않겠다고 맹세하는 기도법(祈禱法)이다. 보통은 「자비도량참법(慈悲道場懺法)」과 「자비수참(慈悲水懺)」이라는 책을 보면서 한다. 한국불교의 참법 기도는 중국으로부터 시작되었다.

기록에 따르면 자비도량참법은, 양나라 무제가 황후 치씨를 위해 여러 스님에게 청하여 만든 긴 기도문이라고 하는데, 그 기도문을 만든 까닭은, 황후 치씨가 죽은 지 몇 달이 지나도록 슬픔에 빠진 무제는 나랏일은커녕 밤에 잠도 못 잤단다. 어느 날 잠자리에 있는데 밖에서 이상한 소리가 들렸고, 내다보니 큰 구렁이가 무제를 향해 혀를 날름거리며 기어 오더란다. 무제는 놀랐지만 도망칠 수는 없어 짐짓 근엄하게 "짐의 궁에 감히 너같이 흉물스러운 것이 들어오다니 이 요망한 것, 짐을 해하려는 것이로구나" 호통을 쳤단다. 그러자 구렁이가 말을 하더란다.

"저는 폐하께 사랑을 받던 치씨 옵니다. 신첩이 살았을 적에 다른 후궁들을 질투하는 마음이 마치 불같고 활로 쏘듯이 그렇게 사람을 해쳤습니다. 그 과보로 이렇듯 구렁이가 되었나이다. 폐하, 저의 소원을 들어주시옵

소서. 저를 아끼시던 그 마음으로 부처님께 공덕을 지어 이 몸을 벗게 해주시길 간청하옵니다."

다음날 무제는 승려들을 궁으로 불러 그 사실을 말하자 지공스님이 대답하기를 "부처님께 예배하면서 정성스럽게 참법을 해야 합니다" 하여, 잘못을 뉘우치며 과거 현재 미래의 부처님 이름을 부르면서 절을 하게 하니 마침내 구렁이 몸을 받았던 치씨는 본디의 모습으로 구제되었다고. 오늘날 불자들이 많이 하는 기도법이다.

자비수참은, 중국 당나라 의종 때 오달국사(悟達國師)와 관련 있다.

오달 스님이 국사가 되기 전 젊었을 때, 피 고름이 질질 흐르고 손가락이 문드러져 냄새가 지독해 아무도 가까이 않으려는 문둥병 든 어떤 노스님이 찾아왔다. 그런데 오달은 조금도 싫어하는 기색 없이 정성스럽게 간병했다. 노스님은 병이 나아 떠나면서 "고맙소, 나중에 국사가 되어 어려운 일이 생기거든 팽주땅 달홍산의 두 그루 소나무 아래로 찾아오시오"라고 했단다.

수십 년이 지났고, 오달은 정말로 국사가 되어 두 임금의 스승이 되었다. 임금의 스승이 되니 침향나무로 된 침상에 부드러운 옷과 음식을 받게 되고 자신도 모르게 거만한 마음이 일었단다.

그러던 어느 날부터 갑자기 무릎이 아프기 시작했다. '왜 이렇게 아픈가?'하고 보니까 무릎에 사람 얼굴 모양을 한 종기(인면창,人面瘡:사람 얼굴 모양의 종기)가 나서 건드리거나 움직이면 칼로 찌르는 듯 찢어질 듯이 아팠다. 이름난 의원에게 보여도 치료법이 없는 데다, 인면창은 눈 코 입이 자꾸 더 커지면서 먹을 것까지 달라고 하더란다. 문득 젊을 때 만났던 노스님이 생각났다. 오달이 팽주 달홍산을 찾아가니 작은 초가집에서 노스님이 오달을 반기면서 "저 산 밑에 가면 옹달샘이 있는데 그 샘물에 씻으면 나을 걸세" 하더란다. 노스님이 알려준 대로 그곳 샘물을 떠서 씻으려는데 인면창이 갑자기 "멈추라" 소리를 지르더란다. 그러면서 원앙과 조조 (爱盎·鼂錯)에 대해 이야기하더란다.

"한나라 때 원앙과 조조가 있었는데, 둘도 없는 벗이었다. 둘은 문무와 덕을 갖추어 정승이 되었는데, 어느 날 원앙이 권력을 잡고 싶은 욕심에 임금에게 조조가 역모를 꾀한다고 거짓말을 했다. 그 결과 조조는 억울하게 허리가 잘려 죽었다. 원앙은 벗이 그렇게 죽자 크게 후회를 하며 벼슬을 버리고 승려가 되었다. 그때의 원앙이 자네고 그때의 조조가 바로 나다. 원앙은 승려가 되었고 어찌나 계율을 잘 지키며 수행하는지 조조는 원수를 갚을 기회가 없었다. 원앙은 무려 10생을 승려가 되었고 그때마다 수행을 잘하여 조조의 원한이 파고들 틈이 없고 원수를 갚을 기회가 없었다. 원한에 사무친 조조는 무려 10생을 쫓아다녔고, 마침내 임금의 총애를 받아 보배롭고 부드러운 것을 쓰다 보니 거만한 마음이 일은 틈을 타 인면창으로 원수를 갚으려던 것이었다. 그런데 지금 수행력이 깃든 물로 인면창을 씻으려 하니, 이 뒤부터는 다시는 원수로 생각하지 않겠다."

전생의 벗인 조조의 말을 듣고 깊이 참회한 오달국사는 인면창에게 용서를 구하고 종기에 물을 퍼부었더니 어떻게나 시리고 아픈지 뼛속까지 사무치는 것 같아서 정신을 잃었다가 깨어나니 인면창은 흔적도 없이 사라졌더란다. 이처럼 이상한 일을 겪은 오달국사는 오랜 세월에 쌓인 원한은 성인의 법력이 아니고서는 풀 수 없음을 느끼고 자비수참문을 지어 아침, 저녁으로 외우며 예배하였고, 지금까지 이어져 오고 있다.

휴중은 자비도량참법을 몇 번 한 뒤 자비수참을 하였다. 자비수참만으로는 안 되겠다는 생각에 (책에서 읽은) 티벳 불교의 수행법을 얹었다.

티벳불교에는 숙업(宿業:오래 묵은 죄업)을 소멸하는 수행법 가운데 살생하지 않고, 훔치지 않고, 삿된 음행(淫行)을 하지 않고, 거짓말하지 않으며, 술을 마시지 않고, 꽃다발이나 향을 바르지 않으며, 노래하고 춤을 추지 않는 건 물론 구경도 하지 않으며, 높고 넓고 화려하게 꾸민 평상을 쓰지 않고, 때가 아닐 때 먹지 않으면서 사람들과 잡담은 물론 말도 하지 않고(默言) 오로지 만트라만 외우면서 오체투지(五體投地:몸의 다섯 군데를 땅에 대면서 하는 절)를 하는 '늑네 수행'이라는 것이 있다고 한다.

티벳 불자들은 새해가 시작되면 숙업을 소멸하고자 정월 보름까지 이 수행을 세 차례 한다. 한 번 하는데 2박 3일이 걸리는데 36시간 동안은 밥은 물론 물도 한 모금 마시지 않고, 오로지 다라니만 외우고 절만 한단다. 이 수행을 열두 번 하면 초지(부처를 이루기 전 첫 번 단계)인 환희지 보살 경지에 이른다고 한다. 거듭 세 번을 이어서 다 하는 이도 있지만, 너무 힘들어서 가족이 번갈아 가면서 하기도 한단다.

휴중은 36시간 동안 밥은 물론 물도 마시지 않고, 말 한마디 않으며, 자비수참 글을 읽으면서 절을 했다. 그 나머지 시간은 다라니를 외우면서 절을 하기로 했다. 첫날에는 멀건 죽만 먹고 참회문과 다라니를 외우면서 절을 했고, 다음날 새벽부터는 음식은 물론 물 한 모금도 안 마시고 읽고 외우면서 절을 다음 날까지 했다.

처음 2박 3일 동안은 목마른 느낌과 지칠 뿐 그럭저럭 견딜만했다. 두 번째는 더 힘들게 느껴졌다. 너무너무 목이 마를 뿐 아니라. 온몸이 쑤셔오고 절 한 번 할 때마다 바위를 지고 일어나는 듯 무겁고 힘들게 느껴졌다. 세 번째는 힘들 뿐 아니라 온몸의 물이 다 말라버렸는지 입술이 닿았다가 떨어질 때마다 살점이 뜯어졌고, 마른 침이라도 삼킬라치면 면도날을 잘게 부수어 삼키는 듯 목 안이 갈라지고 찢어지는 느낌이었다.

함께 참여했던 이들은 지금까지 해본 참법 가운데 제일 빡세단다.

세게 더 세게, 하지만 번뇌 망상은 언제나 '잠시 달아났다가 메롱' 거리며
금방 다시 나타났다. 어쩌다 보는 이들은 속도 모르고,
'스님, 너무 잘 살고 계세요'
'법정 스님처럼 살고 계시네요'
'이곳에 살면 아무 걱정이 없겠어요' 하였지만 그는 속이 탔다.
자신의 마음속은 자신만 알기 때문에.

4장

찾아가는 중

그래서 가야겠습니다
= 싸릿대 꺾어 놓고 기다릴게요

몇 번의 겨울이 나는 동안 휴중의 두 볼은 발갛게 얼었고, 영하 20도가 넘는 날이면 욱신욱신 쑤셔왔다. 그렇게 볼이 어는 동안 신도는 더 늘었다. (아직은) 젊은 중이 산속에서 잘(?)살고 있는 걸 달가워하는 마을 사람들은 앞마을 사람들에게 포교(?)한 것이다. 적어도 '입춘'이나 '부처님 오신 날'에는 마당에 자리를 펴고 앉아 밥을 먹어야 할 정도로 '우리 절'이라 부르는 이들이 더 많아졌다.

휴중의 어머니는, 신도가 느는 걸 기쁨으로 여기며 버리기엔 아까운 쓸만한 물건을 자꾸만 보냈고, 명절 때마다 와서 며칠씩 묵고 가는데 한 번도 좋게 돌아간 적이 없다.

함께 지내는 동안 어쩌다가 전화가 오면, 어디의 누구한테 왔는지 궁금해 "어디서 왔어요?"라고 묻곤 하는데 그때마다 휴중은 "보살님, 그게 왜 궁금해요?" 쌀쌀맞게 쏘아붙였다. 그럴 때마다 야속하고 서운하기만 했다. 딸이 중이 되기 전까지는 내 말이 법이었는데, 중이 되더니 건건이 가르치려 드니 불편하기 짝이 없다.

'스님이기 전에 딸인데!'라는 생각이 불쑥불쑥 올라와 대꾸할라치면 옛 스님들이 부모 형제와 어떻게 연(緣)을 끊었는지, 어떻게 공부했는지 읊는 바람에 입도 뻥긋 못하겠다. 부처님 오신 날 즈음 미리 와 마당의 풀을 뽑다가, 오랍드리에 너풀거리는 두릅이라도 따러 가면 "기도하러 왔으면 기도하셔야지 어째서 산으로만 가시냐?"며 야단인 것도 싫다. 어릴 때 시집 와서 시집살이와 가족들 먹여 살리느라 고생한 넋두리라도 할라치면 "또 그 소리냐, 언제까지 옛날에 콩죽 쒀 먹다가 사발 깨진 소리를 하시려는가. 전생의 업장이 두터워 그러니 얼른 기도해서 업장 소멸할 생각으로 열심 히 기도하라" 호통이었다.

서운하다 못해 속상하고 화가 치밀어 캄캄한 한밤중에 산에서 내려간 적도 한두 번이 아니다. 내려갈 때마다 "다시는 오나 봐라"라며 했지만, 핏 줄이 뭔지 산속에서 혼자 그렇게 사는 게 가슴 아프게 느껴져 또다시 전화 로 안부를 먼저 묻곤 했다. 그래도 해마다 신도가 느니까 희망이 보인다. 언젠가는 다른 절처럼 절을 크게 짓고 좀 편하게 살려는가 보다 싶어 안타 까운 마음이 조금씩 사그라들었다.

그런 까닭으로 어머니는 휴중이 원하지도 않는 물건을 (해마다 철마다) 밥그릇에서 항아리까지, 택배도 돈 아깝다고 전철 지하철과 버스를 몇 번 이나 갈아타면서 짐을 이고 지고 메고 오셨고, 천막은 해마다 한 번씩 어 떻게든 이고 지고 오셨다.

어느 해 어머니는 추석 차례를 지내러 오셔서는 봉투를 내미신다.

"뭐예요?"

"스님이 건강해야 하니까 이 천막 비닐 뜯어내고 합판이라도 대서 지으 라고 조금 넣었어요."

"……! 죄송해요. 이것 못 받겠어요. 도로 넣으세요. 저는 이번 해에 미 얀마로 공부하러 가려고 합니다."

"……! 그럼, 여기는요?"

"여기는, 제가 다녀올 때까지 그대로 있으면 다시 와서 살고 안 그러면
할 수 없지요."

"……!"

어머니는, 뭐라고 말해봤자 먹히질 않을 게 뻔하니까 아무 말 못 한 채
속앓이를 시작했다. 휴중이 여느 해와 다름없이 추석 차례를 지내고는 설
악산 봉정암에 가자는데 못마땅하기만 하다. 그럼에도 기(氣)에 눌려 마
지못해 따라나선다. 차례를 지낸 뒤 대충 정리를 하고 다른 신도들과 함께
봉정암을 향해 떠난다.

처음 가는 길이지만 설렘도 신심이 나지 않는다. 온통 천막을 치느라 고
생했던 때만 떠오른다. '어떻게 이 터를 닦았는데 여기를 두고 이름도 낯선
데로 떠난단 말인가! 터를 잡고 사나 싶어 내가 얼마나 이를 악물고 고생
을 했는데…!'

일행을 태운 차는 백담사 주차장에 멈추었고 내리란다. 벌써 어둡다. 누
구는 전구가 달린 머리띠를, 누구는 손전등을 들고 캄캄해 보이지 않는 길
을 비추며 설악산으로 오른다. 휴중은 뒤도 돌아보질 않고 저만큼 앞장서
걷는다. 야속하기만 하다.

다른 신도들과 어두운 길을 앞서거니 뒤서거니 오른다. 사방은 온통 캄
캄하고 오직 손전등에만 의지해야 한다. 휴중이 사는 산 오솔길과 다르다.
자칫 잘못하면 절벽으로 굴러떨어질 수도 있다. 비탈 바위에 나무로 된 계
단도 있다. 다리도 아프고 허리도 아프고 몹시 힘들다. 왜 올라가야 하는지

모르겠다.

일행이 목이 마르거나 허기가 지면 먹으려고 싸 온 (차례상에 올렸던) 떡이며 과일, 밤을 나누어 먹는다. 먹느라 잠시 쉬는 동안에도 휴중은 별말이 없다. 오르막 내리막 산길이 끝없이 펼쳐져 있는 설악산을 어떻게 올랐는지 모르겠다.

숨이 턱에 차는 '깔딱고개'라고 부른다는 고개에 올라서자 다 올라왔단다. 희미한 불빛이 내비치는 곳이 법당이란다. 그런데 휴중은 불빛이 비치는 곳으로 가질 않고 '사리탑으로 가서 새벽예불 때까지 기도하자'라며 앞장서 간다. 다른 이들이 따라가니 할 수 없이 따른다. 요가 매트를 깔고 앉아 있으려니 땀이 식으면서 추위가 몰려온다. 턱까지 덜덜덜 떨려온다. 휴중은 아랑곳하지 않고 죽은 듯이 앉아 있다. 다른 이들도 그렇게 앉아 있다. 따뜻한 곳에 가서 눕고만 싶고 괜히 따라왔다 싶다.

얼마나 흘렀을까!

목탁 소리가 나는가 싶으니 일어나 법당으로 간다. 따라갔다. 법당에는 사람들이 빼곡하다. 휴중은 스님들이 있는 자리로 가서 예불을 올리고 있다. 다른 이들과 더불어 예불을 본다. 예불이 끝나자 휴중이 어디론가 가버렸다. 같이 간 이가 안내하는 방으로 따라갔다. 몇십 명이 들어갈 수 있는 넓은 방에는 한 사람이 누울 만큼 금을 쳐놓고 번호를 붙였다. 비어있는 곳에 가서 눕는다. 따뜻한 기운이 전해지자 온몸에 스며있던 찬기가 한꺼번에 몰려나온다. 두 팔 두 손을 허리 밑으로 집어넣는다. 졸음인지 뭔지 까무룩 찾아와 눈을 감는다.

얼마쯤 있으려니 같이 간 이가 스텐으로 된 냉면 그릇에 밥을 담고 미역국을 부어 가져다준다. 아침이란다. 다 귀찮다. 코빼기도 안 보이는 휴중이 원망스럽기만 하다. '도대체 어쩌자고 이곳에 데려다 놓는단 말인가!' 사람들은 끊임없이 들락날락하니 편하지도 않고 눈치만 보인다. 참다못해 같이 간 이에게 "스님 좀 불러다 주세요"라는 부탁을 한다.

봉정암은, 휴중이 처음 인연 맺었던 절에서 나왔을 때 발길 따라 흐름 따라 멋모르고 왔던 곳이다. 그때와는 많이 달라져 있다. 신도들이 머물 수 있는 넓은 방이 새로 지어져 있다. 법당과 작은 요사채, 사리탑만 있었던 듯한데 뭔가 어지러이 늘어선 듯하고 암자로서의 담박한 멋이 없다. 그리고 그때와 다름없이 승려와 신도는 따로 밥을 먹게 되어있으나 또한, 지은 지 얼마 되지 않았노라 알려주고 있다. 아침밥을 먹고 다른 스님들과 차를 마시고 있는데 휴중을 찾는 소리가 들린다. 내다보니 함께 온 신도다.

"스님, 노보살님이 찾으세요."

그미를 따라 어머니가 계시는 방으로 들어가니 밥그릇은 한쪽으로 밀어 놓고 반듯이 누워계셨다.

"많이, 편찮으세요?"

잔뜩 화가 나 있는 어머니는 눈을 뜨지 않고 인상만 쓰고 계셨다.

"일어나세요. 한 숟가락 드시고, 오기도 어려운 적멸보궁에 오셨으니 108배 기도 좀 하고 내려가시자고요."

잔뜩 골이 난 어머니는 짜증을 내셨다. '움직이지도 못하게 아파 죽겠는데 기도를 하라니?'라는 말이 짜증에 묻어 있다. 아프다는 말을 믿지 않는

듯 여기는 휴중을 원망스러운 눈빛으로 바라보는 어머니에게 한술 더 떠,

"이렇게 화를 낼 기운이 있으신 걸 보니 1000배도 하시겠네요. 얼른 일어나셔요. 일어나 밥도 드시고요. 어서."

어머니가 갑자기 벌떡 일어나셨다. 그리고는 뒤도 돌아보질 않고 밖으로 나가 버리신다. 같이 온 이가 따라 나간다. 그리고는 곧 다시 들어와 "내려가셨어요" 한다. "그냥 두세요" 대답하고는 다실로 가서 차를 마신다. 차를 마시는 동안 문득문득 산 아래로 내려가시고 있을 어머니의 모습이 그려졌다.

어머니는, 홧김에 먹지도 않고 마시지도 않고 내려온 걸 후회했다. 하지만 이미 멀어졌다. 돌아갈 수 없다. '이렇게 내려왔으니 곧 뒤따라 내려오겠지' 싶어 뒤도 돌아보질 않았다. 산은 늘 오르기보다는 내려가는 길이 훨씬 빠르고 쉽게 느껴진다. 그렇게 한걸음에 백담사 주차장에 이르렀다.

'백담사'라는 절 이름은 언젠가 전직 대통령이 피신가 있는 바람에 텔레비전에서 떠들어대 들은 적이 있을 뿐, 무슨 신심이나 불심이 있던 게 아니니 일부러 와 본 적 없는 절이다. 뿐만이 아니다. 불교, 절, 스님이라는 낱말은 친하지 않은 것들이다. 그저 딸이 중이 됐기에 갔던 것인데, 딸은 듣기에도 낯선 '보살님'이라고 부르며 살갑게 대하지 않기에 두 번 다시 안 가겠다 여기고 몇 년 동안 연락도 안 하고 살았다. 그런데 '산으로 살러 가겠다' 하니 마음을 열고 삼칠일 동안 이가 빠지도록 고생을 하며 (천막) 집을 함께 지어 줬다. 그런데 거기를 떠나겠다고? 생각할수록 속상하고 서운하다.

속상하고 서운하다는 생각만 하고 와서일까! 아무튼, 빨리 내려왔다. 바로 뒤따라 내려올 줄 알았던 휴중과 일행은 삼십 분, 한 시간을 기다려도 오질 않는다. 두 시간을 기다려도 세 시간을 기다려도 보일 기미가 안 보였다. 산으로 오르는 들머리에 앉아서 내려오는 이들을 붙잡고 묻는다. "내려오는 길에 이렇게 생긴 스님이랑 사람들이 있던가요?" 올라가는 이들을 붙잡고 말한다. "이렇게 생긴 스님이랑 사람들 보면 여기서 기다리고 있다고 말 좀 해주세요."

내려오는 사람마다 올라가는 사람마다 붙잡고 묻기를 얼마나 했을까! 내려오는 이 가운데 누군가 말했다.

"아, 그 사람들인가, 예, 어떤 스님이랑 사람들이 쓰레기를 주우면서 내려오던데요." "아, 그래요? 어디쯤에서 보셨나요?"

"반도 안 내려왔을 때 봤으니까 아직 멀었겠네요." "아, 예. 고맙습니다." 또다시 서운해졌다. '아, 내가 쓰레기보다도 못하구나!'

휴중은 사시예불 시간이 되기 전 봉정암을 내려온다.

휴중은, 여느 사찰에서 해마다 하는 방생불공(放生佛供)을 따로 하질 않았다. 대신, 산에 가면 산에 버려져 있는 쓰레기를 주워왔다. 산에 오를 때 큰 비닐을 몇 개 챙겨서 가는 게 버릇이 됐고, 그날도 함께 간 이들과 설악산 봉정암에서 내려오는 길가 이쪽저쪽에 버려져 있는 쓰레기를 주우면서 내려왔다. 그러다 보니 세 시간 정도면 내려올 걸 올라갈 때 보다 더 걸리고 있었다.

백담사 주차장에 이르렀을 때는 오후 다섯 시가 넘었다.

어머니는 기다리다 기다리다 지치신 듯 보였다. "오래 기다리셨지요? 저녁 먹으러 가시게요" 일행은 함께 백담사 아랫마을에 있는 산채정식 집으로 갔다. 어머니는 체했다며 밥을 못 먹겠다고 하신다. 손을 만져보니 손끝이 싸늘하다. 밥집 주인장에게 바늘을 얻어다 손톱 위 양쪽을 찔러 피를 내고, 매실 효소를 얻어다 드시게 했다. 손끝이 따뜻해져 온다. 따뜻한 두부찌개에 밥을 천천히 드시게 하고 밥을 먹는다. 밥집을 나섰을 때는 벌써 어둑하다.

몇 시간을 달려가면 한밤중, 산에 올라가 불 때고 자려면 새벽이 될 테니 신도 집에서 하룻밤 자고 아침 일찍 올라가기로 한다.

천막으로 돌아온 휴중은 차를 우려서 불단에 올리고 사시 예불을 올린다. 어머니도 예불에 동참하신다. 축원을 끝내고 목탁으로 예불이 끝났음을 알리고 절하는 동안 어머니도 절을 하시고 밖으로 나가신다. 휴중은 촛불을 끄고 그릇에 따라두었던 물을 주전자에 다시 옮겨 붓고, 찻잔에 따랐던 차를 다시 차관에 옮겨 부은 뒤 주전자와 다구(茶具)를 챙겨 법당 밖으로 나왔다. 물이 담긴 주전자는 부엌 바위에 올려놓고, 차가 담긴 찻잔은 방으로 들고 들어갔다. 물을 끓여 차를 더 우리며 어머니를 기다린다. 어머니는 풀을 뽑으면서 들어오실 생각을 않고 눈치를 보고 계신다. 하긴 그동안 화를 낸 뒤에는 '업보 云云'하는 잔소리를 했는데, 이번에는 잔소리는커녕 목소리조차 높이지 않으니 폭풍전야 같다고 느끼시는 게 분명하다.

"들어오셔서 차 드세요~"

어머니는 눈치를 보며 풀이 죽은 모습으로 쭈뼛쭈뼛 들어오신다.

휴중은 어머니께 차를 따른 잔을 내드리며 드시라고 한다. 조심스레 차를 마시고 잔을 내려놓는 어머니를 보며 입을 열었다.

"그래서요, 그래서 가야겠습니다. 제 집착이 얼마나 무섭게 깔려있는지 이번에 여실히 보았습니다. 집착이 얼마나 무서운지 아시잖아요? 이 집착을 없앨 법을 얻으러 미얀마로 가려는 겁니다. 그러니 속상해하지 마셔요. 중이 됐으면 집착은 여의어야 하잖아요. 중이 세상 사람들과 똑같이 욕심 부리고 성내고 집착하면 안 되는 거잖아요.

봉정암에 갔을 때만 해도 그래요. 여느 신도가 아프다고 했다면 제가 먼저 달려가 손을 주물러 주고, 약을 구해다 주었을 겁니다. 그런데 '나' '나의 어머니'라는 집착 때문에 다른 이들보다 더 잘하시길 바랐습니다. 다른 사람이 108배를 하면 '나의 어머니'는 1000배 정도는 해야지 않을까. '나의 어머니'니까.

이게 바로 집착입니다. '나' '나의 어머니'라는 집착. 이 집착이 나는 물론 모두를 힘들게 하는 겁니다. 그러니 붓다의 가르침을 제대로 배워 집착을 소멸해야 합니다. 그래서 가려고 합니다."

가만히 듣고만 있던 어머니는 방 한쪽 구석에 갈무려 뒀던 가방에서 (그에게 주었던) 봉투를 다시 꺼내 건네주면서, "이건 비행기 요금에 보태세요. 얼른 공부하고 오세요. 싸릿대 꺾어 놓고 기다릴 테니. 공부하고 와서 가르쳐 줘요. 종아리 맞아가면서 배울게요."

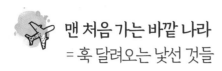

맨 처음 가는 바깥 나라
= 훅 달려오는 낯선 것들

인천국제공항, 휴중이 난생처음 오는 곳이다.

'도착'이라고 쓴 문으로 커다란 가방을 끌고 나오는 사람들, '출발'이라고 쓴 곳 또한 커다란 가방을 끌고 항공권을 끊으려는 사람들, 큰 가방은 수하물로 보내고 비행기 표를 들고 시간 되기를 기다리는 사람들로 북적인다. 풀꽃 숲 산만 보다가 어쩌다 도시에 나갔다가도 곧바로 돌아오곤 했던 휴중으로서는 아주 낯설고 낯선 모습이다.

낯설기만 할 뿐 설렘이나 두려움 따위의 감동은 없다. 가고자 하였고 지금 가고 있을 뿐이다. 무슨 큰 목적이 있는 것도 아니고 그저, 탐진치를 죽이고 싶을 뿐이다. 집착 없고 끄달림 없는 행복한 바보가 되고 싶을 뿐이다.

왜 그런지 모르지만 낯선 것을 만날 때는 잘못하지도 않았으면서 마치 죄인이 된 듯 주눅이 든다. 공항의 곳곳은 모두 낯설었다. 검색대를 지나 탑승구로 걸어가면서도 맞는지 몇 번이고 확인한다.

드디어 비행기를 탔다. 좌석번호를 찾아가 앉았지만, 아직 활주로를 벗어나지 않은 비행기 안은 자리 찾아 들어오는 이들로 웅성거린다. "익스큐즈미~" 쳐다보니 긴 곱슬머리 여인이 말을 걸어온다. 좌석표를 보여주며 뭐라는 걸 보니 자리를 바꾸어 줄 수 있겠냐고 묻는 듯했다. 여인이 가리키는 자리를 보니 바로 앞이다. 하지만 노랑머리의 남자가 앉아 있다. 노랑머리라서일까, 남자라서일까! 싫었다. 그래서 "노우!" 여인은 쓸쓸한 웃음을 지으면서 물러갔다. 함께 온 친구들과 앉고 싶었던 모양이다.

비행기가 땅으로부터 뜨기 위해 그르렁거리며 활주로를 달리기 시작한다. 한참이나 굴러가고 있다. 비행기를 탔다는 실감이 안 난다. 멀미기처럼 뱃속인지 가슴인지 '울~렁~'하는 느낌과 함께 땅으로부터 멀어지고 있다. 의자에 머리를 기대고는 눈을 감는다. 감긴 했지만 잠을 자는 건 아닌지라 크지도 작지도 않은 온갖 소리가 들린다. 냄새도 한몫한다. 온갖 사람들이 내뿜는 향취와 또 다른 냄새들, 좋은 냄새라고 하기에는 자연 공기라곤 한 번도 쐰 적 없는 듯 생명력이 느껴지지 않아 답답하고, 나쁜 냄새라고 한다면 착륙했을 때마다 청소했을 이들의 수고로움에 미안한 말이리라.

'나는 왜 이 비행기를 탔을까!' '미얀마에 가면 법을 구할 수 있을까!' '미얀마는 어떤 나랄까!' 망상이 나래를 폈으나 머릿속을 헤집고 다니도록 그냥 둔다.

미얀마로 가야겠다고 생각하고 미얀마에 관한 책을 한 권 사서 읽었다. 읽었지만 감은 못 잡겠다. 다른 나라를 가본 적이 없어서일지도 모르겠다. 하지만 희한하게도 설렘은 없다. 누구나 할 수 있는 뻔한 생각을 일으켰을 뿐, 무슨 호기심이나 설렘, 들뜸이 있는 건 아니다. 그렇다고 두려움이나 걱정, 불안도 일지 않는다. 참말 희한하게도 말이다.

그나저나 방콕은 언제쯤 도착할까, 60만 원이나 주고 편도비행기 표를 끊었는데 미얀마로 바로 가는 게 아니라 방콕에 잠시 머물렀다 간다고 했다. 방콕까지는 얼마나 걸릴까! 잠을 자기에는 억지스럽다 여기면서 감은 눈은 뜨지 않는다. 그때, "미얀마 가시나 봐요?" 굵직한 남자 목소리가 의자 너머로 건너온다. 눈을 뜨고 소리가 건너오는 쪽을 바라본다. 아까 그 노랑머리 남자다.

"어, 한국분이세요?" "예, 미얀마에 갑니다." "처음 가시죠?" 티가 나는가 보다. '나, 미얀마에 처음 간다'라는 것이.

비행기가 어느 공항 활주로에 내려앉는다. '방콕인가보다' 했는데, 홍콩이란다. 노랑머리 남자는 익숙한 듯 어디론가 사라졌다. 휴중은 마땅히 갈 곳도 없고 해서 비행기에서 나온 곳에 앉아 쉰다. 비행기는 40분이 지나자 출발한다며 휴중을 데리러 왔다. 휴중이 탑승구 쪽으로 가질 않고 내린 곳에 있었기 때문에.

비행기는 한 번 더 멈춘다. 방콕이다. 이번에는 2시간이란다. 방콕 공항에 내리자 아까 그 노랑머리 남자가 커피를 사주겠다며 앞장을 선다. 됐다고 하자, 담배를 피우려면 흡연실로 가야 하는데 그러자면 커피를 시켜야 하는데 자신은 마시고 싶지 않다며 도와주는 셈 치란다. '그러지 뭐'이끄는 카페로 갔다.

남자는 담배 한 대를 피우고 오더니 휴중이 앉은 의자와 테이블 앞에 앉는다. 그러더니 묻는다.

"미얀마 공항에는 마중 나오는 사람 있어요?" "아니요" "호텔은 어디로 예약했어요?" "아직요" "나는 누가 마중 나오기로 했어요. 가려는 호텔까지 데려다줄게요"

솔직히 말해, 미얀마어는 물론 영어도 한마디 못하는 휴중은 손짓 발짓 다 해가며 물어물어 갈 판이었다. 어떻게든 되겠지 하는 마음으로 '한국을 떠나는 첫날부터 도움의 손길을 받다니 부처님의 가피인가!' 좋은 쪽으로 생각하자꾸나.

드디어, 미얀마다.

밝을 때 떠났는데 캄캄하다. 비행기에서 내려 공항으로 들어가는 터널 통로는 천으로 되었는데 한 걸음 내딛자 훅- 후덥지근한 바람과 함께 한 번도 맡아본 적 없는 냄새가 달려와 코끝을 파고든다. 덥다, 아니 후덥지근하다. 입은 옷이 두꺼워서 더 그렇게 느껴지는가 보다. 노랑머리 남자는 "기다리겠다"라며 훅 지나갔다.

공항이민국을 통과하려는 사람들의 줄이 줄어들 기미가 안 보인다. 여권과 비자를 컴퓨터가 아닌 눈과 손으로 낱낱이 확인하는데, 옆 사람과 이야기까지 나누면서 느릿느릿하다. 게다가 휴중이 서 있는 줄 앞쪽에는 싱가포르서 오면서 비자를 받지 않고 온 여인이 이민국 직원과 입씨름하느라 한정 없이 걸린다. 두리번거려보았지만 노랑머리 남자는 보이질 않는다. '기다리겠다'라고 했지만 한 시간이 넘었으니 이미 가고 없을 것이라 포기하고 천천히 바깥으로 나간다. 그런데 저쪽 끝에서 "여기요~" '엇, 안 가고 기다렸단 말인가!' 다가가면서 변명 아닌 변명을 하려는데, "뭔 짐이 그렇게 많아요? 딱 보니 한 달도 못 있고 가겠네. 내 그동안 가방 큰 사람 치고 오래 있는 사람 못 봤거든요."

휴중은 멋쩍은 웃음을 대신으로 아무 대꾸는 하지 않는다. 휴중 자신도 모르니까. 노랑머리 남자는 옆에 있던 남자를 소개한다.

"인사하세요, 진한 씨예요. 진한 씨, 여기는 한국에서 오신 스님."

"안녕하세요? 반갑습니다. 스님, 가방 이리 주세요."

진한 씨는 익숙한 듯 능숙하게 자신의 차 뒤쪽에다 휴중의 가방을 싣는다. 그의 차는 미니 봉고차였다. 휴중도 차에 올랐다.

"다른 호텔 안 잡았으면 내가 묵고 있는 호텔로 가요. 그 호텔이 웬만한 호텔보다 괜찮을 거예요. 쉐다곤 탑도 바로 보이고."

호텔로 가는 미얀마 거리의 불빛은 필요한 만큼만 있는 듯 휘황찬란하지는 않았다. 도로는 지저분해 보였다. 집이 없는 건지 길을 잃었는지 헤매는 개들도 보였다. 노랑머리 남자는 자신이 아는 만큼 미얀마에 대해 말하고 있지만, 휴중은 휴중이 보고 듣고 느끼는 것으로 알고 싶었다.

호텔은 별로 가본 적이 없는지라 견줄 수 없지만 모든 게 꽤 널찍하다. 그리 썩 좋은 시설은 아니나 웬만한 곳은 다 그렇다는 말과 이 정도면 좋은 편이라니 그런가 보다 한다. 휴중이 묵을 방은 싱글 침대가 두 개인 꽤 널찍하고 탁 트였다. 숙박료는 하루에 22달러. 호텔에서 짐을 옮겨준 이에게 그가 팁을 준 듯하다. 특별히(?) 부탁한 방답게 황금빛 탑이 코앞에서 보인다. 아름답다. 꽤 긴 하루였다. 자자.

다음 날 빚을 갚겠다며 연락처와 이름을 조심스레 묻자 딱 잘라 말한다.

"빚 갚을 일 없어요."

"아, 그런가요? 예, 좋은 날 되세요~"

국제명상센터의 첫날 밤
= 잠을 설치게 하는 게 그대인가, 나인가!

가방에 한가득 짐을 싸 왔음에도 (이야기를 들어 보니) 휴지라든가 비누라든가 필요한 것이 더 있었다. 부탁하지도 않았는데 진한 씨가 도와주겠단다. 더 나아가 명상센터에 들어가는 일까지 도와주겠단다. 막연하게, 엄청나게 헤맬 거라 각오했는데 첫날부터 엄청 편하게, 편리하게 해결하고 있다. 무슨 조화로.

마하시 명상센터는, 소고기를 사주셨던 위빠사나 1세대 어른 스님이 '꼭 가보라' 추천해주신 곳이다. 어른 스님은 우리나라 법보종찰 해인사(海印寺)에서 수행 참선(參禪)하셨는데, 해인사의 최고 어른 방장 스님께서 화를 다스리지 못하는 걸 보면서 의구심이 들 때 위빠사나에 대한 책을 만났고, 그래서 미얀마로 수행하러 갔노라 하셨다.

그래서 왔다. 종무소에 가서 어디에서 온 누구인지 신분증(여권)을 보여주고, '마하시 센터'에서 보내준 '초대장'을 보태자, '수행해도 좋다' 허락받는 절차는 순조롭게 끝났다. 진한 씨는 덤으로 미얀마에서 1년 동안 지낼 수 있는 비자 연장하는 일도 "제가 도와드릴게요"라며 맡는다. 고마운 일이 이어지고 있지만 할 수 있는 건 그저 "고맙습니다" 뿐이다.

마하시는 (사실 미얀마 명상센터 모두) 일반 신도들이 운영한다. 스님과 수행자들은 그저 공부하고 수행만 하면 되게끔. 외국에서 수행하러 오는 이들은 미얀마 사람들과는 따로 지내게 되어있으며, 수행하는 공간도 따로 있다. (그때는) 마하시 센터에 있는 어른 스님(사야도)이 주는 초청장을 가지고 있으면 쉽게 접수할 수 있다.

두 사람이 같이 써도 되지만 거의는 혼자 쓰는 방을 원하고, 화장실이나 씻는 곳을 (수행자들이) 함께 쓰는 방도 있고 화장실과 씻는 곳이 있는 방도 있는데 수행자 거의는 웬만하면 혼자 쓰면서 다 딸린 방을 원하였다. 그런 방은 (그때) 보시(donation) 차원에서 55달러를 내면 나갈 때까지 쓸 수 있었다.

외국에서 온 여성 수행자들이 묵는 숙소를 안내하는 이를 따라간다. 아주 나이가 많이 들어 보이는 여인이었는데 이름을 물으니 '도 케인리'란다. 그미는 외국 여성 수행자 숙소의 관리를 맡은 듯 보였다. '도 케인리'를 따라가는 길은 온통 시멘트로 된 바닥이지만 울퉁불퉁한 데다 계단도 있어 여행용 가방 두 개를 끌고 가기에는 쉽지 않았다. 그렇게 간 곳엔 자물쇠가 채워있는 철창문이 먼저 반기고 있었다. 손가락 굵기의 쇠창살은 페인트칠이 반쯤 벗겨져 있고, 자물쇠도 페인트가 벗겨져 있다. 그미는 익숙한 손놀림으로 열쇠를 꺼내 문을 열더니 계단을 오르며 따라 올라오란다. 낑낑대며 가방 2개를 끌다시피 따라 올라간다. 다행히 2층에서 멈춘다.

오랫동안 먼지가 뽀얗게 켜를 더하며 차지하고 있던 방문을 열고 들어가자 먼지는 흠칫, 창문을 뚫고 들어온 햇살을 타고 허공에서 반짝이며 물구나무 공중제비로 반겨준다. 시멘트에 페인트가 칠해진 방엔 세면대와 수도꼭지 하나, 변기 하나가 있는 화장실이 있고, 방 넓이만큼의 베란다가 있다. 나무로 된 마룻바닥은 언제 청소를 했는지 버석거리는 먼지가 발바닥에 덧입혀진다. 아니 휴중의 발바닥이 마룻바닥에 도장을 찍고 있다. '도케인리'가 걸은 곳엔 아무 자국이 남지 않는다. 가벼워서일까, 아니면 먼지로 한 꺼풀 씌워졌기 때문일까!

그미는 (가지고 온) 반듯하게 개켜진 커튼을 털어 창문틀 위의 걸개에 건다. 다시 침대보를 털어 나무 침상의 얇은 매트리스에 씌워준다. 그리고 수행시간이 쓰여있는 곳을 가리키며 '읽어 보라' 하고는 마하시 안내와 수행 규칙이 들어있는 테이프를 주면서 수행 홀 옆에 있는 카세트에서 들으라고 일러 준다. "고맙다"라고 하자 자연스럽게 "유아 웰~깜!"으로 받는다. '유아 웰~깜~? 앞니가 거의 없어 발음이 새나 보다' 생각하며 건네주는 방 열쇠와 들머리 창살 문 열쇠와 수행 홀(법당) 열쇠를 받아든다. 열쇠라고는 지녀본 적이 없는 휴중은 그 열쇠들이 무겁게 느껴졌다.

'뭐가 이리 많담. 잘 챙겨야겠구나!'

청소부터 해야겠다는 생각에 세면장의 수도꼭지를 트니 벌건 녹물이 쏟아져 나온다. 한참을 틀어 놓는다. 양동이 반쯤 흘려버리고 나서야 맑게 보이는 물이 나온다. 걸레를 빨아다 몇 번을 닦아내고 나서야 버석거림이 사라지며 발바닥이 바닥에 닿는 느낌이 전해진다.

더운 나라라 조금만 움직여도 땀이 배어 나온다. 빨래까지 하고 나서 땀을 씻어낸다. '휴! 조금만 쉬자' 크지도 높지도 부드럽지도 화려하지도 않은 나무 침상에 눕는다. 등에 딱딱한 느낌이 와 붙는다. 수행자의 가난한 살림 같아 좋다.

규칙에는 밤 9시면 수행 홀 문을 닫고, 방 불도 꺼야 한단다. 규칙에 적혀있는 내용대로 한다. 불은 껐지만 그리 어둡게 느껴지지 않는다. 바깥에서 나는 소리 때문이리라. 바로 옆에서 나는 듯한 노랫소리가 끊임없이 들린다. 우리나라의 노래방 같은 곳에서 나는 것 같은데 스피커가 좋지 않은지 확성기에서 나는 소리 같다. 올라가지 않는데 높이느라 목소리가 뒤틀려 나오기도 하고, 여자 남자가 번갈아 가면서 부르며 웃음소리도 곁들인다. 알아들을 수 없는 노래는 한참이나 더 이어졌다. 직장 회식인가!

(나중에 알고 보니 1년에 한 번 있는 무슨 기념일이어서 처음 있는 일이었단다.)

억지로 잠을 청한다. 엄청 피곤하지만 잠이 오지 않는다.

"짭! 짭! 짭! 짭! 짭! 짭! 짭!"

'이건 또 무슨 소리지?' 불을 켜고 방안을 둘러 본다. 아무것도 보이질 않는다. 불을 끈다. 다시 또 들린다. "짭! 짭! 짭! 짭! 짭! 짭!" 다시 불을 켠다. 또 둘러 본다. 아무것도 보이질 않는다.

산속에 살면서도 일지 않던 무서움이 인다. 한 번도 들어본 적 없는 소리이기 때문이리라.

뒤치락거리다가 깜박 잠이 들었다. 노랫소리는 어느 순간 그쳤다고 알았지만 "짭! 짭! 짭! 짭! 짭" 거리는 소리가 '안 들린다' 싶어 마음을 놓으면 다시 또 들리고, '알아차림'과 씨름하다가 지쳐 잠이 들었던 듯하다.

콸- 콸- 콸- 콸- 텅 비어있는 통에 굵은 관을 통해 물이 쏟아지는 듯한 소리에 잠이 깼다. 바깥을 내다보니 아직은 깜깜하다. 벽을 더듬어 불을 켜고 수행 홀로 가기 위해 씻는다. 새벽 4시다.

장삼과 가사를 걸치고 수행 홀로 들어간다. 수행 홀(법당)에는 정해진 시간 동안(새벽 4시부터 밤 9시까지) 좌선(坐禪:앉아서 하는 명상) 한 시간, 경행(經行:걸으면서 하는 명상) 한 시간을 해야 한다. 맨발에 먼지가 버석거리며 들러붙는다. 더운 나라라 양말을 신지 않는 게 아니라, 미얀마는 절이나 법당에 들어갈 때는 무조건 맨발이어야 한다. 신발이나 양말을 신는 건 오히려 불경스러운 일이란다.

좌선할 때는 그나마 나은데 경행(經行) 할 때는 마룻바닥에 발바닥이 닿는 느낌을 관찰할 수가 없다. 그저 버석거릴 뿐이니까. 수행이고 뭐고 청소부터 해야겠다. 꼭 공부 못하는 이가 환경 탓하는 법이라지만 어쩌면 먼지 핑계로 청소하면서 더위와 낯섦을 털어내려는 것인지도.

이 밤, 잠을 설치게 하는 게 그대인가, 나인가!

소리, 소리, 소리에 돌겠네
= 소리를 뛰어넘어라

소리, 소리들…. 가르륵- 가르륵-! 가악-가악!(까마귀), 푸드덕푸드덕(날 갯짓 소리), 수돗가에서 스님들이 바삐 바리때 씻는 소리, 우-우-후-우- 후- 으-으- 으후-으흐-으- 깽깽깨갱- 컹컹컹- 으르렁으르렁- 왕왕왕- 으 르-륵, 크르륵 컥-컥-(개들 소리), 짬짬짬-짬짝짝-짬짝-짬-(집도마뱀 소리) 추르렁- 추르렁- 콸콸콸- 부르릉부르릉- (수도관을 달리다 떨어지는 물소 리)…. 뿐만이 아니다.

산속에서 살 때는 바람 소리와 새소리만 듣던 휴중이었다. 어쩌다가 사 람 소리, 어쩌다가 자동차와 같은 문명의 소리를 들었다. 한국에서는 조용 하면 '절간' 같다고 하는데, 그는 말 그대로 '절간'에서 살았다. 그런 까닭 으로 우리나라 사람들은 '선원' 하면 '고요함' '조용함'을 떠올린다.

그런데 이곳 미얀마의 선원(명상센터) 마하시는 온갖 소리로 가득 차 있 는 듯하다. 첫날부터 사람들이 만들어 내는 소리, 그것도 올라가지 않아 삐 끗삐끗하는 노랫소리와 수도관에서 콸콸 쏟아져 채워지는 소리, 새벽부터 밤늦게까지 자동차 달리는 소리, 그아악-그아악- 우는 새소리, 알 수 없는 짬짬짬짬 소리, 개들이 짖는 소리가 들리는가 하면, (새벽과 한낮, 그리고 밤, 세 차례를) 어느 시간만 되면 (미얀마 사람들) 법당에서 확성기를 크게 틀어 놓고 (아마도 예경(禮經)인 듯) 알아듣지 못할 말로 합송(合誦)을 한다.

'이곳만 그런 건가! 너무 조용한 곳에서만 살았기 때문에…. 그래서 이

곳으로 가라고 하셨을까!'

온갖 생각이 일어난다.

아침 먹으러 갈 때와 점심 먹으러 갈 때 빼고는 계단 아래 창살 문을 열고 나갈 일은 없다. 수행 홀에서 방, 방에서 수행 홀만 왔다 갔다 하면 된다. 그것도 아주 천천히 느릿느릿. 왕복 100걸음도 안 된다. 풀 뽑을 일도 없고 벨 일도 없다. 땔감 걱정할 필요도 없고, 밥 짓고 설거지할 필요도 없다. 공양물이나 양초 상자를 질 일도 없이 말 그대로 수행만 하면 된다. 시간 되면 밥 먹고 시간 되면 자면 된다. 말 그대로 '수행자의 천국'이다. 그저 고요히 수행하면서 지도 법사로부터 지도만 받으면 된다.

오롯이 '나'만, '나'를 보아야 하는데 자꾸 밖이 보인다. '나'를 들어야 하는데 자꾸 밖의 것이 들린다. '그아악-가아아악-' 무슨 새지? 방 앞 난간에서 날아다니는 새들을 살펴본다. 이름 모를 새들이다. 우리나라 새들도 모르는데 하물며 미얀마의 새들을 어찌 알까마는, 참 특이한 울음소리에 궁금함과 호기심이 일었다. 목이 쉰 듯, 가래가 끓는 듯 탁한 소리를 내는 새는 어떻게 생겼을까! 새들이 지절거리는 소리는 (보통은) 다 듣기 좋은데….

몇 날을 살폈을까? 드디어 알았다. 휴중이 서 있는 난간 앞 나무에 그 새가 앉아 '그아악-가아악-'거린 덕분인데 충격이다. 까마귀였기 때문이다. 우리나라 까마귀는 '까악~까악~까악~' 맑은 하늘에 멀리 퍼져나가는 군더더기 없는 소리다. 꾀꼬리처럼 고운 소리는 아니지만 그렇다고 탁하지도 않다. 그러나 이곳 까마귀는 어찌 된 일인지 모두 만성 기관지염을 앓고 있는 듯 가래가 끓는 듯한 소리가 난다.

한 달도 넘기기 전 '기관지염에 걸릴만하다'라고 판단했다. 첩첩 건물 사이의 방에서도 반나절이면 먼지가 버석거리는데, 특히 햇살 내리쬐는 건기(乾期)에는 모든 것이 바짝 말라 바삭거리고 버석거릴 것만 같은 데다가 2차 대전 때 굴리던 차가 아닐까 의심스러울 차들이 시커먼 연기 방귀를 내뿜으며 달리니 오죽할까 싶다.

그나저나 자려고 불만 끄면 소리를 내는 '짭짭짭짭짭!' 소리의 정체가 참 궁금하다. 분명 사람이 내는 소리는 아닌데 도무지 정체를 알 수 없었다. 어느 날 밤, 불을 끄려고 손을 막 뻗으려는데 바로 위에서 그 소리가 들려왔다.

소리를 낸 정체는 말갛게 생긴 도마뱀이었다. 세상에나! 분홍빛과 살빛 중간쯤 빛깔을 내는 그 도마뱀은 어찌나 말간지 뱃속에 먹이가 뭉쳐져 있는 게 훤히 보일 정도였다. 첫날부터 천장, 창, 벽에 돌아다니는 걸 보기도 했고 산에 살았던 덕분에 놀라지는 않았다. 도마뱀이 먹은 것을 소화 시키느라 그런 소리를 냈다는 사실은 참 놀라웠다.

깽- 깨갱 깽 멍멍 멍 컹컹컹 깨액- 깽-! 외국인 숙소는 3층 옆 건물은 5층, 미얀마 여성 수행자들이 쓴다. 건물과 이 건물 사이에서 개들이 싸우는 소리가 심심찮게 들린다. 짖는 소리에 왕왕 메아리까지 창문을 타고 들어와 휴중의 귀에 꽂힌다. 이 또한 낯선 소리다. 아침을 먹으러 가기 위해 열쇠로 문을 열고 한 발짝 나서면 바짝 마른, 가죽 겉으로 살집보다는 뼈가 두드러져 보이는 개들이 앞다투어 길을 막는다. 등가죽은 빈대에 물어 뜯겨 울긋불긋하고, 얼마나 가려운지 몸을 한껏 구부리고 제 이빨로 물어뜯어 군데군데 상처가 난 개들은 허기가 질 대로 진 모습이다. 게다가 낳은 지 며칠 안 된 새끼까지 주렁주렁 달라붙으니 휴중의 눈살이 저절로 찌푸려진다.

아침을 (또는 점심을, 그것도 고기가 나오는 날에만) 먹다가 밥상 위에 올라온 고기 몇 조각을 몰래 싼다. 손에 들고 숙소로 들어서는 마지막 계단을 내려서면 귀신같이 알아챈 개들이 저만치서 달려온다. 싸서 들고 온 몇 조각의 고기를 먼저 차지하겠다고 달려와서는 휴중의 장삼 자락에 매달린다. 개들에게 둘러싸임에서 빨리 벗어나려면 싸서 가지고 온 고기를 재빨리 화단 어느 곳에 털어놓아야 했다.

그렇게 못하는 날은 숙소로 돌아가는 길이 그야말로 가시밭길 지나듯 고난의 길이 된다. 등이며 배와 다리에 물린 빈대 자국이 울긋불긋한 개들이 둘러싸 발걸음을 뗄 때마다 걸리적거리는 개들에게 두 손을 내밀며 '없다'를 외쳐대야 하니 보통 난감한 게 아니다.

"나머 땃따 바가와떠 아라하떠 땀마 땀붓땃따!"

(그분, 번뇌를 여읜 분 공양을 받을만한 분 바름이란 진리를 스스로 아신 분을 의지하겠습니다.)

붓다께 올리는 예경문(禮敬文), 모든 법회의 첫머리로 시작하는 다짐의 말을 시작으로 어느 날 밤인지 (낮인지부터) 들리기 시작한 소리는 법문인가 본데, 신심으로 들어야 하건만 비슷한 목소리에 갈라지는 듯한 쇳소리에 센 낱말, 발음 음절들을 계속 들으니까 마음을 가라앉기보다는 짜증이 올라온다. 짜증을 관찰하던 휴중은 '나는 확실히 성냄이 많은 인간이다'를 새삼 깨닫는다.

그건 그렇고 '제발 꺼주면 좋겠다'라는 마음이 간절하다. 하루 온종일, 아니, 몇 날 며칠 동안 귀 옆에 대고 틀어 놓는 듯한, 옛날 70년대 시골 마을 한복판 가장 높은 곳에 동서남북 방향으로 매달려 "아, 아, 마이크 테스트, 마이크 테스트. 아, 아, 주민 여러분께 마을 이장이 알려드리겠습니다" 했음직한 확성기 소리는 정말이지 참을 수가 없다.

몇 날 며칠 쉼 없이 흘러나오는 딱딱한 목소리에 잠을 못 자는 건 물론이고, 머리가 망치로 두드리는 듯 깨질 것처럼 아파 왔다. 수행지도 법사에게 하소연했다. "들림, 들림, 들림" 하면서 알아차림을 하란다. '들림, 들림, 들림' 하였지만 해결되지 않는다. 사흘째가 되니 속이 울렁거리고 메슥거리기 시작하고 눈알이 빠질 듯하다. 다시 하소연한다. "무시하라" 한다. 무시해본다. 안 된다.

따질 듯이 "왜 밤에도 저렇게 하는가?" '빠탄'이란다. 법당을 짓기 위해 터를 잡고 공사를 하기 전, 사고 없이 무탈하게 잘 지을 수 있도록 '이레 낮, 이레 밤' 동안 (경전 읽는 것이) 끊김 없어야 하기에 스님들이 교대로 돌아가면서 하는 것이란다. 우리나라에도 터다지 문화가 있지만 이렇듯 요란하지는 않다. 생병이 날 지경이다. 간절히 부탁해본다. 확성기만이라도 숙소를 향하지 않게 해달라고. 창문이나 귀에 대고 하는 듯하진 않지만 크게 달라지진 않았다. 그냥 견디고 버티는 수밖에.

처음에는 한국에서 온 수행자와 며칠, 그미가 떠나고 태국에서 온 수행자와 며칠, 일본에서 온 수행자와 며칠, 그미가 떠나고 대만에서 온 스님과 수행자와 보름을 함께 하다가 그니(尼)와 그미가 떠난 뒤에는 홀로 있는 날들이 이어졌다. 시간표대로 하고 있지만 뭔가 맹숭하였다.

　호기롭게 발원하였다. '함께 거울이 되고 스승 될 만한 수행자가 오면 좋겠다.'라고. 바로 응답이 왔다. 방글라데시에서 세 명의 수행자가 왔다. 하얀 사리를 걸치고 있는 온 여인들은 밝고 쾌활했다. 그 가운데는 눈치 빠른 이도 있어서 휴중이 청소하면 같이 일어나 청소를 한다. 또 한 여인은 늘 여유로웠다. 좌선 시간이 되어 수행자들이 앉아서 명상하고 있으면 한참 지나야 들어와서 앉는다. 앉은 지 5분 정도 지났을까, 하품을 시작한다. 눈을 감고 있는지라 하품하는 모습은 보이질 않지만, 그 소리는 얼마나 크고 요란한지 수행 홀 전체를 다 채우고 남기에 알고 싶지 않아도 알 수밖에 없다.

　여인은 몸을 뒤틀 듯, '아흠, 아아아아~ 아아아하흠!' 연거푸 몇 차례 하고 나서는 트림을 하기 시작한다. '끄어억, 꺽! 끄어어억, 끄억!' 그러다가 방귀를 뀐다. '뿡, 뿡 뿌우우우-뿡!'

　아, 점심 먹고 들어와 앉은 지 얼마 안 됐는데…! 여인의 독주(?)가 계속 이어지니까 속이 메슥거리기 시작한다. 휴중의 마음을 아는지 모르는지 여인의 독주는 멈출 기미가 안 보인다. 미치겠다.

　'부시럭부시럭!' 뭔가 구겨지고 펴지는 소리가 난다. 휴중은 좌선을 풀고 일어나 걷는 명상을 한다. 그러나 한 번 뒤틀린 속은 아무렇지 않은 듯 평온해지지 않았다. 수행 홀 밖 의자에 앉아 눈을 감는다. 일어나는 생각과 마음을 잠재우려 애쓴다. 애쓰면 쓸수록 더 크게 들리는 느낌이다. '그만 가면 좋겠다.'라는 생각이 일어난다. 참으면서 소리와 마음 관찰하기를 나흘. 휴중은 조금 나아졌지만, 여인은 여전하다. 그러나 마음 밑바닥에서는 '빨리 갔으면' 하는 마음이 잠깐씩 인다. 일주일쯤 지나자 하품 트림 방귀 소리가 까마귀 소리와 다르지 않게 들렸다. 무디어진 것일까, 초연해진 것일까!

적응 안 되던 것들이 어느새 정겹게 느껴진다. 강아지까지 낳은 개들도 더 많고 더 시끄럽게 짖어대지만, 그 전처럼 짜증은 나지 않는다. 다만 배가 고파서, 어미 개와 사투(?)를 벌이는 강아지들과 어미 개를 보면, '아귀도가 따로 없구나!'라는 생각이 들 뿐이다. 지옥을 보고 있는 느낌이다. 홀쭉해진 어미 배의 젖가슴을 파고드는 강아지들, 빨아대려는 새끼와 빨리지 않으려는 어미간 물고 물리는 다툼이 하루에도 여러 번, 젖을 빨리지 않으려는 어미는 젖이 물릴 때마다 새끼를 물어버리고, 등이며 꼬리를 세차게 물린 새끼는 아프다고 '앙앙' 댄다. 한두 마리도 아니고 대여섯 마리가 앙앙대기를 되풀이하고, 까마귀 도마뱀 수도관 물소리, 온갖 소리도 한결같다.

처음에는 바깥의 온갖 소리가 마음에 꽉 차 있는 듯하더니,

이제는 바깥이나 마음 다 고요하게 느껴진다.

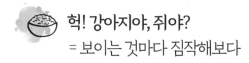

헉! 강아지야, 쥐야?
= 보이는 것마다 짐작해보다

색(色), 건물 둘레 외진 곳에는 엄청 많은 쓰레기가 쌓였고, 쥐들은 그 쓰레기 더미 속을 들락거린다. 에어컨 둘레에는 날 파리와 모기떼가 쳇바퀴 공중제비를 돌고, 난간마다 새똥이 덕지덕지하다. 보인다, 보였다.

인터뷰는 일주일에 두 번, 인터뷰를 마치고 숙소로 돌아오는 길 여유를 부려본다. 어스름한 새벽 5시 50분에 한 번, 11시에 점심 먹으러 한 번 나올 때와 일주일에 두 번 (한낮에) 나오는 일은 떨리기도 하고 설레기도 한다. 그러나 때때마다 쇠창살 자물쇠를 열고 나오는 일은 마치 감옥 문을 열고 나오는 듯 낯설다. 열쇠가 휴중의 손에 있음에도 말이다. 열쇠가 없으면 나가지 못하는 것이 감옥 같은 건지, 아니면 철창살 문으로 되어있기 때문인지 헷갈렸다. 사실 가만히 따지고 보면 우리나라 문이 더 견고하고 탄탄한데도 말이다.

먼 나라 미얀마까지 수행하러 온 이들이 좀 더 자유롭고 행복하고 평안할 수 있게 이끌어주는 어른 스님께 (수행) 점검하러 나왔다가 돌아가는 길. 골목골목 길이라고 보이는 곳엔 다 들어가 본다. 들어갔다가 막혔으면 돌아 나왔다. 한 번에 1,500명이 수행, 생활할 수 있는 규모의 선원은 엄청 넓다. 곳곳에 건물이 있는데 좋은 건물이 있는가 하면 낡고 오래된 건물도 있다. 작고 낡아 보이는 건물에는 거의 분홍빛 사리를 입은 수행자나 여성 수행자들이 있다. 크고 깨끗하고 좋은 건물엔 주로 비구 승려들이 있다.

'남녀 차별이 심한 건가!'

숙소가 있는 곳으로 (흔히 다니는 길은 아니나) 좁은 길이 있다. 비록, 나무와 풀 쓰레기가 어우러져(?) 있긴 하지만 지름길로 보인다. 길가 수풀 속에는 쓰레기가 아무렇게나 한가득 버려져 있다. 어떤 남자가 치마(미얀마는 남자도 통치마를 입는다)를 걷어붙이더니, 맨발에 슬리퍼 차림으로 성큼성큼 들어간다. 그리고는 빈 물병 몇 개를 옆구리에 끼워 넣고 양손에도 몇 개 챙겨 나온다.

그 옆 길가에는 허연 쌀밥이 한 무더기 버려져 있다.

'세상에나, 허연 쌀밥을 저렇게 쏟아 버리다니!'

남자가 떠난 쓰레기더미 속에서 뭔가 꿈틀거리더니 불쑥, 튀어나온다. 까만 잿빛이다. '뭐지, 강아지인가?' 강아지(?)가 휴중 앞으로 훅 지나 쏜살같이 사라진다. '헉, 세상에나!' 쥐였다. 허연 쌀밥 무더기가 덕에 굶을 일 없어서인지 토실토실한 게, 거짓말 안 보태고 강아지만 하다.

우리나라 보통 백성들은, (휴중이 알기로는) 배불리 먹고 살았던 적이 거의 없다. 오죽하면 '보릿고개'라는 '슬픈 고개'가 생겼고, '똥구멍이 찢어지게 가난하다'라는 '아픈 말'이 생겨났을까. 요즘 젊은이나 아이들은 죽었다가 살아도 이해 못 할 '보릿고개'는 실제로 풀이나 풀뿌리를 삶아 먹고, 솔 순을 긁어먹다가 변비에 걸려 '똥구멍이 찢어지는 이'들이 있었기 때문에 생겨난 말이다.

휴중이 아는 어느 어르신은 배고프던 시절 깊숙이 박힌 '배고픔'에, 쌀이 떨어질까 '불안함'에 가을만 되면 쌀 몇 가마니를 한꺼번에 들여놔야 직성이 풀린다고 한다. 지금 세상은 먹을 게 흔하고, 쌀은 그때그때 찧은 걸 먹어야 맛있는데도 말이다.

그런 까닭으로 우리나라 절에서도, 먹을거리만큼은 심하다 싶을 정도로 아끼고, 아끼는 걸 '당연하고 마땅한 일'로 강조한다. 옛날 어느 어른 스님은 골짜기 물을 가두어 놓고 김장배추를 씻다가 배춧잎 한 잎이 물살에 휩쓸려 흘러가자 몇 리나 쫓아가서 건져왔다 하고, 또 어느 어른 스님은 하수 구멍에 밥알이 버려져 있는걸 보고 바늘을 가지고 와 찍어내 씻어 먹었다는 이야기도 있다. 더 나아가 먹을 것을 함부로 버리거나 밥을 남기면, 자신이 남기고 버린 만큼의 음식이 저승에서 기다리고 있으며 죽어서 가면 그걸 다 먹어야 한다 가르쳤다. 휴중도 그런 문화와 교육 영향으로 인연 있는 이들과 아이들에게 '먹을 걸 함부로 버리지 말 것'을 강조했고 '공양게(供養偈)'를 외우게 했다.

"한 방울의 물에도 천지의 은혜가 스며있고, 한 톨의 밥알에도 만인의 땀방울이 서려 있으므로 욕심과 성냄으로 먹지 않고 몸에 이로운 약(藥)을 삼아서 사회에 이로운 사람이 되겠습니다."

길가 쓰레기더미의 허연 쌀밥 한 뭉텅이를 보니 마음이 한국의 절집으로 쪼르르 달려가고 있었다.

이렇게 차이가 나는 까닭은, 기후와 지형이 다르고 삶의 문화가 다르기 때문이다. 불교 탄생지인 인도나 미얀마는 먹을 게 귀하지 않다. 일 년 내내 푸성귀나 곡식이 나며 쌀농사도 두 번 이상 지을 수 있기에 쌀도 귀하지 않다. 그래서인가, 밥을 남기지 않고 싹싹 비우는 일을 오히려 자비심이 없는 짓으로 여긴다. 밥 한 톨 안 남기고 싹싹 긁어먹으면 까마귀나 개, 들쥐 모기 개미와 같은 다른 생명에게도 나누어 줄 줄 모르는 무자비한 불자(佛子)가 되는 것이다.

그러나 우리나라는 쌀도 귀하고 먹을 것도 귀하다. 그러니 먹을 것을 귀하게 여기다 못해 성스럽게 여긴다. 그러므로 '고시래'나 '십시일반' 같은 나눔은 있지만 한 뭉텅이째로 나누는(?) 일은 없다.

아, 그러고 보니 우리나라가 70년대에는 미얀마에서 쌀을 지원받았지!

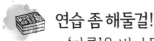

연습 좀 해둘걸!
= '다름'을 받아들이는 일은 어려워

미얀마에 가면 잘 먹어야 한다며 소고기를 사주시던 어른 스님 경험담이 생각났다. 해인사 선방에만 있다가, 마하시로 수행하러 온 첫날 돼지고기 죽이 나왔단다. 고기는커녕 오신채도 안 먹다가 비리디비린 돼지고기 죽을 먹으려니 도저히 안 넘어가더란다. 억지로 한 그릇을 먹었지만 바로 체해서 아무것도 못 먹고 설사만 하기를 보름, 80킬로가 넘던 몸무게가 60킬로도 안 되게 쭉 빠졌단다. '그저 음식일 뿐이다, 약일 뿐이다'라며 최면을 걸고, 보름 만에 아침밥을 먹으러 나갔는데 또 돼지고기 죽이 나왔단다. '음식일 뿐이다, 약일 뿐이다' 되뇌고 한 숟가락 먹으니 꿀맛이었다는.

흔히 남방불교, 상좌불 불교, 또는 소승불교라고 일컫는 미얀마 불교의 계율과 대승불교, 또는 마하야나라고 일컫는 한국불교의 계율이 다르다.

가장 크게 다른 건 한국불교는 저녁을 먹는 것이고, 미얀마 불교는 저녁을 먹지 않는 것이다. 미얀마 불교의 오후불식(午後不食), '저녁을 먹지 않는 계율'은 승려(비구와 사미)는 물론이고 명상센터로 수행하러 들어온 이들 모두가 지켜야 한다. 반면 한국불교는 약석(藥石)이라고 하여, 약이 될 만큼의 저녁을 먹는다.

조금 다른 것은 미얀마는 '다섯 가지 매운 나물' 오신채(五辛菜:마늘, 파, 부추, 달래, 홍거)를 다 먹지만, 한국불교는 안 먹는다는 점이다. 미얀마에 가서 (고기를 먹는다는 사실은 알았기에 놀라지 않았고) 좀 놀란 건, 국에 양파와 마늘이 통째로 둥둥 떠 있다는 것이다. 작긴 했지만 한두 개가 아니라 (한 그릇에) 여러 개가.

고기는 물론 양파와 마늘도 오랫동안 안 먹던 것이라 거부감이 들었다. 양파나 마늘을 먹으면 트림할 때도 올라오고 한참을 치밀어 올라온다. 속도 맵다. 고기를 꺼리는 건, 엄마 뱃속에서부터 입에도 못 댔던 까닭이지 싶다.

어머니는 뱃속에 휴중을 가졌을 때 입덧이 너무 심해 밥도 제대로 드시질 못하고 오직 신맛 나는 풀이나 풋과일만 드셨다고 한다. 얼마나 심한지 임신해서 낳을 때까지 밥 한 공기를 채 다 못 먹었을 거라셨다. 그렇게 못 먹은 탓인지 아이는 너무 작았고, 그 작은 아이는 돌도 되기 전 귀앓이(중이염)를 하여 비리고 누리고 기름기 있는 것은 아예 못 먹게 하였단다. 그런 까닭으로 어른이 되어서도 고기를 안 먹는 일은 당연하게 여겼다. 그런데 한국불교로 출가를 하니 먹어서는 안 되었던 것을 먹지 않는 것이 당연한 일이 되었으니 눈치를 안 봐도 되고, 오히려 큰소리까지 칠 수 있었다.

산에 살 때, 영양이 모자랄까 봐 어머니가 멸치를 볶아 오거나, 고추장에 소고기를 갈아 볶아 오신 적이 있다. 휴중은 뚜껑도 열지 않고 내치며 '누구 먹으라고 가지고 오셨냐?'라며 소리 질렀다. 화전민이 부쳐 먹던 밭에서 부추를 발견하고는 혈액순환에 좋고 몸을 따뜻하게 해주는 약이라며 된장국에 조금씩 넣어 먹으라고 뿌리를 캐다가 마당 텃밭에 심으셨다. 휴중은 도로 다 뽑아 버리면서 화를 냈었다. 그렇게 당연하게 여겼으며 당연하게 큰소리쳤다.

향미(香味), 느닷없이 꿈에도 그려본 적 없는 낯선 나라에서 살게 된다면 무엇이 가장 낯설까! 이 또한 생각해 본 적 없으니까 모를 일이지만 경험하기로는 '음식'이 가장 낯설다고 여긴다. (당연하겠지만) 처음 보는 음식과 처음 보는 과일이 참 많다. 처음 맛보는 떡이며 국수. 군입질 거리…, 온통 처음 만나고 처음 맛보는 것투성이다.

보통 명상센터의 아침으로 나오는 음식은 멀건 흰 죽과 삶은 납작 콩(또는 꼬리 콩)에 메기를 푹 삶아 뼈를 걸러내고 온갖 양념을 넣고 끓인 국수 '모힝가', 아니면 볶음국수가 나왔다. 점심은 네 명이 들어야 하는 둥근 밥상에 틈이 없을 정도로 한가득, 고기와 생선에 영양밥, 과일에 떡 아이스크림까지 나올 때도 많다.

과일, 처음 만난 이상한 것은 과일이었다. 노랗고 물컹해 보이는 게 하얀 접시에 담겨 있다. '달걀로 만든 음식인가!' 포크로 쪼금 찍어 먹어 본다. 물컹한 게 맛이 요상했다. 두 번 다시 손이 가지 않았다. 그런데 이 이상한 걸 공단지역 절에서 살 때 다시 만났다.

비구계를 받은 지 3년쯤 된 젊은 비구가 어느 날 나갔다 돌아와서 땀도 닦지 않고 바로 휴중의 방으로 왔다. "스님~" 하면서 열려있는 문을 똑똑똑 두드리고는 문 앞에 서서 겨드랑이 밑까지 둘둘 말아 올린 가사를 푼다. 둘둘 말아 넣은 가사는 땀에 젖었는데 그 가사에서 꺼낸 작은 비닐봉지를 꺼내 그에게 건네준다.

"스님, 퐁 뻬바~"

(스님, 드세요~ 미얀마는 일반인과 승려에게 쓰는 말이 다르다)

비닐봉지를 받는데 살짝 냄새가 난다. 이상야릇한 냄새다.

'땀 냄새인가!'

겨드랑이 밑에서 꺼내는 걸 보았기에 꼭 땀 냄새만 같았다. 젊은 비구는 문 앞에 서서 먹는 걸 보고 가겠다는 듯 서서 바라보고 있다.

"퐁 뻬바~ 쌀로 까웅 대~ (드세요, 맛있어요.)"

휴중은 께름칙한 마음을 억누르며 한입 베어 문다. 묘하게 달큰한 맛이 입안에 번진다. 하지만 목구멍으로 넘기고 싶지는 않다. 비구는 다 먹는 걸 보기 전에는 안 가겠다는 듯 여전히 문 앞에 있다. 눈을 감고 꿀꺽 삼켰다.

탁발 나갔다가 휴중에게 주려고 일부러 사서 가지고 왔다고 하니 기쁘게 먹어야 함에도 께름칙한 마음은 기꺼이 먹게 하질 않는다. 께름칙함도 쉬 가라앉질 않는데, 비구가 환하게 웃으며 바라보고 있다. 휴중은 비구를 보내기 위해 꾹 참고 '먹을 음식일 뿐'이라는 마음으로 먹는다. 아까보다는 한결 낫다. 달큰하고 맛있게 느껴졌다.

그 과일 이름은 미얀마어로는 '뻬이네 띠'(나중에 알게 된 영어 이름은 '잭 푸룻')였다. 푹 익은 것은 물컹하고, 먹을만하게 익은 것은 아삭아삭하니 정말 맛있는 과일이다.

떡, 둥근 밥상 한쪽에 콩이 드문드문 있고 쫀득해 보이는 인절미가 보인다. 반가운 마음에 한 젓가락 집어 입에 넣었다. '질-컥!' 찰기와 뒤섞여 있던 기름이 어금니에 눌려 혀와 잇몸에 와 부딪는다.

'아, 무슨 떡이 이래?'

분명 떡은 떡인데 우리나라와 다르게 땅콩과 기름에 버무려 만든 떡이다.

느끼하고 짜고…. 게다가 돌가루까지 씹혔다. '다신 안 먹고 싶다!'

미얀마는 더운 나라라서 모든 음식이 기름에 버무려져 있거나 짜거나 엄청나게 달다. 찹쌀로 만든 떡 종류도 아주 많다. 특히 만달레이엔 여러 가지 찹쌀떡이 있는데 빛깔과 모양만 다를 뿐 단맛은 다 같다. '조금만 덜 달면 정말 좋겠구만!'

밥, 미얀마는 쌀이 정말 흔하고 종류도 정말 많다. 찹쌀도 있고, 우리나라에서 나는 쌀과 비슷한 쌀도 있다. 그러나 미얀마 사람들이 즐겨 먹는 쌀은 다르다. 아니 밥을 하는 식이 다르다. 우리나라는 쌀을 안칠 때 밥물을 아주 잘 잡아서 된밥도 묽은 밥도 아니게 지어야 밥을 잘 지었다고 (거의는) 한다. 그러나 미얀마는 밥물은 상관없다. 밥물이 부글부글 끓으면 뚜껑을 열어 끓는 밥물을 따라 버린다. (가끔은 그 물을 따로 받아 두었다가 소금이나 설탕을 타서 먹기도 하지만) 밥물을 다 따라 버린 다음, 솥뚜껑을 닫고 불을 약하게 한 뒤 뜸을 들인다. 그래야 폴폴 날아갈 듯한 밥이 된다. 그리고 어느 정도 식은 다음 먹는다.

더운 나라이기에 찰진 밥을 안 좋아한다. 소화가 안 된다고 여긴다. 그리고 우리와 정말 다르게 밥을 손으로 먹는 문화기에 뜨겁고 찰지면 반찬을 버무려 먹기에 안 좋다. 좀 추운 계절이 되면 (그래봤자 낮에는 30도 35도가 넘지만) 지방에 따라 팥을 넣고 찰밥을 쪄먹기도 한다.

먼지와 털, (마하시에서) 아침을 먹으러 가기 위해 줄을 서서 기다리다 보면, 점심 준비를 하는 이들을 보게 된다.

바닥에 쏟아놓은 양파나 마늘을 까는 이들, 밥상으로도 쓰고 있는 둥근 나무 탁자를 도마 삼아 씻지도 않은 듯 보이는 (몇 바구니나 되는) 채소를 써는 이들, 생선 손질하는 이들, 그 옆에 물린 빈대 자국이 더덕더덕 비루먹은 듯한 개들이 앞발을 들고 옆구리나 사타구니를 벅벅벅 긁고 있다. 뽀얀 먼지와 함께 날리는 털을, 눈살이 찌푸려 지지만 '수행 대상'을 삼아야 할 뿐이다.

휴중은 많은 게 낯설지만, 음식은 더 낯설다. 태어나고 자란 곳에서 떠나 다른 나라를 가본 적도 없으니, 음식은 더더군다나 먹어 볼 기회가 없었다. 그러니 낯선 음식을 먹는 일에 용기와 열린 마음이 필요하다는 걸 새삼 느끼고 있었다.

아, 미얀마는 수행의 천국이 맞다. 모든 것들이 휴중 자신도 몰랐던 '휴중의 마음'을 '찐'하게 알아가게 하고 있었다.

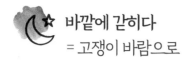

☪ 바깥에 갇히다
= 고쟁이 바람으로

혼자보다 여럿이 수행할 때 수행하는 맛이 더 나는 법이다.

방글라데시 수행자들이 가고 태국에서 온 수행자들과 일본에서 온 수행자가 함께한다. 휴중은 어느새 그곳에서 가장 오래 있는 수행자가 되었다. 수행자들이 밤 9시가 넘도록 늦게까지 수행하는 날이면 '도 케인리'는 휴중에게 마지막 점검을 맡기기도 했다.

'도 케인리'는 겉으로 보기에는 70대 노인이다. 이도 거의 다 빠져 앞니 두어 개만 있고 등허리도 많이 휘었고 머리카락도 하얗다. 그런데도 새벽마다 불단에 올려진 다섯 개 잔에 맑은 물을 올리고 촛불을 밝힌 뒤 삼 배를 올리고 수행자들과 좌선을 한다. 다른 수행자들이 경행을 할 때도 좌선을 하곤 하는데 끄덕끄덕 졸 때도 많다. 나이가 들어서인지 몸이 많이 약해 보인다.

대만에서 온 수행자들이 너무도 경건하게 정진(명상)을 하고 있을 때였다. 덕분에 그도 발맞추어 하루하루가 즐거운 날들이었다. 어느 날 밤도, '도 케인 리'는 시간이 일찍 나갔다. 따로 부탁하진 않았지만, 휴중은 당연하게 자신의 할 일로 받아들였다. 한밤중, 누워있는데 문을 여닫는 소리가 나 일어나 문을 열고 수행 홀을 건너다본다. 아직 불이 켜져 있다. 휴중의 방은 3층 건물에 달린 방이지만 수행 홀은 미얀마 전통 목조건물로 2층이다. 1층은 다른 쪽 건물과 연결됐고, 2층 수행 홀은 3층에서 연결된 다리로 오가야 하는데 휴중의 방은 수행 홀과 그렇게 마주 보고 있다. 휴중 방에서 수행 홀까지는 길어야 1분 거리다. 휴중은 잘 때 입는 옷차림으로 수행 홀로 간다. 안에는 아무도 없다. 불을 끄고 돌아온다.

방문 손잡이를 잡고 오른쪽으로 돌린다. 안 열린다. 왼쪽으로 돌린다. 열리지 않는다. '어랏!' 순간 진땀이 난다. 바깥으로 나가는 문도 열쇠 없이는 안 되고, 방도 열쇠 없이는 들어갈 수 없다. 창문도 닫혀 있다. 도움받을 수 있는 사람을 부를 방법은 소리를 지르는 수밖에 없지만 한밤중이다. 갇혔다. 안에, 아니 바깥에!

'내 이럴 줄 알았어!'라는 생각이 굴러다녔다. 그 많은 열쇠 꾸러미를 받아 들 때 예감했던 것이었을까! 수행 홀로 갔다. (명상을) 앉아서 하다가 걸으면서 하다가 시간을 보내지만, 밤은 길게만 느껴졌다. 새벽은 더 길게 느껴졌고 춥다. 미얀마 겨울의 낮과 밤은 정말 다르다. 낮에는 조금만 움직여도 등골에서 땀이 줄줄 흐르는데 밤엔 이불을 덮어야 할 만큼 스산하고 춥다. 새벽에 아침 먹으러 나가면, 두꺼운 담요 천으로 된 가사를 머리까지 둘러쓰고도 춥다고 움츠리고들 있는 미얀마 승려들을 본다.

추운 평창에서 온 휴중도 미얀마의 겨울이 춥게 느껴졌다. 아니 춥다. 몹시도. 좌선 방석으로 다리를 덮어도 춥다. 잠옷으로 입는 고쟁이 바람인 데다가 짧은 반 팔 옷이라 가사를 걸쳐도 추운 건 마찬가지였다. 어깨를 방석으로 덮을 순 없고, 눈을 감고 '춥다, 춥다, 춥다!' 알아차림을 할 수밖에.

길고 긴, 기나긴 밤이 지나고 드디어 새벽 4시다.

2층으로 올라오는 문 따는 소리가 들린다. 도 케인리가 수행 홀로 오려나 보다. 휴중은 수행 홀을 나와 다리를 건너자마자 도 케인리가 문을 따고 있는 계단으로 내려간다. 문을 열고 들어오려는 그미에게 휴중은, '지난밤 방문이 잠겨 들어가지 못했고 수행 홀에서 밤을 보냈다'라는 말을 '온몸'으로 알린다. 그미는 다 알아듣겠다는 듯, "둑카(고통), 둑카!" 그러더니 열쇠는 사무실로 가야 얻을 수 있다며 그에게 함께 가잔다. 휴중은, '옷차림을 갖추어 입지 않았으니 안 된다'라는 말을, "노우~!"라는 짧은 말과 함께 고쟁이를 가리킨다. 도 케인리는 "노 쁘라블람, 노 쁘라블람!"을 연발하며 빨리 가잔다. 그미의 말과 몸짓은 휴중이 안 가면 자신도 안 가겠다는 듯 보였다.

사무실은 마하시 센터의 들머리 일주문 옆에 있다. 그 건너편은 식당이다. 몇 개의 건물을 지나야 하는 그 길이 참으로 멀게 느껴졌다. 가사로 고쟁이 아래로 드러나는 다리를 감추려 애쓰지만 가려지지 않는 것처럼 느껴진다. 도 케인리가 보는 것처럼, 별 이상할 것 없는데도 고정관념이 휴중을 '난처하고 불편하다'라고 여기게끔 하고 있었으니 걸음은 자꾸 꼬였고 사무실은 멀게만 느껴졌다.

사무실로 갔지만 정작 휴중은 아무 말 할 필요도 없다. 구부정한 모습의 도 케인리가 흘러내린 머리카락을 쓸어 올려 귓등으로 넘기며, (휴중을 가리키며) 열심히 뭔가를 설명하자 사무실 남자가 "오, 둑카, 둑카!"로 하면서 벽 한쪽에 걸려있는 열쇠 꾸러미들에서 휴중의 방 열쇠를 찾아 건네준다.

어두컴컴하기만 마하시 도량, 보는 사람 하나 없건만 돌아가는 길은 멀고 멀게 느껴졌고 그만큼 휴중의 발걸음은 빨라졌다. 2층을 어떻게 올라갔는지 모르겠다. 문을 열자마자 피로가 쏟아진다. 잠시 누웠다가 나가야겠다고 생각하고 눈을 감는다.

감기에 걸렸는가 보다. 으슬으슬 떨리고 콧물이 흐르고 몸은 천근만근이다. 아무리 더운 나라라고 하지만 겨울은 겨울인 모양이다. 겨울밤 냉랭한 공기를 짧은 옷차림에 긴장감으로 보낸 탓도 크리라.

아침 공양 시간에 나가지 않고 감기약을 먹고 그냥 자고 싶었다.

깜박, 잠이 들었다. 진땀이 눅진하게 나면서 옷이 축축해지는 느낌에 설핏 깼다. 깨는 게 먼저인지 소리가 먼저인지 모르게 바깥에서 소리가 난다. 창문으로 내다보니 한국 비구 스님이 식당 도우미의 손에 3단 찬합을 들려 함께 왔다. 1층으로 내려가 문을 열자 찬합을 건네준다. '아침 먹으러 나오질 않아, 아픈가 보다 하고는 도우미에게 부탁했다'는 것이다. 찬합에는 아침에 나온 흰 죽과 소금간이 되어있어 죽에 넣어 먹으면 좋을 강낭콩과 볶음국수가 들어있다.

고맙기도 하고 미안하기도 했다. 그리고 민폐를 끼쳤다고 생각하니 불편해졌다. 다음 날 아침, 아직은 열도 나고 맹맹하니 머리도 지끈거리지만, 밥은 먹으러 나갔다.

그때부터 지금까지 휴중은 어디에서든 아무리 아프고 힘들어도 밥 먹는 자리는 빠지지 않는 버릇이 들었다. 흔한 말 '밥이 보약이다'라서가 아니라 민폐를 끼치고 싶지 않아서다.

꼬불꼬불 동글동글 글자를 배우면서
= '헉!' 소리가 자꾸 나온다

미얀마 국민의 삶에서 붓다의 가르침을 보겠다 작정하고 오긴 했지만, 미얀마의 선원(禪院≒명상센터)도 우리나라의 선원이나 절집과 다름없음을 보고 느낀 휴중은 적잖은 실망을 했다. '그래도 뭔가 다를 줄 알았는데…!' 하는 터에 우리나라 스님(비구)이 묻는다.

"아비담마는 읽고 왔죠?"

"아니요, 읽다가 수행 먼저 해야겠다는 생각에 그냥 덮었는데요."

"뭐요? 아니 아비담마도 읽지 않고 무슨 수행을 한다고."

"……!"

수행은 명상센터의 수행지도 법대로 어느 곳에서든 하면 된다. 수행처가 아닌 곳은 없으니까. 그러나 보고 싶고 느끼고 싶은 미얀마 사람들의 삶은 볼 수 없다. 보려면 '미얀마어를 배워야겠다'라고 생각한다. 일주일에 두 번 오는 통역에게 미얀마어를 가르쳐 줄 선생을 알아봐 달라고 부탁했다. 며칠 뒤 인터뷰가 있는 날, 인터뷰가 끝나고 바깥으로 나오자 통역이 외국어대 한국어과를 막 졸업하고 온 후배를 소개한다. 대학을 졸업하고 스무 살이라지만 팔목도 가늘고 덩치도 작고 너무 가녀린 작은 체구의 후배가 휴중의 눈에는 아직 중학생 정도로만 보였고 인사를 하는 목소리에 떨림이 물결쳤다.

휴중을 바라보는 눈빛은 길 잃은 아이 같다. 시골에서 보통이 하나 껴안고 무엇이 있을지 모를 미지의 도시로 돈 벌러 온 아이. 아직은 부모 밑에서 투정 부리며 발랄 쾌활하게 살아도 될 듯 보이는 '웨노'에게서 '어린 휴중'이 보였다.

어쨌든, 일주일에 두 번 만나 (미얀마어) 자음 모음을 배운다. 꼬불꼬불 동글동글한 글자, 직선이라곤 별로 없는 글자, 3자를 엎어났다 뒤집어 놨다 구부려놓은 듯한 글자, 큰 동그라미, 작은 동그라미, 큰 동그라미 위에 작은 동그라미를 얹은 눈사람 같은 글자, 꼬리가 달린 글자…. 그 글자가 그 글자 같다. 거기에다 비음까지 있다. 어렵다. 굳을 대로 굳은 머리로 남의 말을 배운다는 건 정말 쉽지 않다.

웨노는 한국말에 그리 능숙하지 못했다. 대학에서 한국어를 전공했다지만 어휘력 수준은 중학교 1, 2학년 수준에 지나지 않았다. 게다가 불교는 더더군다나 몰랐다. 하긴 우리나라 젊은이들도 불교에 대해 알지 못한다. 그럼에도 잘 알 것이라 기대를 한 까닭은 '불교국가'여서 이리라.

"스님은 미얀마에 왜 오셨어요?"

"수행하러. 웨노는 양곤에 왜 왔어?"

"돈 벌려고요."

"돈 벌어서 뭐하게?"

"부모님께 효도하려고요."

"세상에는 네 가지의 효도 방법이 있어. 물질로 하는 효도, 마음으로 하는 효도, 물질과 마음으로 하는 효도, 붓다의 진리를 전해드려서 부모님이 괴로움에서 벗어나게 해드리는 방법. 이 가운데 어느 방법으로 하고 싶어?"

아직은 능숙하지 못한 말로 종이에 그림을 그려가며,

"잘 모르겠어요, 지금은 여기 사거리에 서 있는 것 같아요."

며칠 뒤, 웨노는 '어떤 효도를 할 건가!'를 결정했다고 한다. 그런데 자신은 '스물한 살에 죽는다' 했단다. "무슨 소리냐?" 물으니, 미얀마에는 손금을 봐주는 승려들이 있는데, 미얀마 사람들은 은근히 그런 스님의 말을 믿으며 무시할 수 없다는 것이다.

'아니, 초기불교 국가 맞아? 무슨 손금 타령이람!' 코웃음 치면서 "농담 아냐?" 말하고 싶은데, 웨노의 얼굴이 불안하고 두려운 눈빛에 새카맣게 죽어있으니 웃을 수도 없고 따질 수도 없다. 불안의 뿌리부터 잘라주고 싶었다.

"한국은 사주팔자를 보는 문화가 있다. 스님은 사주팔자는 볼 줄 모르지만 다른 건 본다. 내 말만 들으면 넌 안 죽는다. 내 말대로 하겠는가?" 미심쩍겠지만 두려운 마음이 컸던지, "예, 할게요." 휴중은 이제 막 통역을 시작하는 웨노가 스물한 살에 죽지 않는 부적(?)의 말을 해준다.

"지금 하는 일은 굉장히 중요한 일이다. 머나먼 한국에서 일부러 시간 내고 많은 돈을 들여 수행하러 이곳까지 온 수행자(와 스님)들의 수행이 한 발 나가느냐, 아니면 한 발짝도 못 나가느냐, 뒷걸음치느냐는 통역의 말에 달려있다. 수행자의 말을 (미얀마) 사야도 (수행지도를 하는 스승)께 얼마나 정확히 전달하는지, 또 사야도의 말을 수행자에게 얼마나 정확하게 전해주는지에 달려있다는 뜻이다. 한국에서 수행자의 수행이 닙바나(열반: 탐진치에 휘둘리지 않는 상태의 자유와 행복)를 이루는 길로 한 걸음 더 나아가거나, 닙바나를 이룬다면 그 수행자가 비행기 타고 이곳까지 와 공부할 수 있도록 지원하고 응원하는 다른 이들까지 이롭게 공덕을 짓는 일이다. 최고의 공덕을 짓는 일이므로 마라(염라대왕)도 어쩌지 못할 것이다. 그러니 한눈팔지 말고, 흔들리지도 말고, 오롯하게 지금 하는 일에만 정성을 들여야 한다. 그러면 죽지 않는다."

종교가 생긴 까닭은, 인간이 모르는 내일, 모름이 만드는 두려움, 불안, 걱정 때문이라고 한다. 불교가 탄생하기 훨씬 전 인간의 역사와 함께 생겨난 종교의 기원을 감히 누가 바꿀 수 있으랴. 붓다 공자가 아무리 뛰어난 스승일지라도 인도 중국 국민 모두에게 가르침을 펴지 못했다. 눈앞에서 가르침을 들어도 귀가 열리지 않으면 마음이 열리지 않으면 지나치고 마는 법. 딱 그릇만큼 받아들이는 법이니까.

초기불교라고 하는 미얀마도 중생(衆生:탐진치 마음을 쓰는 상태의 인간)의 마음을 사로잡는 것은 손금과 점성술에 신(神)을 모시는 이들이었다. 오래된 관습 관례처럼 할머니의 어머니, 어머니의 어머니 할아버지의 아버지 아버지의 아버지가 그랬던 것처럼, 자식들 또한 그렇게 부모의 믿음과 버릇을 뱃속에서부터 배우고 익히면서 어른이 되고 또 물려주고 그렇게 이어가고 있을 뿐이었음을.

웨노는 말귀가 밝았다. 휴중의 말을 이해하고 받아들였다.

5장

실망하는 중

오지랖은 그렇게 시작됐다
= 차마 말할 수 없어서

미얀마어를 배운지 한 달, 겨우 자음 모음을 외우고 쓸 줄 알 뿐, 문장력이 늘지는 않는다. 선생이 아니라 휴중이 문제였다. 미얀마어를 배우기보다 한국말을 더 많이 하고 있었다. 아니 어쩌면 상황이 그렇게 될 수밖에 없던 건지도 모르겠다.

수행 인터뷰 통역을 하던 이가 말레이시아로 돈 벌러 간다며 웨노를 수행 통역으로 소개했다.

'헉!'

웨노의 실력을 아는 휴중으로서는 반가워할 수가 없었다. 아니나 다를까! 첫 통역을 마치고 나오자 수행자들이 저마다 한마디씩 한다. "말도 못 알아듣는 게 무슨 통역이냐?"라는 식이었다. 아예, 영어로 인터뷰하는 게 낫겠다며 다른 방으로 가는 이도 있었다. 새로 온 통역 웨노는 풀이 잔뜩 죽어있다. 한 달 먼저 인연이 된 휴중은 새 통역에게 희망과 기운을 주고 싶었다.

사실 명상센터의 '통역'이라고 해서 월급이 따로 있는 게 아니었다. 통역은 마하시에서 '필요한 사람'이 아니라 '수행자들에게 필요한 사람'이었기에, 수행자들이 구하고 수행자들이 십시일반 모아서 주는 돈이 곧 월급인 셈이었다. (휴중이 미얀마에 있었던 그때) 수행자 한 사람이 주는 돈은 5천 짯(우리나라 돈 5~7천원)인데, 수행자는 많아야 예닐곱 명이고 적을 때는 한

두 명일 때도 있다. 당시 노동자나 점원의 월급이 2만 짯이었으니 적은 액수는 아니었으나, 한국어를 전공하고 가이드나 통·번역을 하면 100불(13만 짯 정도) 정도는 기본으로 받았으니 수행자들의 통역만 해달라고 하기엔 무리가 아닐 수 없다.

그나저나 웨노로서는 첫 직업이나 다름없는 '통역', 잘하고 싶을 텐데 실력이 안 된다. 그렇다고 차마 '바로 그만두라' 할 수는 없다. 처음부터 좌절의 경험이 기억에 저장이 된다면 어떤 일을 하게 될 때마다 불안과 두려움 걱정 따위의 마음작용이 일어날지도 모르겠다는 생각이 먼저 들었다.

웨노가 통역으로 온 며칠 뒤, 뜻하지도 않게 웨노의 아버지를 만나게 되었다. 시골 촌부였지만 덕(德)이 있어 보였다. 서툰 통역이었음에도, 한마디 한마디 하는 말이 가볍지 않았고 따뜻하고 너그러운 기운이 전해져 왔다. 휴중은 '이런 아버지 밑에서 자란 아이라면 분명 제 몫을 하겠구나!' 생각했다.

휴중은 웨노와 한국 수행자들 가운데 가장 연륜이 있어 보이는 스님께 찾아갔다. 스님은 미얀마의 다른 선원에서 3년 동안 수행하다가 마하시로 오신지 한 달 되었다. 남방불교의 가사를 수(垂)하신 스님은, 통역에게 농담 반 진담 반으로 말했다.

"이제, 그만 나와도 돼. 말귀를 못 알아듣는 통역은 필요 없어."

가뜩이나 풀이 죽어있는 웨노는 그저 "예, 예"만 하고 있는데, 스님은 "차나 마시고 가라"며 찻자리를 폈다. 뜨거운 차를 몇 잔 마시는 동안 스님과 휴중은 이런저런 말을 나누었다. 그러다가 찾아온 목적을 말씀드렸다.

"스님, 이 친구 부모님을 만난 적이 있는데 아버지가 덕이 있어 보였어요. 그런 아버지 밑에서 자란 아이라면 틀림없이 제 몫을 할 겁니다. 한 달만 기다려주시면 안 될까요? 저만 미얀마가 처음이지만 스님이나 다른 수행자들은 몇 년 동안 미얀마에 다녀버릇해 수행법을 이미 다 알고 있으니 수행하는 데는 지장 없잖아요. 그러니 한 달만 기다려주세요. 아직은 어리니까 열심히 하면 금방 늘 겁니다. 기다려줬는데도 늘지 않으면 그때 그만두라고 해도 늦지 않으니 그렇게 해주시면 안 될까요?"

"그래요? 그럼 스님 말 믿고 한 달 기다려 봅시다."

인터뷰가 있는 날마다 통역을 휴중의 방으로 먼저 오게 했다. 그리고 휴중의 수행일지로 미리 연습하면서 불교 용어와 낱말의 뜻을 설명해주고 발음을 잡아준다. 그리고 통역이 못 알아듣는 경상도나 전라도 사투리도 알려준다. 한 시간 정도 연습을 한 뒤 인터뷰 장소로 간다. 첫날은 그럭저럭 끝났다. 수행자들이 통역의 눈높이 맞추어 말을 하기로 한 모양인지 어려운 말이 별로 없었단다.

어른 스님은 통역에게 한국불교 낱말들을 적은 종이를 건네주셨고, 손목시계도 사주셨다. 몇 시간이나 일찍 와서 땡볕 아래서 기다리다가 센터에 있는 시계를 보고 휴중의 방으로 가는, 그렇게 맥없이 기다리는 까닭이 시계가 없어서 (약속에 늦을까 봐) 아침 일찍, 버스를 세 번이나 갈아타고 온다는 걸 아시고 그런 것이었다.

아, 이보다 더 큰 응원이 있을까! 덩달아 고맙고 기쁘다.

웨노의 통역 실력은 볼 때마다 늘어 있었다. 한국불교는 물론 미얀마 불교도 잘 몰랐는데 한국불교는 물론 미얀마 불교, 빨리어까지도 열심히 배우는 모양이었다. 웨노는 (시골이 고향이라) 양곤에서 방을 얻을 형편이 되지 않아 고향 출신 스님이 주지로 있는 절에 얹혀살고 있었다. 그곳에서 일자리를 구하다가 휴중을 만났고 또 통역 일까지 하게 되었는데, 사는 곳이 절이다 보니 이 스님 저 스님 좇아다니면서 모르는 낱말, 불교 관련 용어를 물어본다고 했다. 그래서인지 실력이 나날이 늘어갔다.

　노력하고 준비하는 사람에게는 그 무엇도, 그 어떤 사람도 못 당한다. 행복도 불행도 자신이 만든다는 걸 모르는 이들은 가만히 앉아서 잘 되기만을 바라지만, 행복도 불행도 자신이 만든다는 걸 어렴풋하게라도 아는 이는 마음의 문을 먼저 열고 틈틈이 행복, 행운을 맞을 준비를 한다. 하늘은 스스로 돕는 자를 돕는다고 하지 않던가!

휴중은 그들을 보고 그들은 휴중을 보고
= 외국인을 처음 보는 이들과

미얀마 절에 살고 싶지만, 아는 데가 없어 여기저기 부탁해뒀는데 어쩌다 소개받고 찾아가 보면 휴중이 살 수 있는 절은 아니다. 비구니가 없는 2부 승가라 그런지 있을 만한 절은 없었다.

여덟 가지 계율(띨라)을 지키면서 사는 띨라신(비구니) 절을 소개받고 갔다. 제법 번듯하게 지은 절이지만 방은 따로 없고 넓은 공간에서 함께 살아야 하는 데다 밥을 해 먹을 수가 없다. (휴중은 탁발할 수 있는 신도가 없기에) 몇 군데 가봤지만, 이 조건이 되면 저 조건이 안 되고, 저 조건이 되면 이 조건이 안 되었다.

그런 사정을 다 아는 웨노는 자신이 얹혀사는 절 주지 스님에게도 부탁했는데, 와서 살아도 된다고 했단다. 휴중은 미얀마어 선생이자 수행 인터뷰 통역 웨노와 함께 지내기로 했다. 미얀마어 배우기도 배우기지만 통역을 더 잘하려면 함께 지내는 게 좋겠다고 판단했다. 휴중은 주지 스님의 환영을 받으며 그 절로 들어갔다. 절 이름은 '밍글라 떼잇티' 우리말로 굳이 풀자면 '행복사(幸福寺)' 또는 '안녕사(安寧寺)'라고 할 수 있겠다.

양곤 시내에서 좀 떨어진 공단지역에 자리한 절은, 2층 건물로 시멘트와 나무로 지어졌고 계를 받을 수 있는 금강계단과 작은 탑도 있는 아담한 절로 주지승과 사십 명 남짓의 비구와 사미승, 근처 공장에 다니는 노동자 열 명 남짓이 더불어 살고 있었다. 휴중은 주지 스님의 배려로 2층 한쪽에 얇은 판자로 칸막이친 방을 쓰게 됐다.

명상센터와는 전혀 다른 낯선 일상이 시작됐는데, 마땅히 할 일이 없으니 어슬렁어슬렁 절 마당을 둘러 보다가 탑 안으로 들어가 본다. 탑은 우리나라와 다르다. 우리나라는 보기만 하는 탑이지만 이곳의 탑은 울타리 안에 있고 누구든 자유롭게 들어가 쉴 수 있다. 기웃거리며 안으로 들어가니 시멘트 바닥엔 바나나잎으로 엮은 자리 한 장이 깔려있다. 거기엔 마을 할머니와 아이들 그리고 붉은 자줏빛 가사를 걸친 어린 사미승이 자유롭게 누워있거나 앉아 있다.

한가하게 노는 듯 보였다. 아이들은 깔깔대며 들락날락, 할머니와 사미승은 담배를 피우고 있다.

"꼬인, 아땍 벨라웃 시빌레?(사미 스님, 나이가 몇 살인가요?)"

"꼬 흐닛!(아홉 살!)"

'헉, 아홉 살짜리가 할머니와 맞담배를?'

담배 피우는 건 계율을 어기는 게 아니기에 담배를 피우는 (미얀마) 승려들을 많이 보는데 나이 또한 상관없나 보다.

절에서 나와 길을 걷는다. 차 다니는 길이 아닌 집들 뒤쪽의 오솔길로 간다. 반들반들, 진흙이 굳고 굳어 돌덩이보다 딱딱할 듯한 길의 폭은 그리 넓지 않았다. 기껏해야 한 뼘 더 될까 싶은, 그 길을 무작정 따라갔다. 양 옆은 밭인 듯 논인 듯, 뭘 심은 듯 심지 않은 듯도 한, 꽃인 듯 채소인 듯도 한, 나무 같기도 풀 같기도 한 들판이다.

어느 만큼 가다가 멈추었다. 물 초롱을 진 여자아이가 보였고 마냥 바라

본다. 바라보다가 따라간다. 아이는 수줍은 듯 주춤거리며 자꾸만 뒤돌아
본다. 방죽, 아이가 간 곳은 사방을 둘러보아도 물이 드나들 곳 없는, 희뿌
연 물이 가득한 방죽이었다. 막 늙기 시작한 사내와 열 대여섯 살, 예닐곱
살 되어 보이는 아이들도 있었다.

늙은이라고 하기엔 젊고 젊은이라고 하기엔 늙은 사내가 지게를 지고
물가로 성큼성큼 걸어간다. 사내는 물지게를 진 채 몸을 숙여 희뿌옇기만
한 물을 긷는다. (휴중이 따라간) 작은아이는 아직 물을 긷지 않고 제 동무
와 눈빛만 나누면서 휴중을 향해 힐끔거린다. 휴중은 천·천·히! 아무 일도
아닌 듯 방죽으로부터 멀어졌다. 물을 긷는 여남은 명의 눈길이 따라온다.
좁은 길 아이들의 맨발 지문과 맞닿았던 반들반들한 길가 풀들은 쓰레기
와 어우러져 있고, 세찬 바람이 불면 금방이라도 날아가 버릴 것 같은 바
나나잎과 대나무로 엮은 집들이 다닥다닥 붙어있다. 걸음을 멈추고 바라
본다. 사람들이 휴중을 바라본다. 휴중은 그들을 바라본다.

큰길 옆은 제대로 지어진 집과 크고 작은 공장들이 있다. 공장 건너로는
크고 작은 집들이 있고 그 뒤편으로는 바나나 잎과 대나무로 엮은 집들이
늘어서 있다. 그런 집에는 아이들도 많다.

연못물을 길러가면서 신발도 신지 않은 아이들, 또래와 뛰어놀다가 낯
선 이방인이 나타나 지나가자 뜀박질을 멈추고 힐끔힐끔, 사라질 때까지
바라보고 있다. 그 눈길에 뒤 꼭지가 간지럽게 느껴진다.

공단지역이지만 공장들보다 휑한 들판이 더 많다.

쓰레기를 주우며
= 머리카락과 쥐똥을 고르기도 하며

절 마당은, 꾀인(사미승)과 동네 아이들 공놀이 터나 그 밖의 빈터는 쓰레기장이다. 창문 밖과 담 밑은 꿍(씹는 담배)을 씹으면서 뱉은 붉은 침이 들어있는 비닐과 붉은 얼룩이 여기저기 널려있다. 그렇게 오랜 세월 비닐들이 쌓인 데다, 그 위로 먼지와 낙엽 사방에서 날아온 비닐이 다시, 켜를 이루고 있다.

휴중은 쓰레기통 몇 개를 사다가 이 방 저 방 나누어 준다. 그리고 1층과 2층 들머리에도 큰 쓰레기통 두 개씩을 두고 꾀인들에게 부탁한다. "태워도 되는 종이 쓰레기는 여기, 비닐 쓰레기는 저기. 음식 쓰레기를 따로 버리라"라고.

휴중은 웨노와 함께 이틀에 한 번씩, 나무젓가락을 들고 절 안 구석구석의 쓰레기 줍는 일로 보냈다. 바람에 펄럭펄럭 날아다니고 뒹구는 종이, 흙에 묻혀있고 물에 젖어 있는 쓰레기, 짓이겨져 있는 사탕 껍데기, 과자봉지, 튀김과 국수 밥과 반찬을 담았던 비닐, 담배 봉지, 붉은 침을 가득 안고 묶인 채 부풀어있는 비닐….

그날도 큰 비닐 두 개를 들고 종이와 비닐을 따로 담으며 빈 들판에 이삭 줍듯 쓰레기를 줍는다. 한낮도 아니건만 날씨는 염치없이 뜨겁고 얼굴과 목, 팔에서 끈적한 땀이 배어 나온다. 풀 섶에 제멋대로 뒹구는 쓰레기들이 살랑 부는 바람에 흔들린다. 부풀어있는 비닐을 집으려는 순간, (비닐이) 터지면서 안고 있던 붉은 물(침)을 총알처럼 휴중의 얼굴로 쏘아 올린다. 얼굴과 목덜미에 붉은 물이 흩뿌려졌다. '헉, 푸!' 대충 휴지로 닦고 줍던 쓰레기를 마저 줍는다. 붉은 물(침)은 휴중의 얼굴과 목덜미에 두드러기를 일으키면서 며칠 동안이나 가려움과 씨름하게 했다.

아침 거리(밥)는 걸어서 십오 분 거리에 있는 장에서 사다 먹는데, 웨노가 아침마다 수고한다. 처음엔 휴중과 함께 갔는데, 시장이 너무 더러우니 혼자 다녀오겠다 했고 못 이기는 척 그러라고 했다. 시장은 그리 크지 않지만, 마을 사람들에게 필요한 웬만한 물건들은 다 있었다.

시장 바닥은 너무나 질척거렸다. 찰밥이나 빵, 떡, 국수를 파는 골목은 좀 깨끗해도 되련만 사람들이 오가는 폭도 좁은 데다가 검은 진흙 웅덩이 같은 데가 많았다. 거기에다 사람들이 꿍을 씹으면서 뱉어낸 붉은 침이 바닥의 질척거림을 더해주고 있으니 보는 것만으로 비위가 상했다. '모르면 약'이라고, 안 보면 '더럽다'라는 마음도 덜 올라온다.

노란 찰밥 하얀 찰밥 흑 찰밥 또는 코코넛 채로 속을 채운 찰떡과 바나나 떡, 쌀가루 반죽을 발효시켜 구운 빵과 튀김 빵을 번갈아 가며 아침으로 해결하곤 했다. 그날 아침은 흰 찰밥과 빵을 사서 커피와 먹었다. 몇 젓가락 먹는데 드문드문 까만 게 보인다.

'까만 쌀?'

젓가락으로 헤집어 본다. 쌀치고는 뭔가 거칠어 보인다. 좀 더 가까이 들여다본다. '헉, 쥐똥이다!' 쌀을 대충 씻었는지 바싹 마른 쥐똥이 풀어지지 않은 채 모양 그대로 쌀과 쪄졌다. 앞에선 웨노가 빵을 먹고 있다. 휴중은 쥐똥을 하나하나 골라내며 아무렇지 않은 듯 우적우적 먹는다.

일상에서는 수행 아닌 것이 없다고 했다. 음식을 먹을 때도 밥이 입으로 들어갈 때 들어가는 걸 알고, 씹을 때 씹는 걸, 목으로 넘어갈 때 넘어가는 걸 알아차리라고 했다. 하지만 지금은 올라오는 마음을 보아야 했다. 밥을 거부하고 밀어 올리는 마음을, 욱- 하고 올라오려는 것도 본다. 젓가락을 내려놓고 커피만 마시고 싶다는 마음을 본다. 톡 쏘는 사이다를 마시고 싶어 하는 마음을 본다. '싫다'하는 마음을 본다. 그러다가 마음을 돌린다.

'이참에 반야심경의 불구부정(不垢不淨:더러운 것도 깨끗한 것도 아니다)의 도리를 깨보자. 어떤 스님은 이 도리를 깨치고자 술 먹고 토한 걸 찍어 먹어 보기도 했다는데!'

다행히도 (처음 듣던) '똥 시리즈' 보다는 덜 울렁거린다. 잠깐, 찰나 일어났다가 곧바로 사라지니 정말 다행이다. 아침은 아무 일 없다는 듯 그렇게 해결됐다.

며칠 뒤, 그날은 찰밥과 튀김을 사다가 먹고 있었다. 며칠 전 아침 일(?)로 밥을 살피는 버릇이 생겨 조금씩 집어 먹고 있는데, 웨노가 먹다 말고 찰밥이 담긴 그릇을 한쪽 옆으로 밀쳐 놓는다. 휴중은 모른 척 놔둔다. 아무 일 없다는 듯.

차를 마시면서 웨노에게 물었다.

"아까 먹다 말고 왜 밀쳐놨어?"

"스님은 모르셔도 돼요."

"뭐가 나왔지?"

"어, 어떻게 알았어요?"

"응, 나도 며칠 전에 그랬거든."

"그런데 왜 말 안 했어요? 얘기해야지요."

"그러게…. 그런데 사실 쥐똥보다 더 더러운 게 있는데 뭔 줄 아니? 쥐똥은 뜨거운 김에 쩌지기라도 했잖아."

"더 더러운 게 뭐예요?"

"돈. 그리고 그 돈을 만졌던 아주머니 손과 그 손을 담갔던 물이야. 그돈을 보면 꼬질꼬질 엄청 더럽잖아. 처음엔 빳빳했겠지만 그렇게 될 때까지 한 번도 소독하거나 씻어낸 적 없을걸. 그런 돈을 계속 만지고 그 손으로 밥을 집어 주잖아. 작은 그릇에 담긴 물 봤지? 그 희뿌연 물, 밥이 다 팔릴 때까지 한 번도 갈지 않았을 거야. 그 물에 손을 담갔다가 밥을 집어 주잖아. 그래서 주걱을 사다 준 건데 주걱 쓰는 게 익숙하지 않고 귀찮으니까 (주걱은) 아예 거들떠도 안 보고 다시 손으로 집어 주잖아. 주걱 같은 건 필요 없는 거지. 그냥 하던 대로 버릇 들은 대로 하고 싶은 거야. 그게 훨씬 빠르고 편하니까."

"아우, 그만요. 우리 이제 그 밥 사 먹지 말아요. 다른 것 먹어요."

(처음 시장에 갔다가 시장 상황을 보고 양곤 시내에 갔을 때 주걱 몇 개를 사서 밥파는 아주머니들께 나눠준 적이 있다.)

우리는 그다음부터 시장이 아닌 거리에서 숯불을 피워 달군 프라이팬에 구워낸 쌀 빵을 사다가 먹었다. 쌀가루를 반죽해서 발효시킨 걸 한 국자씩 구우면서 뿌린 아마란스가 오돌오돌 씹히는 게 고소하면서도 달큰한 게 꽤 맛있고 질리지도 않았다.

사람의 삶에서 먹는 일은 아주 중요하다.

맛있고 고급스러운 음식을 사 먹기 위해서 길을 떠나기도 하고 맛있는 맛집을 찾아다니고 다른 나라까지 먹으러 가는 이들도 있으니 어쩌면, 잘 먹고 살기 위해 돈을 벌고 있는지 모르겠다.

그게 아니더라도 누구나 부드럽고 맛있는 음식을 먹고 싶지 거칠고 맛없는 음식은 먹고 싶지 않을 것이다. 더구나 돈 주고 사 먹는 음식이 더럽고 지저분하다면 당장 쫓아가서 따지거나 물러 달라 할 거다. 그런데 왜 그러지 않고 꾸역꾸역 먹고 있는가, 꼭 그렇게까지 수행이란 걸 해야 하냐고 불편하다는 듯 묻는 이들도 있다.

누구나, 낯선 음식과 맛을 찾는 식도락가가 아닌 이상 익숙한 맛을 본능으로 찾고 익숙한 음식을 맛있다 여긴다.

휴중 또한, 못 먹고 안 먹어 본 음식이 많아서 힘들다. 그런데 미얀마는 모든 게 낯설 것이라 각오했기에 어떤 것을 보든 어떤 상황을 만나던 먼저 마음을 보자 다짐했었다.

모든 게 수행 대상이다. 음식이던. 말이던 문화던 더럽든 깨끗하든 왜?'라고 하기보다는 일어나는 마음을 먼저 보자 굳게 다짐했다.
내 안에서 일어나는 분별심(分別心)을 먼저 만나고자 했다.
지저분한 곳, 지저분한 낯선 음식과 낯선 맛을 마주하고 있을 때 일어나는 마음작용은 엄청났다. 다른 대상을 볼 틈이 없을 정도로.

모르는 척하려 했는데
= 생각을 일부러 안 하는 건가?

휴중이 사는 공간에는 불단이 있다. 그리고 한 달에 한두 번, 또는 몇 달에 한두 번 무슨 법회가 있는 날엔 법당으로 쓴다.

그 불단엔 두 명의 젊은 비구가 살고 있었다. 미얀마 법당은 우리나라 와는 아주 다르다. 우리나라 법당엔 법회나 예불, 기도와 참배 할 때만 사 람들이 들어가지만, 미얀마는 늘 그곳에서 산다.

그 법당의 동쪽 중앙 유리문이 있는 곳에 불단이 있는데, 가운데는 불 상들(?)이 모셔져 있고 양옆은 큰 행사 때 쓰는 물건들이나 소모품을 넣어 둔 창고가 있다. 유리로 된 창고 문은 한쪽에만 있어서 창고로 들어가려면 불상 앞을 넘어가야 한다. 제일 큰 불상도 큰 편이 아닌데 그 앞 옆으로 자 그마한 불상들도 빼곡히 올려져 있다.

그런 불상 뒤로는 부처님에게 서려 있다는, 다섯 빛깔의 빛(오색 광명)을 표현한 듯한 나이트클럽 간판 불빛 같은 알록달록한 조명이 밤낮으로 반 짝거리고 있다.

스님들이 탁발 나갔다 오면 깨끗한 접시에 밥과 반찬을 조금씩 덜어 불 상 앞에 올리고 절을 세 번 올리는데 부처님께 공양을 올리는 사시예불이 다. 1시간 반에서 2시간 가까이하는 우리나라 사시예불과 너무도 다르게 도 쪼그리고 앉아 절 세 번만 하면 예불이 끝난다. 그렇게 부처님께 먼저 올리고 나면 자신들도 먹는데, 불단에 올렸던 밥은 나중에 꼬인들이나 신도들이 먹으려고 내린다. 문제는 그 밥을 쥐들이 먼저 먹는다는 사실뿐만이 아니라 그 불단에는 오줌 지린내가 진동한다는 것이다. 비 오는 날은 그 불단에서 사는 비구들은 양동이나 그릇을 받쳐 놓고 비를 피해 아래로 내려와 잠을 자야 했다.

휴중은 그 사실을 알면서도, '내 코가 석 자'라는 이유로 모른 척하기를 석 달 가까이했는데 마음이 불편했다. 하여 어느 날, 주지 스님에게 '조금의 돈을 낼 테니 '전문가를 불러 지붕에 올라가 비 새는 데를 고치고, 불단도 정리하면 좋겠다'라고 하자 주지 스님은 흔쾌히 '알았다' 한다.

이틀 뒤, 주지 스님은 휴중의 방으로 와서 "전문가가 어디 멀리 가서 없고 내가 지붕에 올라가 보니 새는 곳이 없더라" 한다. 그래도 "잘 살펴보고 하면 좋겠다" 하니 그러겠단다.

며칠 뒤, 언제나 그렇듯 그날 밤도 법당엔 사람들이 가득하다. (이틀에 한 번 들어오는 전기 사정으로) 배터리로 보는 텔레비전 앞, 한국 드라마를 시작할 시간이면 절에 사는 이들은 물론 마을에서도 옹기종기 모여든다. 드라마가 끝나면 아쉬운 마음에 CD로 미얀마 코미디와 만담을 보는 소리도 여전하다.

더운 나라 그런지 낮에는 사람 구경하기가 쉽지 않은데 해가 지면 마당부터 법당은 늘 열댓 명에서 스무 명 남짓은 모여있다.

휴중이 쓰는 방은 불단과 텔레비전이 있는 정면 끝에 있다. 나무로 만든 창문이라 닫으면 낮인데도 깜깜하지만, 밤에는 추워서 닫아야 하는 한밤중, 이상한 냄새가 방으로 솔솔 들어온다. 나중에는 코를 막아야 할 정도로 심해진다. 무슨 일인가 싶어 법당으로 나갔다.

'헉!'

밤 11시가 넘어가는데, 사람들이 텔레비전을 보는 그 앞 불단 기둥에 한 젊은이가 페인트를 칠하고 있다.

"뭐 하는 건가?"라고 물으니 주지 스님이 하라고 했단다.

'이 시간에?'

휴중은, "먼저 지붕을 살피고 새는 곳을 고친 뒤, 불단과 양옆에 있는 물건들을 다 꺼내 청소하고, 비가 새서 망가진 천정의 판자를 뜯어내 바꾸고서 페인트를 칠해야 하는 게 아닌가?"라고 간섭을 했다. 페인트칠 질은 멈춰졌다.

그다음 날, 젊은 비구들과 비구계 받을 날 멀지 않은 꼬인과, 젊은 총각들이 우르르 올라오더니 불단 앞의 물건들을 옮기기 시작한다. 그러면서 이렇게 하면 되냐며 주지 스님이 물으러 왔다.

'헉, 세상에나…!'

나가 보니 몇 명이 낑낑거리며 빨리어로 된 삼장(三藏: 경·율·논장)이 가득 들어있는 책장을 통째로 옮기고 있었다.

'아니 생각이 있는 걸까, 없는 걸까! 나중을 생각해서 단 바로 앞에 두어도 될 텐데 저 끝으로 옮기느라 낑낑거리는 건 뭐람! 나중에 또 저렇게 옮길 건가?'

그 크고 무거운 걸 멀찌감치 옮겨 두고 가볍고 자질구레한 것들은 자연스레 가까운 데로 옮기고 있다. 더 놀라운 건 그렇게 옮기는 가운데서 페인트칠을 하는 것이다. 그것도 밑에서부터.

"물건을 다 옮긴 뒤 쓰레기와 먼지를 청소한 뒤 페인트칠을 해야지, 이렇게 하면 먼지나 지저분한 게 칠한 곳에 묻잖아요? 그리고 위에서부터 칠해야지 이렇게 밑에서부터 하면 때가 타서 다시 덧칠해야 하고, 그러면 고르게 칠해지지 않죠."

목소리를 높여 말하자 순간 놀라운 일이 벌어졌다. 물건들을 옮기던 비구와 꼬인, 총각들이 순식간에 사라진다. 마치 갯바위에 꼬마 게들이 사람이 나타나면 휘리릭 사라지듯, 그 많던 이들이 다 어디로 갔는지 머리카락 한 올도 보이지 않는다.

'뭔 일이지!' 나중에 알고 보니 감히, 주지한테 그렇게 가르치듯 따지듯 말하는 일이 없었다. 미얀마 승가는 평행 관계가 아니라 수직관계다. 우리나라처럼, 어른 스님에게 '이렇게 하면 좋겠는데요'라는 의견과 제안, 지적과 비판을 할 수 없는 곳인데, 휴중이 주지한테 가르치듯 따지듯이 말하고 있으니 차마 그 자리에 있을 수 없던 것. 모두가 약속이나 한 듯 순식간에 사라져 버린 것이었다.

그 뒤부터 (주지는) 뭘 할 때마다 휴중을 불러 어떻게 하면 좋을지를 물었다. 페인트는 언제 칠하면 좋은지, 무슨 물건부터 옮기면 좋을지, 불단은 어떻게 하면 좋을지를….

불상을 모신 곳엔 문을 달지 말고, 양옆 창고는 따로 문을 내서 불단을 넘고 다니는 일이 없으면 좋겠다. 불상 창문으로 들어오는 햇살을 그대로 받아 눈이 부신데 창문에 반짝이지 않는 (미얀마는 반짝이는 걸 좋아하여 반짝이는 천 커튼으로 했기에) 두꺼운 커튼을 치면 좋겠다. 주름은 이렇게 잡으면 좋겠다….

결국, 휴중이 커튼 천을 사 와야 했고, 바느질하는 집에 맡겼던 커튼 주름도 휴중이 손바늘로 해야만 했다. 양옆 창고는 휴중 말대로 따로 드나들도록 만들었고, 확 트인 불단에는 쥐가 더는 들락거리지 못하였다.

그 뒤 휴중에게는 별명이 하나 생겼다. 꼬리아 엔지니어 빅쿠니. 그러나 휴중은 한 달 동안 팍 늙은 기분이 들었다.

어쩌면 사람의 삶은, 기다림의 순간순간들로 엮어진 하루하루가 덧쌓인 결정체라고 해도 지나친 말이 아닐 것이다. 기다림은 사실 어리석음의 부산물이다. 살이 짓무르는 더위가 이어질 때면 바람이 불어 줄 것을 슬며시 기다리고, 그도 아니면 전기가 예정보다 빨리 들어와 주기를 기다린다. 바람이 불고 전기가 들어오면 막연히 반가운 소식을 기다린다. 문득, 이곳 사람들이 '생각이나 계획을 하지 않는 까닭'이 '기다림의 삶'에서 벗어나 '눈앞의 일에만 신경 쓰고 살자는 생각'으로 사는 것인지도 모르겠다는 생각이 들었다.

제 앞가림이나 할 것이지
= 오지라퍼, 꼬인들의 '다우다'

휴중은 미얀마 문화를 만난다는 마음으로 절 구석구석을 둘러본다. 창문을 열면 바나나와 망고나무가 눈앞에 있는 것이 신기했지만 자주 창밖을 내다볼 수는 없었다. 뒷간에서 나오는 이들을 보게 되므로.

우리나라처럼 바지춤을 올리거나 매무새를 다듬는 일은 없다. 치마 같은 아래 가사(나 바쏘)를 툭 털어내면 되니까. 그러나 침을 찍 뱉거나, 맥없이 바나나 나무를 후려치는 모습을 보노라면 못된 짓 하다가 들킨 것처럼 머쓱해졌고, 그러다가 눈이 마주치기라도 하면 민망하고 무안해지기 때문이다.

휴중의 방 앞은 2층에 사는 이들의 부엌인데, 우리나라 부엌을 생각하면 안 된다. 전기 곤로 하나에 온갖 벌레들이 물줄기 따라 나오는 수도꼭지와 작은 설거지통이 다였다. 젊은 비구나 꼬인들은 그 수도꼭지에 입을 대고 물을 틀어 바로 마시곤 했다. 휴중은 면으로 된 옷을 잘라 여러 개의 거름망을 만들어 수도꼭지에 씌워 빠지지 않도록 꽁꽁 묶었다. 물을 틀었다. 물줄기가 조금 약하긴 하지만 쓰는 데는 지장 없겠는데 사흘도 안 돼 물이 안 나온다. 거름망을 풀어보니, 장구벌레에 죽은 벌레, 벌레 찌꺼기, 나무 부스러기, 먼지 덩이들이 새카맣게 채여 있다.

'이런 물을 그냥 마시다니…!'

이틀에 한 번씩은 갈아주어야겠다 마음먹었으나 실현하지 못했다. 잠자는 시간과 밥 먹는 시간 빼고는 언제나 꿈을 물고 있는 비구가 쫄쫄거리면서 나오는 물이 마뜩잖았던지 반나절도 지나지 않아 수도꼭지에 묶여 있던 거름망을 쑥- 빼버린다. 그 물로 밥하고 설거지하고 차를 끓이고 과일을 씻고 반찬도 만드는데….

절에는 주인 없는 하반신 마비 개가 한 마리 있다. 허리 아래를 끌고 다니는 그 개를 꼬인들이 쓰다듬어 주고 먹을 것을 주곤 해서 (처음에) '아, 불교국가라 다르구나!' 무척 감동했다. 그런데, 개가 뒷다리를 못 쓰게 된 까닭을 알았다. 꼬인에게 맞아서란다.

그러고 보니 어떤 꼬인들은 긴 쇠꼬챙이를 들고 다니며 바나나 나무를 찌르거나 아무 나무에 휘두르곤 하는 모습을 본 적이 있다. 그리고 가끔 개들에게 위협을 주는 것도 본 적 있음이 떠올랐다.

'무슨 까닭일까!'

미얀마는 어른이 젊은이 또는 어린아이를 야단치는 문화가 있다. 절집도 마찬가지였다. 나이 많은 어른 스님은 젊은 스님들에게, 젊은 스님은 어린 스님들에게. 아래로, 아래로 내려가니까 맨 마지막은 속상함이나 화를 풀 데가 없으니 나무나 동물에게 푼다. 뒷다리를 끌고 다니는 그 개도 그런 꼬인에게 맞아서 그렇게 된 것이다.

휴중의 방은, 네댓 명의 젊은 비구들이 자주 놀러 오는 사랑방이 되었다. 처음 보는 한국인과 한국말을 할 줄 아는 또래의 웨노가 있기 때문이다. 그들은 대한민국을 궁금해하거나 미얀마의 현실을 얘기하기도 했다. 그들이 대한민국에서 제일 부러워하는 것은 '민주주의'와 '겨울철 눈'이었다. 특히나 '눈'을 무척 신기해하면서도 직접 보거나 맞아 본 적도 없기에 동영상으로 보여줘도 느껴지지는 않는 것 같았고, 종교의 자유가 있어 누구든 하고 싶은 말을 다 하고 산다(는 것을 드라마를 통해 알고 있는 듯)고 믿으며 부러워한다.

젊은 비구들이 어느 스님의 법문을 들어보라고 주었다. 휴중은 알아듣는 낱말이 몇 개 되지 않았지만 웨노는 손뼉을 치면서 웃다가 긍정도 하면서 재밌다는 듯 듣는다. 그럴 때마다 묻는다. 내용은, '나라의 현실을 축구에 비유하면, 축구 선수들은 자기 자리에서 가만히 있기만 하면 잘하는 게 아니다. 자기 자리에서 열심히 뛰어야 하며 어느 선수가 부진한지 살펴 모자란 걸 채우도록 해야 한다. 그런데 가만히 있기만 하니 경기 때마다 진다'라며 '정부가 민족(국민)을 위하고 나라의 발전을 바란다면서 아무것도 하지 않고 자리만 지키고 있으니 발전도 없고 민족의 삶도 나아지지 않는다'라고 했다는 것.

법사는 한술 더 떠 '미얀마 상가(승가)도 전법 활동을 열심히 해야 하는데 가만히 앉아서 보시만 받고 있다' '자신의 허벅지를 드러낸다'라는 미얀마 속담을 들먹였다는 것. 그 스님은 법문이 끝난 뒤 감옥에 갔고 25년 형을 받았다고 한다.

처음 만나는 현실이었다. 뿐만이 아니라, 미얀마 상가(승가)는 권위만 있고 너무 보수주의라 사회나 현실참여는 절대로 하지 않는다고 알던 그의 고정관념을 깨는 이야기였다. 안타까운 일은 감옥에 간 스님을 위해서 상가나 신도들이 아무것도 하지 않는다는 사실이다.

"왜 그렇게 가만히 있는가?"라는 물음에 "정부 관료들은 모두 총을 가지고 있어서 항의했다가는 그 자리에서 총을 쏘기 때문"이며, "자신의 허벅지를 드러냈기 때문"이란다. 알고 보니 싱가폴로 유학 갔던 학생들도 미얀마 사회를 비판하고 풍자했다는 이유로 미얀마에 들어올 수 없다고 한다.

미얀마에는 종교성이라는 기관이 있다고 한다. 그 기관에서 일하는 이의 대다수는 승려 생활을 하다가 그만둔(還俗) 이들로서 승려들의 생리와 생활을 너무나 잘 알고 있는데, 법회 때 법사가 하는 법문을 다 들으며 만약 정부나 정치, 미얀마의 현실을 풍자하거나 비판을 하면 경고를 하고, 두 번 세 번 계속하면 바로 감옥으로 보낸다는 것. 특히나 (법문으로) 인기 있는 승려나 연예인은 늘 종교성에서 감찰한다고 한다.

젊은 비구들은 감옥에 있는 승려와 연예인(코미디언)의 사진과 뉴스를 보여주면서 설명한다. 그래서 승려들은 부처님 말씀(경전)으로만 법문한단다. 우리나라의 7, 8, 90년대 초를 보는 듯하다.

하고 싶은 말을 다 하는 유일한(?) 비구니이자 손님이기에 젊은 비구나 꼬인들은 절의 이런저런 일을 이르기도(?) 하고, 맨발로 공놀이(축구나 칠롱)를 하다가 아무 데나 버린 면도날에 발을 베어도 약은커녕 소독도 못한 꼬인을 휴중의 방에 데리고 오기도 하고, 진물 나는 머리에 약을 발라달라고 오기도 한다.

그 절엔 한 개의 면도날로 여럿이 삭발하다가 생긴 기계총(Tinea favosa: 컵 모양의 부스럼 딱지에 특이한 악취가 나며, 분홍이나 흰빛을 띠며 머리카락이 없이 반점 자국이 남는다. 전염성이 높아 치료를 받아야 한함)이 번져 머리가 헐어진물이 나는 꼬인들이 많았다.

휴중은, 면도날을 밟아 크게 베여 퉁퉁 곪아 허옇게 벌어진 꼬인 발바닥을 소독하고 약을 발라 준다. 꼬인들에게 기계총에 옮지 않도록 면도날을 끓인 물로 소독을 해서 쓰라고 알려준다.

그러자 꼬인들은 배탈이 나거나 머리만 아파도 "다우다, 다우다~" 하면서 휴중에게 찾아왔다. '다우다?' 무슨 말인가 몰랐는데 알고 보니 '닥터(doctor)'란다. 미얀마식 발음으로는 그렇단다.

휴중이 처음 그 절에 갔을 때 붙임성 좋은 몇몇 꼬인이 다가와서는 "빠치산, 빠치산 띨라?" "빨치산?"

휴중은 그들의 말을 들으며 속으로 '어라, 이들이 빨치산을 어떻게 알지?' 했는데, 알고 보니 진짜(?) '빨치산'을 가리킨 말이 아니었다.

미얀마 사람들 특히 남자들은 어른 애 없이 축구에 열광한다. 정말로 좋아하는 게 눈에 보인다. 미얀마 선수들이 축구 하는 걸 본 적은 없지만, 남의 나라 이름난 축구단이나 선수가 경기하는 날이면 밤늦게까지도 잠을 안 자고 보면서 환호성을 지른다.

그렇듯 우리나라 '박지성' 선수도 그들에게 굉장히 이름나 있는데, 그 '박지성' 선수가 있는 나라 한국 사람이 왔으니 내심 반가워(?)서 '아느냐? 고 물어본 것이었다. 뱀에 없는 발(蛇足)을 덧붙이자면, '은서 준서'를 아느냐고 묻는 통에 난처한 적도 있다. 그때 미얀마는 한국 드라마가 한창 인기를 끌고 있었다. (지금도 그렇단다) TV에서 하는 한국 드라마를 날마다 보는 건 물론이고, 노점에서 파는 드라마 (불법) CD까지 사보고 있었다. 휴중이 갔을 때는 '가을 동화'가 막 끝났을 무렵이라 만나는 사람마다 물은 것이다.

휴중은 전기가 없는 곳에서 살았고, 드라마도 별로 좋아하지 않았기에 '은서 준서'를 몰랐다. 모른다고 하자 실망하면서, 그 절에 사는 부부를 가리키며 '미얀마의 은서 준서'라고 한다. 휴중이 보기에는 그저 사이좋은 중년 부부로 보였는데, 아내가 암에 걸려 양곤의 큰 병원으로 항암 치료 다니기 위해 절에 와있는 것이었다.

미얀마의 지방이나 시골에 사는 이들은 양곤에 볼일을 보러 올 때면 (거의) 절에서 지내면서 볼일을 보고 돌아간다. 그 부부도 한동안 지내다가 고향 집으로 갔다가 정기검진이나 치료받을 때면 오곤 했는데 남편은 부드럽고 자상했으며 아내는 상냥하고 따뜻한 사람이었다. (몇 년 뒤 소식엔 아내는 투병 끝에 끝내 사망했다고 한다)

아무튼, 휴중은 어느새 그 절의 '다우다'가 되어있었다.

가난한 살림에 입 하나 줄이려고 '신쀼(단기출가)' 때 출가한 꼬인은 탁발 때 들어오는 몇 푼씩을 한 달 동안 모았다가 집에 보내면서, 다치거나 아프면 치료나 약을 먹을 수도 없다. 꼬인에게 공양 올리는 이는 부모나 가난한 신도기 때문에 반찬도 새우젓과 흔한 채소뿐이다. 그러니 영양 상태도 안 좋다. 그렇다고 휴중이 어찌할 수도 없다. 그저 가진 것을 나눌 수밖에.

또래와 축구를 하거나 막대기를 들고 다니며 뒤쫓기도 하고, 둘러서서 대나무 공을 차며(칠롱) 놀기도 하는, 이제 여덟, 아홉 살 열두 서너 살, 예닐곱 살 꼬인들이 마당에서 왁자지껄 놀고 있는 걸 보면 절로 흥겹다. 그 절 꼬인들은 탁발 다녀오는 일 말고는 달리 하는 일 없이 하루하루를 보내고 있었다. 미얀마는 어렸을 때 출가하면 일반 학교엔 가지 않고 절집에서만 살고, 공부도 불교 공부만 한단다. 안타깝게 느껴서 주지 스님에게 "꼬인들에게 왜 공부를 안 가르치냐?" 물었다.

며칠 뒤 새벽, 금강계단 쪽에서 꼬인들의 책 읽는 소리가 들려왔다. 빨리어로 된 아비담마 제목을 외우고 있다. 빽빽 소리를 지르면서 한 시간 정도 외우기를 시키고 밥을 먹였다. 그것까지는 좋았다. 며칠 지나자 마당 한복판 맨바닥에 위에 가사가 벗긴 채 양팔은 머리 뒤로 올리게 한 꼬인들을 무릎 꿇려 앉혀놓았다. 금강계단에 사는 젊은 (법사 자격을 갖춘) 비구가 긴 나무 막대기를 들고 어린 꼬인들의 등을 좌악 좌악 때리는 게 아닌가.

놀라서 다른 스님에게 무슨 일이냐고 물으니, 히죽히죽 웃으면서 공부시키기 위해서는 본디 저렇게 하는 거란다. 둘러보니 모두 대수롭지 않은 듯 여기고, 오히려 맞는 꼬인들은 머리가 나빠서 그런 거라며 웃고들 있다.

'야단이야 맞을 수 있다지만 왜 마당 한복판에 벌거벗겨 놓고 때려가면서일까!'

어떤 꼬인은 날마다 맞다가 공부하는 걸 포기했고, 또 어떤 꼬인은 외우는 걸 포기하고 환속을 했다. 환속하고도 집으로는 못 가고 절에서 살면서 일자리를 알아보고 두부 공장에 들어갔다. 휴중은, '그냥 탁발만 하면서 사는 게 나을 걸 그랬나?'라는 마음이 일면서, '왜 공부를 안 시키냐'고 오지랖을 핀 걸 후회했다. 마음이 아려왔다.

미얀마 불교 속으로 한 발짝 더
= 아비담마를 만났지만…!

　미얀마 스님들 일과에서 가장 중요한 일이 탁발이듯, 휴중 또한 쌀과 반찬거리를 사다가 밥을 지어 먹는 게 가장 큰 일과였다.

　비구 '우 낄라따'는 그 절 승려들 가운데 가사를 가장 깔끔하게 각을 잡아 잘 여몄다. 그가 있던 종단에서는 그렇게 가르쳤단다. 휴중이 '최고다'라고 추켜세워서인가, 탁발 가려고 가사를 여밀 때면 휴중의 방문 앞에 와서 여미곤 했다. 꽁꽁 가사를 다 여민 뒤 발우(승려들의 밥그릇)를 들고 돌아서 나가면 '잘 다녀오라' 인사를 해주고, 휴중도 점심밥을 준비한다. 처음에는 주지 스님 공양(밥)을 얻어먹었다. 그런데 휴중과 웨노가 중간에서 먹으면 꼬인들이나 일반인들이 먹을 양이 줄어든다는 사실.

　우리나라 불교와 두드러지게 다른 점 가운데는 신도 문화와 절집 음식 문화였다. 그건 붓다 때부터 내려온 문화라고 한다.

　미얀마 승려들은 '탁발'에만 의지해 끼니를 해결하는데, 문제는 승려와 신도에 따라 발우에 담기는 음식은 아주 다르다. 이를테면 부잣집 신도가 많은 승려는 고기나 생선 또는 달걀 반찬이 담기지만, 가난한 신도가 많은 승려는 채소와 젓국만 담기는데, 법문을 잘하는 스님이나 주지이거나 법사와 이름난 큰스님들은 부자 신도들이 있으나 법문할 자격이 안 되는 젊은 승려나 꼬인들은 가난한 신도가 많다.

　절 주지는 법문 자격이 있는 법사라 부자 신도가 많았는데 공양도 정해진 신도가 있는지, 날마다 '까삐야(侍者)'가 발우가 아닌 여섯 단으로 된 찬합을 들고 신도의 집으로 가거나 신도가 가지고 왔다, 여섯 단으로 된 찬합에는 비싼 쌀로 지은 하얀 밥에 돼지고기와 생선, 비싼 채소 반찬이 가득 들어있었다. 그렇게 받아온 밥과 반찬은 넓고 둥근 밥상에 차려졌고, 주지승이 먹고 나면, 휴중을 불렀고, 휴중이 먹고 나면 그다음 서열의 스님을 부르는데, 사실 휴중은 '손님'이었기에 먼저 먹을 수 있던 거다. 처음엔 받아먹고 방으로 바로 돌아와 아무것도 몰랐다. 그런데 어느 날 우연히 보니 휴중이 먹고 난 밥상에 젊은 비구들이 자신이 받아온 밥과 반찬을 올려놓고 둘러앉아서 먹고, 그다음 꼬인들이 그다음은 신도들이 받아먹는 게 아닌가. 밥상에 남은 밥과 반찬은 절에서 사는 일반인들이 끓여 두었다가 저녁에 먹었다. 그러니 휴중이 중간에서 먹으면 그들이 먹을 음식이 줄어드는 것. 그런 까닭으로 밥을 해 먹기 시작했다.

이틀에 한 번씩 쓰레기 줍는 일 말고는 딱히 할 일 없는 휴중은 불단에서 사는 젊은 비구 '우 사가라'와 '우 낄라따'의 차 벗이 되었다. 차를 즐겨 마시는 그 들은 기꺼이 휴중을 차 벗으로 삼아 주었고, 제일 맛있는 물, 빗물로 우린 차 맛도 보여주었다.

우기(雨期) 때는 하루에 한 번씩 꼭 비가 쏟아지는데, 비가 오려고 우르르릉 하면 얼른 창문 밖 1층 지붕에 양푼을 내놓는다. 2층 지붕에서 흘러내린 빗물이 받아지도록. 비가 그치고 먼지가 다 가라앉으면 잘 따라서 끓인 뒤 보온병에 담고 차 한 주먹을 털어 넣는다. 맛 좋은 차를 마시려면 세 시간쯤 기다려야 한다.

우리나라와 차 문화가 다르다. 찻잎 크기는 차이 없지만, 차를 만드는 법이 다르고 우려 마시는 법도 다르다. 철제로 된 함에 넣어 둔 차를 꺼낸다. 고급 차 통이 아닌 비닐봉지에 든 거무죽죽한 마른 찻잎을 한 줌을 덜어 끓인 물을 담은 보온병에 넣는다. 세 시간 뒤 마시면 거친 맛이 싹 사라진 부드럽고 달큰한 맛의 차를 마실 수 있다.

미얀마는 절이나 일반 가정집도 차를 넣은 보온병 찻잔 몇 개와 소금물에 발효시킨 찻잎에 볶은 땅콩과 생참기름 버무린 다식(茶食)을 한쪽에 놓아둔다. 손님이 오면 내주고 가족들도 하루에도 몇 번씩 오가며 차를 따라 마신다.

휴중은 그렇게 차를 얻어 마시면서 빨리어로 된 '깨달음의 시(테라 가타)'를 한두 편 배우는 것이 일과 가운데 하나였다.

그러던 어느 날, 비왐사 시험에 2차까지 붙었지만, 자신의 과거 행적이 붓다께서 정한 계율에 어긋나는 일임을 알고 환속한 처사가 살고 있다는 것을 알게 됐다. 한국에서 온 비구로부터 '아비담마도 안 보고 무슨 수행이냐?'라는 말을 들은 데다가, 또 다른 한국 비구가 '아비담마를 배우라' 추천했기에, 선생을 알아보고 있었는데 잘 됐다. 쇠뿔도 단김에 빼라고, 바로 수업에 들어갔다. 일주일에 네 번, 수업은 처사가 공장 일 끝나고 오면 하기로 했다.

아비담마 선생은 27살이었지만 십 년 넘게 승려 생활을 한 데다, 비왐사 2차 시험까지 통과한 경험이 있어선지 부처님 경전에는 아주 해박했다. 아비담마를 짧은 기간 안에 배우려면, 통역을 통해서 할 수밖에 없다. 미얀마어는 물론 빨리어도 모르는 휴중으로서는 최고의 선택이고, 밥해 먹는 일보다 더 중요한 일이 생긴 것이다.

모두 아홉 장으로 되어있는 아비담마에서 '마음' 장이 끝났다.

머리와 몸은, 모르는 말 모르는 글자들을 만나 친해지느라 힘들어했다. 많이 삐걱거린다. 그런 데다 풍토병까지 한몫 거든다. 이곳 사람들은 벌레가 나오는 물을 마셔도 끄떡없는데 휴중은 조금만, 아니 물이 닿은 걸 먹기만 해도 바로 설사를 했다. 몇 날 며칠 쏟다 보니 힘도 없고 눈은 침침하고 손발까지 붓는다. 점심 밥상에 남은 음식을 한데 모아 끓일 때마다 속이 메슥거리고 울렁거리기까지 한다. 전기 곤로가 휴중의 (2 미리 합판) 방벽 바로 앞에 붙어있기에 문을 열지 않아도 기름과 향신료에 버무려진 음식 냄새가 코를 찔렀다.

몇 달 살다 보니 휴중에게도 먹을 것을 주는 이들이 있다. 과자, 꿀, 바나나, 망고⋯. 그런데 온전한 과일로 주는 게 아니라 깎아서 강낭콩보다 조금 더 크게 조각을 낸 뒤 접시에 담아다 준다. 문제는, 깎아서 물로 씻는다는 것. 그 물은, 옥상에 설치된 물탱크에 받아 둔 빗물이거나, 모터로 끌어올린 지하수인데, 연결된 수도관을 통해 1층 2층에서 쓰고 있다. 뜨겁거나 덥거나 서늘하거나인 날씨에 고인 물은 이틀이면 장구벌레가 꼬물거린다. 뿐만이 아니라 이런저런 벌레들도 살아있거나 죽어있고 걸러지지 않은 채 수도꼭지로 나오는 그 물에 껍질 깎은 과일을 씻으니⋯.

정성으로 주는 데 안 받아먹을 수도 없고, 딴에는 기쁜 마음으로 받아먹는다, 하지만 얼마 지나지 않아 어김없이 뱃속이 싸르르싸르륵 뒤틀리고,

여지없이 뒷간으로 달려가야 했다.

몇 날 쏟으면서 밥도 못 먹고 누워있는데 아래층 젊은 비구들이 병문안을 왔다. 스물두 살, 스물 네다섯 되는 '빤냐 딥빠' '난다' '담마 딥빠' '케마사라'는 처음엔 호기심에 놀러 오다가 언제부턴가 미얀마의 승가나 실상을 알게 해주는 벗이 되었고, 아프면 걱정해주는 사이가 된 것이다. 그들은 미얀마에는 아주 흔한 한 떨기 바나나와 꿀을 들고 와서는 '바나나를 꿀에 찍어 먹으면 힘이 난다'며, 자른 바나나를 담은 접시와 꿀 종지를 들이밀며 어서 먹으란다. 먹기도 전에 힘이 나는 듯하다. (지금도 가끔 아파서 밥맛이 없고 힘이 떨어지면 그 바나나와 꿀이 그립다.)

생활비 환전과 PC방에 들르고, 한편으로는 (한국) 스님들을 만나 그동안의 안부와 공부를 나누는 시간을 가지기 위해 한 달에 한 번은 양곤 시내에 다녀와야 했다. 생활비는, 우리나라 돈을 달러로 바꾼 뒤 필요할 때마다 미얀마 돈으로 바꿔 쓴다. 100달러짜리를 미얀마 짯으로 바꿀 때 환율 차이가 크게는 2, 3만 원까지 났고 그 돈이면 한 달 동안 먹을 쌀을 살 수 있었다.

그날도 환전소 들렀다가 PC방에 들렀다. 휴중은, 산에 살면서 메일을 써본 적도 없고, 도심에 나갔을 때 호기심으로 만든 블로그만 두서너 번 써본 게 전부니 인터넷 기능을 잘 모른다. 어쩌다가 미얀마에 왔고, 수행하러 오가는 이들에게 메일은 아주 중요한 소식통이라는 걸 알게 됐다. 그러나 소식을 주고받을 사이의 수행자도 별로 없는, 그러나 가끔 지인들이 블로그 게시판에 안부를 남기니 확인하거나 아무런 소식이 없을 때는 블로그에 일기처럼 글 몇 줄 쓰고 오는 게 전부였다.

그날은 지인으로부터 휴중이 살던 천막 암자의 이름이 바뀌었다는 안부인지 소식인지 모르겠는 제법 긴 소식이 있다. 그 글을 읽는 순간 '왜? 왜 바꿨지? 아무 의논도 없이 왜?' 일어나는 궁금증을 안고 아는 스님을 만나러 갔다. 선원에서 수행하다가 미얀마 강원으로 가서 빨리어를 배우고 경전 번역을 하면서 지내는 스님은 휴중을 보자, "무슨 좋은 소식이 있소?" 물어왔다.

"이름이 바뀌었대요." "스님이 살던 암자 말이오?" "예." "뺏겼군! 돌아갈 생각하지 말고, 거긴 이제 포기하시오." "에이, 무슨! 그저 이름이 바뀌었을 뿐인데 그렇게까지 말을 하고 그래요?" "이 스님, 세상 물정 모르는구만!"

휴중이 천막 암자를 짓고 살면서 인연이 된 이가 출가했고, 출가한 뒤에도 소식을 끊지 않고 지내다 보니 암자 상황을 잘 알고 있었다. 땅을 사주겠다고 나섰던 이가 있었다는 것, 마음 불사하겠다고 미얀마로 떠나올 때, "여긴 어쩌고요?" 물었고, 휴중이 농담 반 진담 반으로 "그냥 놔두고 가야죠. 갔다 와서도 그대로 있으면 사는 거고요. 스님이 가끔 들여다봐 주세요"라고 했던 것. 그런데 휴중이 떠난 지 반년도 되지 않아 휴중이 지은 암자 이름을 바꾸었단다.

'왜, 왜? 왜, 왜! 한마디 의논 없이 바꾸었을까? 왜? 왜? 왜?'

'왜'가 온통, '아비담마'와 일상을 잠식(蠶食)하고 있었다.

떠났으되 떠나지 않았다, 고로 돌고 돈다
= 이름에 법이 있던가?

'왜?'가 휴중을 괴롭혔다. 이름이 바뀌었다는 것 때문일까, 아니면 '뺏겼다'라는 말 때문일까! 일도 책도 손에 잡히지 않았다. 아비담마도 눈에 들어오질 않았고, 몸 상태는 더 심하게 삐걱거렸고, 손가락 마디마디가 퉁퉁 부어서 젓가락 잡기도 버겁다. 엎친 데 덮친 격으로 눈이 침침해져서 뜨고 있을 수가 없다. 아비담마 공부 2시간을 위해 종일 누워있을 때도 있다. 이 상태로는 도저히 안 되겠다 싶어 아비담마 선생에게 "방학을 하자"고 했다.

"얼마 동안요?"

"모르겠어요, 지금으로서는 보름이 될지 한 달이 될지, 더 걸릴지."

국제 명상센터 '쉐우민'으로 간다. 한국에서 제일 먼저 추천받았던 '쉐우민'은 한국으로 들어가기 전 가려고 했던 곳이나, 앞당겨 가기로 했다. 택시를 타고 '쉐우민'으로 갔고, 그곳에서 수행해도 좋다는 허락을 받고 방을 안내받고 짐을 푼다. '쉐우민'의 인터뷰 통역은 한국 스님이었다. 그래서인지 양곤 안의 국제 명상센터 가운데 한국 스님이 가장 많은 곳이라 들었는데 정말 그랬다. 평소에도 한국 비구니와 비구들이 많이 있는데 특히 그때는 더 많았다. 오죽하면 인터뷰(수행지도) 해주는 사야도가 '쉐우민은 한국 비구니 절'이라 할 정도였다.

아침, 점심 공양 시간이면 법납(法臘 : 출가한 햇수) 순서대로 줄을 서서 식당으로 들어가고, 설거지도 본인이 하였고, 한국 음식이 있었다. '마하시'와는 많이 다른 듯한 분위기다. 처음에는 방 한 칸을 혼자 썼지만, 며칠 뒤부터는 두 명이 같이 써야 했다. '쉐우민'의 큰 사야도 기일(忌日)이 다가오기 때문이란다. 들리는 말로는 큰 사야도 꼬살라 스님은 가만히 앉아 있기만 해도 그 앞에 있던 사람들 마음이 저절로 편안해지고 둑카(괴로움)도 저절로 소멸한단다.

쉐우민은 며칠 사이 미얀마 전 지역에서 사야도를 추모하기 위한 추모객들로 꽉 찼다. 그렇더라도 미얀마 사람과 외국인 수행자들은 따로 묵고 따로 수행하므로 부딪칠 일은 없었고 여전히 고요하고 조용하였다. '쉐우민'은 숙소에서 수행 홀까지 가는 길이 멀다. 직선거리는 몇백 미터 안 되지만 돌아 돌아 가다 보면 1킬로 가까이 되는 데다, 전갈이나 독사로부터 보호하기 위해 땅에서 띄워 만든 나무다리 길로 되어있다. 휴중에게 그 길은 고통의 길일 때가 많았다. 손발이 붓고 허리 통증까지 심해졌기에 걷기와 앉아 있는 것도 힘들었다. 특히 나무다리 길을 걸을 때 반대편에서 누군가 걸어오면 그 울림이 휴중의 몸에 그대로 전해졌고, 통증으로 이어져 나무 기둥을 붙잡고 다 지나갈 때까지 서 있어야 했다.

휴중은 수행 홀에 나가 앉아 있는 날이 드물었다. '위빠사나'는 마음이 깨어있음이 더 중요하기에, 어느 곳에서든 깨어있는 마음으로 알아차림을 얼마나 하는가가 수행하는가, 안 하는가를 가름하기에 수행 홀에 나와 앉아 있느냐 앉아 있지 않은가는 중요하지 않았다.

휴중은 방에서 누워있을 때가 많았으나, 통증과 옹색해지려는, 들뜨거나 불편해하는 번민이 파도처럼 밀려와 몸과 마음이 깨어있을 때가 많았다. 그랬기에 이틀에 한 번씩 있는 인터뷰(수행 상담)에는 빠지지 않았다. 수행자들은 알아차림을 하면서 일어나고 느꼈던 모든 것들을 점검받기 위해서는 인터뷰에 빠지면 안 된다.

'쉐우민'은 '마하시'와 다른 것이 또 있었다. '마하시'는 '위빠사나' 수행을 처음 하든, 오래 했던 가리지 않고 같은 날, 따로따로 개인 지도를 받는다. 그러나 '쉐우민'은 초보자와 경험자가 따로 다른 날 인터뷰를 하며 여럿이 함께 있는 자리에서 지도를 받는다. 휴중은 경험자가 받는 날 들어갔고, 그 자리에는 쉐우민에서 몇 년째 수행하고 있는 비구·비구니 몇 분과, 한국과 미얀마를 오가며 수행하는 스님과 재가자들도 있었다. 다른 스님들이 인터뷰하는 내용을 들으며 스스로 점검할 수 있는 자리가 되는 장점이 있기는 하나, 개인 이야기하기 꺼리는 이들에겐 불편한 자리일 수도 있다. 그러나 이 또한 수행이라 여기는 분위기라 화기애애하였다. 휴중은 인터뷰 시간이 기다려졌다. 괴로움에서 벗어나고 싶은 마음이 컸기에 마음만은 게으를 수가 없었는데, 무엇보다도 통증이 한몫 거들었다.

함께 방을 쓰는 스님은 새벽에 수행홀로 가면 밤 9시나 돼야 들어왔다. 몹시 더우면 한낮에 잠깐 들어와 땀만 닦고 다시 수행홀로 가니 종일 얼굴 볼 일이 없을 정도로 매우 열심히 정진하였다. 수행자라면 쉼 없이 정진하는 수행자가 가까이에 있음이 큰 축복이다. 그러니 휴중으로서는 더없는 축복이다. 몸뚱이는 비록 빠릿빠릿 부지런할 수 없지만, 마음만큼은 얼마든지 부지런할 수 있으니 말이다.

아, 그렇게 각오를 해서인가. 처음 찾아오는 어깨 통증이 돕는다. 잠을 이룰 수가 없다. 뭐든 처음 맞는 것은 낯설고 적응하는 데 시간이 걸린다. 익숙한 통증은 그러려니 하기 쉬운데 처음 맞는 통증은 그게 잘 안 된다. 남자든 여자든, 사람을 사귈 때도 마찬가지겠지? 관심을 가졌다면, 말과 행동, 마음 씀을 잘 살펴야 사귈 사람인지 사귀지 말 사람인지를 알 수 있듯이. 통증도 잘 살펴야 어떨 때 더 아프고 어떨 때 덜 아픈지, 언제 더 아프고 언제 덜 아픈지를 안다.

처음 맞는 통증인 만큼 밤과 낮 없이 초점을 맞추고 주파수를 맞추려 애쓴다. 시도 때도 없이 아무 때나 찾아오는 통증인 만큼 매의 눈으로 지켜보려 애쓴다.

함께 방을 쓰는 스님은 곤히 잠들었는지 숨소리가 고르다. 나무로 만든 침상은 조금만 움직여도 삐걱거리고, 자면서 뒤척여도 삐걱거린다. 낮에는 바깥소리에 묻혀 거슬리지 않지만, 모든 생명이 잠든 듯 고요한 한밤중에 삐걱거리면 거슬릴 수 있다.

그날 밤도 휴중은 어김없이 찾아온 통증과 놀다가, 통증과 하나가 되어 시간이 가는지 오는지도 몰랐다. 처음엔 욱신거릴 뿐이었는데 차츰 더 심해지더니 마치 잘 들지 않는 칼이나 톱으로 잘라내는 듯한 아픔은 '세졌다 약해졌다'를 쉼 없이 되풀이했다. 팔딱팔딱 뛰다가 욱신욱신하다가 꽉 꽉 조이다가 퐁당퐁당, 오르락내리락, 들쭉날쭉…. 재밌다. 통증이 아니라 재밌는 코미디 프로그램을 보는 것 같다. 아니 통증과 하나가 된 것만 같다. 휴중이 통증인지 통증이 휴중인지 모르겠다. 어느 순간 오직 통증의 느낌만 있을 뿐 '나'는 사라졌다. '나'도 없고, '내가 아프다'라는 마음도 없다. '없음'을 안 순간 툭! 눈과 눈 사이 눈썹과 눈썹 사이를 꽉 조이고 있던, 마치 묶어 놓았던 고무줄이 툭- 끊어지듯 하더니 안개가 걷히듯 편안해지는 느낌과 환해지는 느낌이 온 마음에 확 번진다. 그 느낌과 함께 얼굴에 싱거운 웃음도 번진다.

참거나 무시하는 것이 최선이 아니며 근본 마음가짐에 '나'가 없을 때 편안하다는 걸 알았고, 어깨 통증의 원인도 알게 되었다. 1년 전, 빗길의 고속도로에서 휴중이 탄 자동차가 미끄러지면서 중앙분리대를 들이받고 한 바퀴 돌면서 오른쪽 난간을 들이받고 돌았던 사실이 떠올랐다. 사고가 났다는 사실을 까맣게 잊은 듯, 아니 아예 기억에 없었던 일(이었는데)이 오래된 사진처럼 빛바랜 기억으로 지나가는 듯 떠올랐다.

원인이 뭘까? 사고가 날 때 분명, 차가 도는 것을 알았고 부딪는 것도 알았다. 돌 때는 '돎, 돎, 돎!' 하였고, 부딪칠 때는 '부딪는다'라고 알았다. 그런데 어떻게 기억에 없냐고? '내가' 빠져있기 때문이다. '내가 교통사고가 났다'가 아니라 그저 영화 속 사고 장면처럼 보았기 때문이다. 쾅쾅 그렇게 부딪혔던 자동차는 많이 찌그러져 바로 자동차 정비소로 들어갔지만, 휴중은 약속에 늦을까 봐 그 어떤 약을 쓰거나 치료도 받은 적이 없다.

'나'를 뺀 건 좋았지만, 좀 더 지혜롭게 바로 치료를 받아야 했다. 그랬으면 1년이 지난 뒤 이렇듯 통증과 사귀지 않아도 될 텐데…! 라는 생각을 하다가, 다시 또 관찰한다. 몇 장의 흑백 사진(같은 것)들이 툭! 툭! 지나간다. '오호라! 그랬구나, 그래서였구나!' 의문이 풀리는 순간이다.

휴중은 언제나 '들숨 날숨'을 관찰할 때 무척 힘들다. 앉아서 하는 건 그나마 덜한데 누워서 (잠들기 전까지) 관찰할 때 '들숨'만 하면 숨이 가빠오고, 나중에는 가슴과 배가 터질 듯한 느낌에 숨을 쉴 수가 없다. 여느 때도 밀폐된 공간은 답답해했고, 더운 한여름에 자동차를 타면 에어컨을 켜지 못하고 창문을 열어야 했다. 문을 닫으면 숨이 가빠왔기 때문이다.

휴중은 별다른 버릇이 또 하나 있다. 갑자기 뜻하지 않은 상황이 닥치거나 다급할 때면 '할아버지!'라고 하는 버릇이다. 흔히들 '엄마' 또는 '어머나!' 할 때 휴중은 '할아버지!'라고 외쳤는데, 그 소리를 들은 사람들은 재밌어했다. "아니, 엄마도 아빠도 아니고 어려운 할아버지를 찾아요?" 휴중도 그 까닭을 몰랐다. 중이 되어서도 그 버릇은 여전했고, 신도들이 듣고 신기해할 때마다 "아, 법당에 앉아계시는 금빛 할아버지요" 하고 얼버무렸었다. 그런데 밤을 홀딱 새던 그 날밤 그 새벽, 두 가지 원인이 밝혀졌다. 휴중이 백일도 안된 아기였을 때 두꺼운 솜이불에 눌려 질식해서 죽을 뻔할 때, 새카맣게 죽어가던 아기 숨통을 트여 구해 주신 이가 할아버지였던 것. 덕분에 몸도 마음도 엄청 가벼워졌고 편안해졌다.

인터뷰 날, "떠났으되 떠나지 않았다. 고로 윤회한다"라고 말하자 그곳에서 8년째 수행하고 계시는 스님이 "스님 오도송(悟道頌: 깨달음의 시)이요?" 물었고, 사야도는 (통역 스님이 전하고 돌아온 대답은) "그렇다"였다. 그러면서, "그렇게 생각하는 까닭이 무엇이냐?"고 물었다. 새벽에 있었던 일을 말하면서 덧붙여, "백일도 안된 때를 기억하고 있다는 게 놀라웠다"라고 했더니, 사야도는 "잘 봤다. 그리고 백일은 물론이고 엄마 뱃속의 일도 기억하는 게 마음이다"라고 하였다.

'이름을 바꾸었으면 어떻고 안 바꾸었으면 어떤가.

이름에 법이 있던가? 이름은 이름일 뿐이다.

- 너는 이곳에 무엇 하러 왔는가?

= 법을 구하러 왔지.

- 법은 구했는가?

= 아직.

- 이름이 중한가, 법이 중한가?

= 법.

이름이 중하면 지금이라도 당장 돌아가라. 돌아가면 된다. 이름이 그토록 중하면 떠나오지 말았어야 한다. 그러나 법을 구하러 떠나왔고 아직 못 구하지 않았는가. 법을 구하라. 법을 구할 때까지 돌아갈 생각 말라.'

공단지역에 있는 '행복 절'로 돌아가기 위해서 짐을 꾸렸다.

공덕, 공덕을 짓기 위해서라면
= 가난해도 꾸살라(선업)는 지어야

속옷을 꿰매다 꿰매다 더 꿰맬 곳이 없어 또 버린다. 가지고 온 속옷이 다 떨어지면 (한국으로) 돌아갈 수 있을까! 언제 돌아갈 수 있을지 당최 알 길 없는 현실의 휴중, (물질로는) 가난한 편이지만 이곳에 살다 보니 안타까울 때가 한두 번이 아니다. 이 절에 살면서 가장 많이 보는 게 가난한 사람과 가난한 승려들이다. 특히나 꼬인(사미승)들은 가슴을 아프게 했다. 기계충(蟲)으로 희끗 불긋한 머리, 다 떨어진 가사에 신발도 변변치 않은 모습들, 갈비뼈가 드러나도록 깡마른 몸은 날마다 보아도 적응이 안 되었다.

'가난은 나라님도 구제 못 한다고 했다지!'

우리나라와 미얀마 절집의 또 다른 점, 우리나라는 절에 공양물이 들어오면 절집 전체에 쓰는 편이다. 이를테면 절에 먹을 게 들어오면 절에 사는 대중들과 나누어 먹고, (돈이든 물질이든) 보시가 들어오면 먼저 필요한 곳에 쓰는 게 보편이다.

그러나 미얀마는 그렇지 않다. 불자들이 승려들에게 보시하는 게 삶처럼 익숙하다. 그러다 보니 외국에서 온 (남자) 수행자가 상좌부 계를 받고 (미얀마) 가사를 수할 때 보시하는 일도 큰 기쁨으로 여기는 이도 있다. 마찬가지로 한국 수행자(승려든 재가자던)가 미얀마 불교의 계를 받을 때 미얀마 불자들로부터 보시를 받을 때가 있다. 그 가운데는 가사도 있다, 미얀마 가사를 수한 한국 비구들에게 그렇게 생긴 가사가 꽤 여러 벌 있던 모양이고, 그 가사를 휴중과 웨노에게 주면서 '밍글라 떼잇티' 절 스님들에게 보시하란다.

한국 스님들은 미얀마 가사 가운데 어떤 가사는 기피하였다. 그럴 수밖에 없는 것이, 너무 얇아서 훤히 비치기 때문이다. 미얀마 남자와 승려들의 속옷 문화를 보고 싶지 않아도 보게 되고 알고 싶지 않아도 알게 된다. 지금은 젊은 층, 젊은 승려는 (더러) 팬티를 입지만 그때만 해도 안 입는 게 당연한 보편의 문화였다. 햇살이 비칠 때 꼬인이나 비구들이 창가에 서 있으면 훤히 다 비치는데…. 처음엔 휴중도 당황스러웠다.

게다가 싼 가사는 땀 흡수가 안 되는 천을 쓴다. 미얀마 토박이 승려들은 어지간한 날씨에는 땀을 흘리지 않지만, 사계절이 있고 불볕더위가 없는 나라에서 간 이들은 조금만 움직여도 줄줄 흐르곤 하여, 땀띠를 달고 사는 이들도 있었다. 그런데 가사까지 땀에 휘감기면 여간 곤혹스러운 일이 아니리라.

아무튼, 열 벌이나 되는 가사와 물에 타서 마시는 과일 주스 열 병을 사서 주지 스님에게 보시하였다. 그러면 가사가 낡거나 없는 스님에게 주리라 믿었고, 주스 또한 절에 사는 대중에게 한 잔씩이 돌아가리라 믿었다. 그런데 한 잔, 한 벌도 나누어지지 않고 그대로 커다란 자물쇠를 채우는 주지의 장 속으로 들어갔다. '나중에 주려나 보다' 했는데 또한 아니었다.

나중에 알게 된 사실, 주스는 고스란히 주지 스님의 속가 부모님과 여동생 집으로 옮겨졌고 가사는, 필요한 만큼은 주지 스님이 쓰고 남는 것은, 가사를 되사러 다니는 장사꾼에게 팔렸다.

'어찌, 이런 일이!'

미얀마는, 돈을 보시할 때는 쓰이는 곳을 분명하게 말하며 주어야 했던 것. 이를테면, "이 보시는 법당 짓는 데 쓰이길 원합니다" 또는 "이 보시는 몇월 며칠 스님들의 점심 공양에 쓰십시오" 책이면 책, 담이면 담, 집이면 집, 밥이면 밥 몫을 정해주면 딱 그곳에 그만큼만 쓰는 걸 원칙으로 한다. 만약, 아무 말도 안 하고 주면 그건 받은 스님 것이란다.

미얀마는 달마다 '뽀에(축제)'가 있다. 그 가운데 아홉 번이 불교와 관련 돼 있다. 8월은 '승려들에게 가사를 올리는 달, 까테인 뽀에'다. 가난한 사람, 가난한 노동자들은 그때(가사 축제)를 위해 틈틈이 조금씩이라도 돈을 모아두었다가 자신이 의지하는 승려에게 올릴 가사를 산다. 가난한 이들은 비싸고 좋은 가사를 살 수가 없다. 하지만 자신의 형편으로선 최고의 베풂이니 최고의 공덕(선업)이 되고도 남으리라 마는, 그렇게 공양 올려진 가사들은 그다음 날부터 자전거나 오토바이를 타고 도는 장사꾼에게 되팔린다.

공덕을 짓는 일은 아이 때부터, 아니 엄마 뱃속에서부터 익숙한 버릇으로 대물림되고 있다. 집집이 불단(佛壇)과 신단(神壇)이 있는 미얀마 사람들은 아침엔 예쁜 꽃과 뜻이 좋은 나뭇잎을 사서 불단 앞 꽃병에 꽂고, 맑은 물 다섯 잔을 올리고 절을 한 뒤 예불 기도문을 읊는 것으로 하루를 시작하는 부모의 모습을 보면서 자란다. 교육이 따로 있는가, 날마다 틈마다 보고 듣고 느끼는 것 모두가 교육이다. 미얀마 아이들은 부모가 공덕 짓는 모습을 밥 먹고 물 마시듯이 보고 듣고 느끼고 자란다. 그런 까닭으로 스님들은 무조건 공경의 대상이다. (물론 무조건이 아닐 때도 있다. 저 뒤를 보면 안다.)

휴중이 사는 절 법당 사방 벽에는 크고 작은 시계가 빙 둘러 걸려있다. 시간이 딱딱 맞는 시계도 있지만, 고장 나 멈춰있는 것도 있다. 궁금해서 하루는 주지 스님에게 물으며 제안(?)까지 했다.

"스님, 시계가 많은데 필요한 것만 두고, 고장 난 시계는 고쳐서 없는 사람에게 나눠주는 게 좋지 않을까요?"

말을 듣자마자 안 된단다. 왜 안 되냐고 물으니, 보시한 이는 늙었거나 죽기도 했는데 그 자손이 와서 보면 '아, 부모님이 이렇게 공덕을 지으셨구나!' 생각하며 본받을 수 있는 본(本)이 되기 때문이란다.

그래서인지 신도들은 한 푼 두 푼 모아 보시하는 한편, 돈이 생기면 일주일에 한 번 당첨하는 복권을 사곤 했다. 큰돈이 당첨되면 승가에 공양을 올리거나, 아들이 승려가 되게(하기 위한 의식)끔 신뷰를 할 수 있기 때문이란다. 그 절에는 실제로 복권 당첨금으로 신뷰를 한 이가 있었다.

사실, 미얀마에서 제일 화려한 곳은 탑이나 절이다. 쉐다곤 탑머리에 있는 다이아몬드나 루비, 금은보석들은 미얀마의 가난한 사람들을 구제할 수 있다는 말은 지나친 말이 아닐 듯싶다. 절 담장(뿐만이 아니라 모든 시주물) 대리석 판마다 동글동글 글자들이 박혀있는데 읽어 보면 보시한 이들 이름이고, 거의는 부모와 아들딸 이름이며 그렇게 이름이 적히는 걸 뿌듯하고 자랑스러워 하는 듯했다.

우리나라는 '보시했다는 마음 받았다는 마음도 내지 않아야 진짜 보시다'라는, 금강경 영향으로 (보시하고도) 드러내놓고 자랑하는 분위기는 아니다. 천안의 어느 절에서 본 종에는 절 이름 말고는 그 어떤 글자도 없었다. 시주자가 이름을 넣지 말라 하여 종 안쪽에 새기고 바깥쪽은 깔끔하게 두었다는 것이다.

보시 문화, 나라가 달라서 다른 건지 불교의 파(派)가 달라서 다른 건지 달라도 참 다르다.

6장

만나러 가는 중

머리털 나고 처음 한 여행
= 수행하기 참 좋은 도량

미얀마에서 뜻밖에도 여행이라는 것을 하게 됐다. 여행은 있는 자들의 여유나 사치라고 생각했었다. 어쩌면 '여유'보다 돈 많고 시간 많은 이들의 '사치'라고 여기는 마음이 더 컸을지도 모른다. 그랬기에 우리나라의 이름난 곳도 제대로 가본 적이 없다. 어쩌다 다른 지역을 가더라도 그건 그곳에 아는 사람이 있어서거나, 가야 할 일이 있어 갔을 뿐 가고 싶어서 간 적은 거의 없다. 그랬는데 통역 웨노와 김제 스님 덕분에 여행을 할 기회가 몇 번 주어졌다.

마하시에서 '(통역)한 달만 기다려주자' 부탁드렸던 스님은 안거(安居:비 오는 철 한곳에 머물면서 수행하는 일) 때 '삐우린'에 있는 센터로 가시겠단다. 그곳에도 통역이 필요한데 아는 통역은 없고, 웨노가 함께 가서 방부(房付: 수행하겠다고 부탁하는 일) 들이는 일을 도운 뒤, 대학 동창을 소개해주는 것이 목적인데, 가는 길에 이름난 곳 두어 군데를 들르기로 하셨다는 것이다. 김제가 고향인 스님은 미얀마에서 수행한 지 4년이 되도록 명상센터만 있었기에 불교유적지나 관광지를 둘러 본 적이 거의 없으시단다. 문제는 미얀마는 (상좌부 가사를 입은) 비구는 여인과 단둘이 한 방은 물론 한집에 있어도 안 되고, 여행은 더더군다나 안 되는 일이라는 것이었다. 어쨌든, 스님은 통역이 필요한 상황이고, 휴중과 웨노는 안 가본 곳을 가볼 좋은 기회였다.

염치 무릅쓰고 따라나섰다. 비행기가 아닌 버스와 배, 택시를 이용하면서 다니기로 했기에 보름 정도 걸리는 여정이다. 사는 절 주지 스님에게 보름 정도 비우겠다고 말하고, 짐을 챙기면서 청소를 한다.

산에 살 때 생긴 버릇이 하나 있다. 하루 이상 외출 외박을 하게 되면 대청소를 하는 것인데, 까닭이 있다. 휴중이 살던 암자에 가까운 면에서 찻집 겸 민박집을 하는 이가 가끔 왔다. 휴중도 가끔, 적멸보궁을 다녀오는 길에 오신채 넣지 않은 맞춤 밥을 주문해서 허기를 달래거나, 다른 지역에서 오는 이들에게 방을 소개하기도 했다. 그러던 어느 날 안채에서 하룻밤 신세를 지게 됐다. "편히 쉬라"고 한 방은 안주인과 직원이 편하게 쓰는 방인데, 아직도 '가르침을 준 방'으로 기억된다.

구석에는 머리카락이 먼지와 엉겨 붙어 솜뭉치처럼 뒹굴고, 입던 옷인지 빨랫감인지는 아무렇게나 내동댕이쳐져 한쪽 구석을 차지하고 있었다. 세면대와 변기 구석에는 곰팡이가, 바닥에는 물에 이리저리 밀려 말라붙은 머리카락과 때가, 머리카락이 붙어있는 비누 조각과 때 절은 대야까지 그에게 보란 듯이 훈계를 하고 있었다.

그 방 주인들은 (머무는 곳은 그렇지 못할지라도) 말끔하고 깔끔하게 하고 다녔고, 그들에게는 가족이 있다. 만약 바깥에 나갔다가 무슨 일이 생겨도 가족이 흠을 가려주거나 덮어줄 수 있다. 그러나 휴중은? '만약, 내가 어디 나갔다가 사고를 당해 살던 곳으로 다시 못 돌아온다면, 누군가 내가 살았던 흔적을 치워야 할 텐데…! 구석구석에 저렇듯 먼지와 터럭이 자리를 차지하고, 구석구석이 곰팡이와 때가 절어있다면…' 본 사람들은 말하겠지.

'뭐야? 그렇게 입찬소리를 해대더니 이러고 살았어? 말과 행동이 엄청 달 랐네?' 생각하니 온몸의 터럭이 송송 솟는 느낌이다.

미처 빨지 못한 옷가지까지 개켜 놓고 구석구석 청소를 하니까 통역이 궁금해한다. 왜 그러는지 설명을 한다. 통역은 이해가 됐는지 휴중과 마찬 가지로 자신이 쓰고 있는 방을 정리하고 청소를 한다.

첫 여행지는 '바간'과 그 둘레였다. 미얀마는 도로 사정이 좋지 않아 다 른 도시로 가려면 밤새도록 가야 해서 미얀마의 시외버스는 대부분 해 질 녘에 출발한다. 다리가 긴 사람은 무릎을 꿇은 것처럼 불편할 정도로 의자 와 의자 사이가 좁다. 양곤을 벗어나니 비포장길을 달리는 것처럼 덜컹거 린다. 웨노의 말 대로 도로는 '여드름 투성이'라 버스가 빨리 달리지를 못 했다. 하긴 이런 길을 한낮의 뜨거운 볕을 받으며 간다면 더 지루할지도 모르겠다.

몸과 마음이 버스와 하나 되도록 맡겨 보지만 온몸과 온 마음이 '불편하 다'고 아우성쳤다. 얼마나 달렸을까, 버스가 멈추고 차장이 승객들에게 내 리라고 한다. 휴게소에 도착한 것이다.

우리나라 휴게소와는 비교하지 못할 만큼 허름한 건물에 어두컴컴한 식 당이 있고, 그 뒤로 뒷간이 있다. 뒷간인 것을 알 수 있던 것은 이정표가 아 니라 냄새 때문이었다. 뒷간 앞에는 시멘트로 된 물 저장고가 있는데 캄캄 해서 까만 것인지, 물때가 끼어서 까만 것인지 구분이 안 됐다. 희미한 불 빛이지만 여기저기 놓인 때 절은 바가지 몇 개도 보였다. 그 옆으로 볼일 을 본 여인들이 치마를 걷어 올리고, 때 절은 바가지로 물을 퍼서 걷은 치마 속으로 뿌려댄다. 서너 칸의 뒷간은 재래식이었고 휴지 같은 건 '뭣에 쓰는 물건인고?'라는 식으로 눈 씻고도 찾기 어렵다. 휴중은 볼일을 보고도 벌떡 일어나지 못하고 당혹스럽다. '어쩌지?' 가지고 간 휴지를 썼지만 버릴 곳이 없다. 난처하기 이를 데 없다. 할 수 없이 쓴 휴지를 다른 휴지에 싸서 들고나와 쓰레기통을 찾는다.

식당으로 들어갔다. 따뜻한 차 한 잔씩을 시켜서 마신 뒤, 비빔국수를 시킨다. 취향에 따라 넣어 먹으라고 둔 접시에는 시든 채소와 파리 몇 마리가 들러붙어 있다. 아직은 어리게 보이는 식당 종업원이 양손에 국수 그릇을 들고 온다. 손도 지저분해 보이고, 놓고 간 그릇은 끈적거린다. 들고 온 행주도 더러워 보였기에 '께름칙하다'라는 마음을 누르고 몇 젓가락 집어 먹는다.

이 나라 저 나라 두루 경험해본 이들은 말했다. (그때의 미얀마) 시외버스를 타면 으레 경험하는 이런 상황은 아무것도 아니라고. 인도는 열 배는 더 심하다고. 인도 성지순례를 다녀온 다음에는 그 말에 공감했다. 그러나 당시 처음 경험하는 일은 온통 낯설기만 했다.

다시 버스에 올랐고, 아침이 되어서야 도착했다. 우리는 먼저 미얀마 여행 책자에 소개된 게스트하우스를 찾아갔다. 버스에서 묻어온 지저분함과 휴게소에서 얹어온 께름칙함은 물론 밤새 덕지덕지 붙었을 불편함이 내뱉은 찌꺼기의 온갖 꾀죄죄함을 씻어내고 싶었다. 방을 안내받자마자 세면장으로 들어간다. 크기나 생김새가 참 어정쩡한 양변기와 타일 벽. 어정쩡한 모양새 어정쩡한 위치 어정쩡하게 고정돼 매달린 스텐 샤워기로 땀과 꾀죄죄함을 씻어낸다.

헉! 물이 제대로 내려가질 않는다. 바닥 타일은 지극히 평평하기만 하여 몸에서 미끄러져 흐른 비눗물들이 하수구로 가는 게 아니라 바닥에 오래도록 머물겠단다. 까치발로 세면장을 벗어난다. 어쨌든, 씻고 나니 살 것 같았다.

첫 여행이라 아주 많은 것들이 기억에 남겠구나 생각했지만 그렇지도 않았다. 시간이 지나고 나니 '바간'은 왕조마다 탑을 크게 지어 우리나라와 다른 탑이 많았다는 것과, 500년 왕조 역사가 있는 '잉와'에 티크 나무로 지은, 세월의 주름처럼 나뭇결이 툭툭 불거져 나온 검은빛의 나무 기둥, 나무로 된 문과 창문 그 틈으로 스며들던 햇살이 아름답게 보이던, 몇백 년 된 '바가야 짜웅(절)'을 한가로이 구경했다는 기억과 그곳에 앉아서 한가로움을 만끽하던 순간들만 떠오르며 꼬리를 잡는다.

그 옆 동네 '사가잉'의 '하얀 사원'과 '밍군 벨 탑'을 돌았던 기억도 떠오르지만, 사원보다도 더 기억나는 건 아홉 살 꼬인이다. '하얀 사원'에서부터였는지 '밍군 벨 탑'에서부터였는지 뚜렷하지 않지만, 분명하게 기억나는 건, 안내를 해주겠다며 우리에게 다가왔고, 앞장서 가면서 열심히 설명하던, 사원의 꼭대기까지 다 올라가자 "가이드 비를 보시라" 하던 모습이다. 지갑을 가지고 있지 않아서 "없다" 하자 죽 훑어보더니 정말로 (돈이) 없다 싶었는지 쫓아 오지 않기에 '아, 갔구나!' 했는데, 사원을 다 돌고 들머리로 가니 우리 일행을 기다리고 있다는 사실에 깜짝 놀랐던 일이 더 기억에 남는다.

'만달레이'에서는 '우뻬인 다리(티크 나무로 만든)'가 풍경으로 (기억에) 남았다.

두 번째 여행은 '인레'인데, 윗녘에 있다. 마찬가지로 버스를 타고 굽이굽이 시골길을 달렸다. 인레로 가는 길은 더 험했다. 산이 가까워지자 지그재그 구비 길도 나온다. 둘레 22km에 폭이 11km의 큰 호수, 그 위에 집을 짓고 대대로 살아온 '인따족'이 사는 도시 인레, 거기에서 만나는 낯선 집, 낯선 음식, 낯선 문화는 제법 흥미롭고 즐거웠다. 푸른 하늘과 맞닿은 듯한 호수, 한 발로 노를 젓는 남자, 여자 그리고 아이들, 물길을 가르고 달리는 모터 배도 신기했다.

기후 또한 좋다. 양곤처럼 끈적끈적 후덥지근함이 느껴지지 않았다. '샨족(族)'이 많이 있고, 그들의 음식은 우리 입맛에도 잘 맞았다. 모든 게 나쁘지 않았는데 그만 탈이 났다. 휴게소에서 먹은 음식 때문이었던 듯한데, 한 번씩 뱃속을 뒤틀던 싸르르거림은 어느 순간 설사로 이어지고 있었다. 알아차림 수행 삼자 다짐하고 지켜보았다. 먹는 족족 쏟아내고 하루 이틀을 넘기자 뭔가 부패한 것처럼 가스를 쏘아내는 듯 트림할 때마다 위로 올라오는 시큼함이 혀끝을 쏘는 느낌이다. 배가 부풀어 오르며 갈비뼈가 들리는 듯 뻐근했다. 사흘 정도를 앓자 어지럽고 몽롱해졌다. 밥 먹자는 말만 들어도 속이 울렁거렸다. 진땀이 나고 메슥거림이 멈추지 않는다.

겉으로 드러내지 않아 모르던 일행도 그만 눈치채고야 말았다. 기진맥진해서 결국은 일정을 취소하고 마을 보건소로 갔다. 약을 지어 먹고서야 설사가 멈추고 배가 부풀어 오르는 증세도 가라앉는다.

여행, (특히나) 모든 게 낯선 곳은 공부하기에 가장 좋은 도량이다. 다름을 보고 다름을 만나는 것도 좋으나 더 좋은 것은 '모르던 나' '나라고 알던 나' '안 보이던 나' '알지 못했던 나'를 볼 기회가 된다는 점이다.

'영혼의 부모'라고 생각할래요
= 말 한마디의 무게

미얀마 살이를 끝내고 귀국할 즈음, 휴중을 봐온 스님은 "미얀마에 공부하러 왔던 스님들 가운데 가장 큰 걸 얻은 스님일 거요"라고 했다. 사람을 얻었다는 것이다. 인정한다. 그때 만난 이들과 지금까지도 가족과 다름없이 지내고 있다.

휴중이 가장 먼저 인연을 맺은 사람은 '웨노'다. 휴중이 미얀마 양곤에 간 지 한 달, 웨노는 닷새 만에 그들 자신도 모르게 지기(知己)의 연을 맺고 있었다. 휴중과 웨노에게 관심 있는(?) 사람들은 (휴중은 그렇게 생각지 않지만) 웨노가 휴중을 잘 따른다고 여겼다.

그래서인지 어떤 미얀마 사람들은 휴중에게 "웨노가 말을 안 들으면 회초리로 때려라" 말했다. 그리고 웨노에게는 "낳아준 부모 버리고 키워준 부모를 따르는 아이"라고 했다. 한국 사람들은 (휴중 없는 데서) "아니, 그 중은 수행하러 와서 왜 수행은 하지 않고 애를 끼고돌면서 그 애의 삶에 간섭하고 있대?" 하고, 웨노에게는 "그 애가 의리가 있다"라고 말했다.

그런 말을 귀담아듣거나 신경 쓰지는 않았다. 사실이 아니기 때문이다. 가장 잘못 알고 있는 건 '수행하러 와서 수행하지 않는다'라는 것인데, 미얀마 국제 명상센터에서는 정해진 시간대로 앉아서 살피거나, 걸으면서 살피고 먹으면서 살피고 일어나는 마음을 살피면 됐다. 수행 홀과 식당, 방으로 오가면서 부딪는 상황들은 늘 비슷하거나 같아 보였다. 하긴, 한정돼 있을지라도 '마음'이라는 게 제멋대로 받아들이고 생각하고 의심하고 짐작하고 결론 내리고 저장하는 건 한도 끝도 없기에 마음을 살피는 것만 평생 해도 모자랄 지경이리라.

그러나 현지 절에서 살다 보니 만나는 대상들이 당최 '예측 불가능한 팔딱팔딱 살아있는 날 것'들이었다. 정말 성실하고 치열하게, 몸, 마음, 느낌, 법을 살피고 알아차림을 (수행)하지 않으면 견딜 수 없는 현실과 상황들이 낱낱이 늘어놓기 어려울 정도로 많았다.

'그 애의 삶에 간섭하고 있다' 또한 아니다. 나는 누군가의 삶을 간섭할 처지도 못 될뿐더러 그럴 자격도 없다. 내 코가 석 자라 눈앞에 마주하는 이를 보면서 일어나는 마음보기도 바빠 남의 삶을 간섭할 틈이 없다. 웨노가 휴중에게 큰 스승이고 선지식이 되고 있음을, 정신 바짝 차리지 않으면 어느결에 욕망과 성냄에 끌려가 휘둘리고 말거나 포기하거나 원수가 될지 모르는 처지였다.

생각해 보라. 피를 나눈 가족도 아니고, 오래전부터 알던 사이도 아니고, 책임과 의무를 져야 할 관계도 아닌 사람이 만났다. 연인도 벗도 스승과 제자도 아닌, 말과 음식 문화도 가정환경도 다른 생판 모르는 남남이 만나 한방을 쓰면서 먹고 사는 일은 분명 쉽지 않은 일이다. 서로가 스승이 되어 주고 있었기에 가능했다.

웨노는 좋은 것 싫은 것이 분명해서 좋으면 좋은 대로 싫으면 싫은 대로 얼굴에 바로 나타났다. '양곤으로 돈 벌러 가겠다' 하자 '이 일 끝나면,

이 일만…'하고 자꾸 붙잡는 엄마에게 단식투쟁(?)을 한 끝에 (양곤으로) 왔을 정도로 여리면서도 당차다. 당차다 못해 당돌하다는 말도 듣고는 했다. 그미는 나이가 든 '어른'이라고 해서, '스님'이라고 해서 시키는 대로 하는 고분고분한 성질이 아니었다. 어른이 시키니까 어쩔 수 없이 하기는 해도 '나, 불편해!'라는 말이 얼굴에 고스란히 드러난다. 마음에 안 들고 불편하면 걸음부터 달라진다.

우리가 살던 2층에 오려면 나무로 된 계단을 올라야 하는데 마음이 앞서는 웨노는 늘 한쪽 신발은 여기, 또 한쪽 신발은 저기에 놓았다. 신발을 계단 아래에 벗어 두고 맨발로 올라야 하는데 마음이 먼저 방에 다다르다 보니 걸어오면서 이미 신발을 벗는 것이다. 거기에 살짝 성이라도 나면 발소리까지 쿵쿵 나서 보지 않고도 '웨노가 오고 있음'을 알 정도다. 그런 성격 때문에 종종 손해를 보기도 했다.

그 절에 사는 사람들(승려 일반인 모두) 가운데 대학까지 나온 사람은 웨노 밖에 없었다. 그래서인지 승려들까지도 그에게 함부로 하지는 않았다. 다만, 가끔 휴중에게 와서 '회초리로 때려라'라는 말을 건네고는 했다. 어떤 이는 웨노가 '낳아준 부모를 버리고 길러준 부모를 따르는 격'이라면 훈계했고, 절 밖의 구멍가게 공중전화 주인은 여느 사람에게는 50 짯을 받는 전화 수신료를 웨노에게는 100 짯을 받는 것으로 '외국인과 가까이 지내는 비용(?)'을 받아 냈다.

휴중은 웨노가 작은 불만을 터뜨리거나 사람들이 왜 그러는지 모르겠다고 할 때면 (미얀마나 한국의) 여느 사람들처럼, "하지 마라" "안 돼!" "해라"를 쓰지 않고 차를 마실 때 넌지시 에둘러 이야기를 하고는 했다.

"내 얼굴이 어떻게 보여?"

"편하고 부드러워 보여요."

"그래? 그럼 다행이네. 그런데 지금, 이 얼굴 처음부터 이렇지 않았어. 말을 안 하고 가만히 입 다물고 있으면 화난 줄 아는 이들도 많았거든. 그런데 어느 날 아우 스님이 '너무 어렵고 무섭게 느껴져 옆에 갈 엄두를 못 냈다'라고 하는 거야. 좀 충격이었지. 화가 난 적은 없었거든. 그 뒤 혼자 있을 때도 '어떤 얼굴을 하고 있을까!' 생각하면서 '마음이 웃는 연습'을 많이 했어. 마음이 웃으면 얼굴도 웃거든. 너도 웃지 않고 가만히 있으면 예전의 나 같을 때가 있어. 그런데다 화가 나면 더 더하겠지? 그러면 세상 살아가면서 손해 볼 때가 많게 마련이야. 잘 보이려고 억지로 웃지는 않더라도 '좋다, 싫다, 안 좋다'라는 마음은 쓰지 않으면 좋겠어. 마음에서 '싫다, 안 좋다'고 생각하면 괜스레 얼굴도 더 굳어지고. '좋다'고 생각하면 괜히 얼굴도 더 방실방실 웃잖아. 그러니 '음, 저렇게 생각하는구나, 저렇게 말하는구나!'라고 보고 '싫다, 좋다'라고 여기지 않으면 좋겠다."

"한국불교에는 '조고각하(照顧脚下)'라는 말이 있는데, '발밑을 돌아보라'라는 뜻이야. 넓게 보면 자신이 걸어온 삶을 돌아보라는 뜻이지. 발밑에는 뭐가 있을까, 신발이지? 사실 신발 벗어놓는 것 하나만 봐도 그 사람 마음 상태가 어떤지 금방 알 수가 있거든. 신발 벗어놓는 버릇이 그 사람의 평소 마음자리를 드러내는 일이기도 해. 전에 여럿이 살 때 어느 후배 스님은 걸어오면서 신발을 벗기 시작해서 늘 한 짝은 저만큼 멀리 또 한 짝은 문 앞에 나동그라져 있었어. 어떨 때는 뒤집혀 있고, 옆으로 돌아가 있고, 휙 날아가 있거나 내동댕이쳐져 있고…. 마음이 벌써 방에 들어와 있어서 그런 거지. 붓다께서는 '지금, 여기의 삶을 살라'고 하셨다지? 아주 작은 행동, 말 한마디에도 마음이 함께 하고 있는가 아닌가를 스스로 살펴야 한다는 거야.

신발 벗을 때 마음이 함께 한다는 건 뭘까? 문 앞에 와서 신발을 벗을 때 오른발이 먼저 벗고 있는가, 왼발이 먼저 벗고 있는가를 살피다 보면 신발은 저절로 가지런할 수밖에 없겠지. 수행이란 거창한 게 아니라고 봐. 자신이 가진 작은 버릇이지만 안 좋은 것이라면, 고쳐나가는 것. 그게 수행이라고 생각해.

자기 자신의 작은 버릇도 못 고치면서 다른 사람이 바뀌고 세상이 바뀌기를 바란다면 그건 모래알에서 싹이 트길 바라는 것과 같을 거야."

사실 이는 스스로에게 하는 말이기도 했다. 다행히도 웨노는 잘 알아들었고 시나브로 달라지고 있었다. 한번은 웨노의 고향에서 아버지가 오셨다. 며칠 동안 휴중과 웨노가 사는 모습을 본 아버지는 고향으로 돌아가시면서 휴중에게 한마디 했다.

"나는 '잘 지내라'라는 말은 않겠다. 그리고 '잘 부탁한다'라는 말도 하지 않겠다. 스님을 (웨노의) 영혼의 부모라고 여기겠다. 두 사람은 일반 인연이 아니라고 생각한다. 스님만 믿고 가겠다."

통역을 해서 전한 말이지만 바로 들은 말과 다름없이 느껴졌다. 웨노 아버지의 눈빛이 '그렇게 말하고 있구나'로 알아들었다는 게 신기했지만 정말로 그렇게 말씀하셨단다. 그리고 휴중은 '진짜 부모의 마음이 뭘까'를 생각하는 순간들이 늘어날수록 자신도 모르게 부모가 되고 있었다.

'영혼의 부모'는 뭘까? 되고 싶다고 생각한 적도 없고, 되겠다고 작정한 적도 없지만, '영혼의 부모'라는 말이 양쪽 어깨에 턱하니 얹어졌고 무게가 툭 가슴으로 내려앉았다.

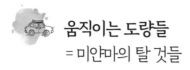

움직이는 도량들
= 미얀마의 탈 것들

미얀마에서 달 수와 햇수를 넘기다 보니 이러저러한 인연이 생고, 더불어 한 번도 안 타 볼 것 같던 '탈 것'을 경험한다. 소가 끄는 차, 말이 끄는 차, 자전거 차, 오토바이 차, 트럭 버스, 배, 기차….

미얀마에 사는 동안 땟씨까(택시)를 제일 많이 탔지 싶은데, 멀쩡해 보이는 것도 드물었지만 멀쩡해 보여도 창문이 안 닫히는 등 낡음이 덕지덕지 했다. 어떤 택시들은 낡음 정도가 너무 심해, 운전석에 마땅히 있어야 할 의자가 없고 대신 전선 줄이 감겨 있었다. (더우니까 푹신한 의자보다 나았을까?) 승객이 앉는 의자도 푹 꺼져 있어 달릴 때 밑으로 주저앉는 건 아닐까 싶을 정도였다. 그러거나 말거나 운전기사는 눈 하나 꿈쩍 않고 목적지를 묻고 택시비를 흥정한다.

사실 나는 멀미를 심하게 하는 편이라 아무리 좋은 차라도 차주가 담배를 피우거나 술과 고기를 많이 먹는다면 이십 분도 채 못 가고 내려서 한 번은 토하거나 심호흡을 해야만 했다. 그랬던 내가 향신료와 땀 냄새가 밴 지저분한 의자, 덜컹거리는 창문과 문짝의 택시라도 오백 짯, 아니 이백 짯이라도 싸게 해준다면 타고 다녔다. 탈 때마다 요금 흥정은 물론 (가끔은) 문화 차이에서 오는 신경전도 벌여야 했다. "새얄레~ 꼬레아? 차이니스?(딸라신, 한국이냐, 중국이냐?)" 물으면 "새얄레, 마호부~ 코리아 빅쿠니.(딸라신이 아니라 한국 비구니다)"를 강조하면서 말이다. '빅쿠니(여승)'를 본 적 없는 택시기사는 받아들이기 힘들어하지만 짧은 미얀마어로 목적지에 도착할 때까지 또는 알아들을 때까지 설명하려 했다. '미얀마에는 비구니가 없지만, 한국에는 있다. 미얀마 불교는 테라와다(상좌부)지만, 한국불교는 대승불교다. 계율이 조금 다를 뿐이다. 띨라신은 스님이 아니지만, 한국 비구니는 비구와 같은 스님이다'라고. (다행히도, 이런 분별심은 네팔에 다녀오면서 깨졌고 그 뒤로는 미얀마에 가도 신경전은 벌이지 않는다.) 그리고 운이 좋은 날에는 에어컨이 잘 나오고 창문도 잘 닫히고 냄새도 심하지 않은 택시를 만나기도 한다.

미얀마에 가장 많은 빠스까(버스)는 한 번 타고나면 두 번 다시 탈 엄두가 나질 않는다. 의자에 앉으면 앞에 앉은 이와 무릎이 맞닿을 정도로 폭이 너무 좁고, 천장이 천막이나 양철판으로 되어있는 데다 너무 낮아서 키가 조금만 커도 고개를 숙이고 타야 하고, 사람이 빽빽하게 타기라도 하면 숨이 막혀 고개를 어디에 두어야 할지 모른다. 길이 좋지 않으니 덜컹거릴 때마다 엉덩방아를 찧기도 한다.

시내버스는 한국이나 다른 나라에서 들여온 낡은 중고차로 조금 나은데, 마찬가지로 좁은 편이라 앞의 의자에 무릎이 닿아 밤새 벌 받는 기분이다. 밤새 그렇게 있어야 한다는 걸 모르고 처음 탔을 때는 알아차림이고 체면이고 뭐고 너무 고통스러워 도착지에 내려서 네 사람이 앉는 의자에 그대로 널브러져 버렸다.

트럭 버스는 또 어떤가. 곡식 자루, 대나무, 온갖 채소는 물론이고 발모가지를 묶은 닭들이 퍼덕이는 짐칸에 사람들도 함께 탄다. 휴중은 요금을 더 내고 특별히 조수석에 탈 때도 있었는데, 조수석 발아래에는 이미 작은 짐들이 먼저 차지하고 있고, 그 가운데는 기름통도 있어서 짐을 밟지 않으려고 발을 모으고 앉았다가 가사가 기름통의 기름을 먹어 그 뒤로는 늘 물에 젖은 듯 보이기도 했다.

싸이까(자전거차)는 양곤 거리와 골목에 많다. 자전거 옆에 나무로 된 의자를 앞뒤로 붙여 두 사람이 탈 수 있도록 한 것이다. 가까운 거리는 일부러 싸이까를 타곤 했다. 이백 짯, 많이 받으면 오백 짯의 돈을 벌기 위해 호텔 앞이나 시장 근처에서 한없이 서 있는 싸이까 기사들을 보면 우리나라 7, 80년대 아버지들이 떠올랐다. 순전히 기사의 두 다리 힘으로 힘줄이 불거져 나오도록 페달을 밟는 사람들. 조금이라도 오르막이거나 몸무게가 나가는 이가 앞뒤로 타면 두 다리의 힘줄이 더 불거졌다. 씽씽 달리지도 못하고 서서 힘겹게 페달을 굴러야 한다.

그런 손님도 고맙다는 듯, 앞섶을 풀어헤친 기사는 후줄근한 옷을 펄럭이며 다리에 힘을 줘 바퀴를 굴린다. 손님이 없을 때는 싸이카에 기대어 앉아 주머니에 사 넣은 꿍을 하나씩 꺼내 동료들과 나눠 씹다가 가끔 일어나 허리 앞춤에 묶은 바쏘(남자가 입는 치마)를 풀어 활활 털어 땀과 무료함 기다림을 날려 버리고 다시 끝과 끝을 여며 앞춤에 질끈 묶는다. 운 좋게 가까운 데로 가는 외국인을 만나면 인심 쓰듯 흥정하고는 콧노래까지 부르면서 달리는 싸이까 기사. 후덥지근한 바람에 땀 냄새를 날리며 울퉁불퉁 골목길을 나와 두툴두툴한 아스팔트 길, 차들이 달리는 길 한 결을 아슬아슬하게 달려간다.

미얀마 교통이나 도로 사정에 대해 까막눈일 때 시골을 가서는 소달구지(牛車)를 탔다. 살던 절의 주지 스님 속가 여동생이 여는 신쀼(단기출가) 잔치에 초대를 받았고, 흔치 않은 잔치라는 말에 미얀마 문화를 알고 싶어 선뜻 따라나섰다. 오후 4시 반쯤 출발한 시외버스는 밤새도록 달려 아침에 중간 도시에 다다랐고, 다시 작은 트럭 버스를 타고 시골 버스터미널로 갔다. 거기서 다시 오토바이 택시를 타고 시골로 들어갔는데, 드문드문 키 작은 가시나무들과 풀들만 보이고 집 한 채 안 보이는 들판에는 풀도 나무도 없는 맨땅이 사이사이 어지러이 나 있는 것이 길인지 아닌지를 가늠할 뿐이었다. 그 들판에 짐과 사람이 한 무더기 보태져 있는 듯했다. 그늘을 드리우지 못하는 풀과 나무들이건만 그늘을 내놓으라고 항의하듯 쪼그려 앉아 있다 보니 두 마리의 소가 끄는 달구지가 흙먼지를 날리며 달려온다. 오, 재밌겠다!

미얀마의 하루에 한 차례씩 비가 쏟아지는 철에는 신발을 신고 걸을 수 없을 정도로 흙탕길이 된다. 비가 그치고 말랑해진 시골 흙길, 수레가 먼저 지나가면 그 수레가 남긴 바퀴 자국이 곧 길이 되어버린다. 바로 그 길로 두 마리의 소는 용케도 수레를 끌고 간다. 울퉁불퉁, 들쭉날쭉한 진흙 길에 바퀴가 지나간 자국, 그 자국을 감싸듯 굳어버린 흙더미가 자못 날카롭게 서 있는 길은 끝이 없어 보였다. 소달구지에 올라탄 지도 벌써 두 시간이 넘었다. 재밌겠다 싶었던 마음은 진즉 사라지고 없었다.

어지럽다. 일산(日傘:햇빛가리개)을 쓰기는 했지만, 그늘 한 점 없는 뜨거운 뙤약볕을 그대로 받으며 비포장 진흙 길을, 앉아서 엉덩이로 뜀뛰듯 하

고 있으니 창자가 찌르르 아프다. 얼마나 달렸을까, 들판 한복판에 그늘이
제법 있는 큰 나무가 나타나니 잠깐 내려서 쉬란다. 손부채질로 땀을 식
히고 있는데 또 다른 달구지가 달려온다. 마찬가지로 두 마리의 소가 끌고
있다. 옮겨 타란다.

달구지도 두 종류였다. 사람을 태우는 달구지와 짐을 싣는 달구지. 세
시간을 타고 온 달구지는 짐을 싣는 달구지였는데, 목적지에 빨리 가기 위
해서는 사람을 태우고 다니는 달구지로 바꿔 타야 한단다. 지금껏 타고 온
달구지보다는 훨씬 빠르다. 좁은 바퀴 자국 길을 날아가듯 달린다. 빠른 만
큼 뱃속이 뒤틀리는 통증도 더해졌다.

'오메, 환장(換腸) 하겠네!'

말 그대로 환장이었다. 장이 뒤틀리고 온 창자를 들었다 놨다, 앉아서
줄넘기를 하는 느낌을 무려 다섯 시간이나 느꼈다. 그 뒤 며칠 동안은 조
금만 움직여도 창자가 뜀박질하는 느낌이 일었다.

만달레이에서 양곤으로 이동할 때는 기차를 탔다. 특실로. 외국인이라
는 이유로 미얀마 사람보다 열 배나 비싸게 요금을 내면서 만달레이에서
아침 6시 출발했으나, 양곤까지는 얼마나 걸리는지 아무도 모른단다. 하루
안에 도착한다면 운이 좋은 것이란다.

기차 창틀이 둥실 떠오른 햇살에 달구어졌다. 팔을 걸쳤다가 뜨거움에
소스라쳤다. 기차는 우리나라 완행열차보다도 더 느린데다가 간이역마다
멈추었다. 일렁일렁 가던 기차는 멈추더니 움직일 기미를 안 보인다. 밖으
로 나가 사람들이 웅성거리는 곳으로 갔다. 바퀴를 고치고 있었다. 그렇게

1시간을 서 있는데 누구 하나 불평하는 이가 없다.

살갗이 따갑고 끈적끈적 땀이 배어 나온다. 천장에 매달린 선풍기는 장식인듯이 까만 먼지 꽃을 피운 채 고정돼 있고 바람도 불지 않는다. 지루하다는 생각이 꼬리를 치는데 창밖에서 난데없이 뜨뜻미지근한 게 휙 날아와 얼굴에 뿌려진다. '앗, 뭐지?'

물벼락이었다. 설날을 앞둔 세밑이라 기찻길 옆에 사는 이들이 양동이에 물을 길어와, 바가지로 기차 안에 있는 사람들에게 뿌리고 있던 것이다. 창밖을 내다보니 앳되어 보이지만 엄마인 듯한 여인과 아장아장 걷는 꼬마가 그 옆에서 비워진 바가지를 들고 천진하게 깔깔깔 웃고 있다. 머쓱한 얼굴로 같이 웃어 주며 손을 흔든다.

들이닥친 물 한 바가지를 제대로 맞고 나니 시원하다는 생각이 드는 한편, '오, 제발 깨끗한 물이기를…!' 바람이 일었다.

지루함을 떨쳐내고자 이런저런 모습들을 사진기에 담는다. 사진기를 바라보는 이런저런 눈에서 우리나라 흑백 사진 속 낯설고 두려운 표정으로 사진기를 바라보던 모습들이 떠올랐다. '지금' 만나고 있는 눈빛이 딱 그렇다. 말똥말똥 초롱초롱하면서 낯선 이방인을 바라보는 눈빛. 사진을 찍기가 멋쩍어진다.

카메라를 사람 얼굴에 바로 들이대기가 그저 멋쩍기만 하다. 웃어주고 있는데도 멀찌감치에서 셔터를 누른다. 사람이 풍경인지 풍경이 사람인지 모르게.

설날을 앞둔 메마른 계절(乾期), 소달구지나 자전거가 지나가면, 아니 바람만 살살 불어도 풀썩풀썩 흙먼지가 이는, 갈라진 길바닥 논바닥과 뻘쭘하게 서 있는 탄냐 나무 그리고 사람들이 기차 밖으로 지나간다. 아니 그들을 뒤로하며 기차가 지나고 있다.

가도 가도 끝이 없는 인생길처럼 끝없는 들판, 같은 듯 닮은 풍경을 보다가 졸다가 하다 보니 밤이다. 점심과 저녁때까지, 바나나잎에 싼 볶음밥이나 튀김 빵 음료 과일을 파는 이들이 번갈아 올라왔는데 밤이 되자 조용하다. 통로를 오가는 이도 거의 없고, 구석 자리나 화장실 앞에는 어느새 돗자리가 깔리고 누워 자는 이들이 하나둘 늘어났다. 꼬박 하루를 달리는 기차 안에서는 잠자는 것 말고는 할 게 없다.

서늘한 기운과 함께 웅성거리는 소리에 눈을 뜬다. 바깥은 아직 어둑하다. 그 앞에서 자던 여인도 일어나 머리를 빗고 있다. 'Toilet'이라고 쓰여 있지 않아도 뭐 하는 곳인지 냄새가 먼저 친절하게 알려주는 화장실. 세면대를 받치고 있는 하수관은 떨어져 한쪽 구석에 누워 있다. 볼일을 보고 나오니 여인은 머리 손질을 끝내고 따나카(햇빛으로부터 피부를 보호해 주는 천연나무)를 돌에 갈아 얼굴에 펴 바르고 있다. 양곤역이 가까워지나 보다.

미얀마 사람들은 기차를 '이베-이베-(느릿느릿)'라고 부른다. 과연 그러했다. 만달레이에서 아침 여섯 시에 탄 기차는 열일곱 시간이 지나서야 양곤역에 도착했다.

배도 기차만큼이나 서두름과는 십만 팔천 리 멀다. 바간에서 만달레이까지 가는 배를 탔다. (미얀마 사람보다) 비싼 삯을 내고 오전 6시에 탔는데 얼마나 느린지 무려 열세 시간이 걸렸다. 길고 긴 시간을 길고 긴 강을 따라 흘러간다. 건기 때는 물이 없어 강에서 빨래하고 멱감는 사람들을 보게 되는데, 그 강물은 (고인 저수지 물보다는 깨끗하겠지만) 희뿌연 흙탕물에 가까워 보였다. 강가에 집을 짓고 사는 이들은 쪽배를 타거나 맨몸으로 고기를 잡는다. 강을 따라가면서 보는 풍경은 밋밋하다.

여러 명을 태울 수 있는 오토바이 택시와 시골길을 달리는 오토바이가도 타봤다. 3년 남짓 있으면서 미얀마에서 땅 위 물 위 허공에서 움직이는 모든 것들을 타 본 셈이다.

성격이 아주 급하거나 '빨리빨리'를 버릇처럼 입에 달고 사는 이라면 한번쯤 미얀마 기차를 타 보시라. 배도 좋다. 세상 살아가면서 서두를 것 없다고 친절하게 알려줄 것이다.

부드럽고 깨끗한 것을 버릇처럼 찾았다면 미얀마의 버스나 싸이까, 달구지를 타 보시라. 지금 누리고 있는 것들이 얼마나 소중한지 알게 될 것이다.

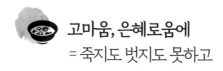

고마움, 은혜로움에
= 죽지도 벗지도 못하고

세상 사람들이 공부하는 까닭은 뭘까? 까닭도 모르는 채 그저 하라니까? 해야 하니까? 대부분은 돈을 벌기 위해서든 하고 싶어서든 재미있어서든 해야 할 무엇, 할 만한 무엇이 있으니까 했다고 할 것이다. 재미없고 목표나 목적이 없더라도, 아예 배우지 않은 까막눈보다는 알아듣고 이해하는 것이 나을 것이라 생각했기 때문일지도 모르겠다.

문학에 관심이 있는데 수학 공식을 가르쳐주면 알아듣기 난감할 테고, 그림 그리는 것을 좋아하는데 축구를 하라고 한다면 그건 폭력과도 같은 일이리라. 다들 개성대로 살려고들 할 것이다. 절집의 승려들도 마찬가지다. 붓다의 가르침을 배우고 익히고 행하고 전하는 이들이라고는 하지만, 세상에서 익힌 익숙한 것이 바탕에 깔려있을 것이다. 그런 까닭으로 관심을 가지고 배우는 방식도 저마다 다르고 신도들에게 설명하는 방법도 저마다 다르다. 신도들 또한 마찬가지다. 유유상종이라는 말이 절집에서도 통하는 까닭이다.

붓다의 가르침을 실천하면서 탐진치 소멸 해탈에 뜻을 두지 않고, '이 삶에서는 안 돼, 다음 생에 이룰 거야!'라며, 그저 불보살 이름만 부르게 하거나, '소원성취하려면 기도해야지'라거나 하는 승려에게는 붓다의 가르침에는 관심이 없고 그저 종교로 삼고 '믿습니다' 하려는 이들이 모여들 것이다.

붓다처럼 깨달음을 이루려면 참선하면 된다. 위빠싸나를 하면 된다고 일러주는 승려에게는 참선이나 위빠싸나를 배우려는 이들이 모여들 것이고, 천도재를 잘 지내주는 승려에게는 조상들 천도하려는 이들이 모여들 것이다. 사주명리를 보는 승려에게는 사주명리 보는 걸 좋아하는 이들이, 사회복지나 사회에 관심 있는 승려에게는 마찬가지로 같은 뜻을 가진 이들이 모여들 것이다. 또는 '마을에 절이 있어서' 다니는 이들도 있겠고.

휴중이 산속에서 천막치고 살 때, 마을 또는 도심에 살면서 1년에 몇 번 바람 쐬듯 오는 이들이 있었는데, 그들에게 휴중이 있는 암자는 '비나이다, 비나이다 믿습니다'하는 곳이었다.

그런데 휴중은 붓다의 말씀을 자꾸 (아는 대로) 일러주려 하니 그럴 때마다 그들은 말했다.

"에이, 그런 건 스님이나 하는 거죠. 우리네가 그런 걸 어떻게 해요?"

그때 알았다. 붓다의 가르침을 말로 전할 수 있는 능력이 없음을. 아니 어쩌면 말로는 안 된다는 걸 알았는지도 모른다.

많은 이들로부터 참 많은 신세를 지고, 베풂을 받았고 지금도 받고 있다. 비행기 요금에 보태라고, 생활비에 보태라고 정성껏 형편껏 나누어 주며 응원해주던 이들. 어려운 살림살이에도 (몇 달이 될지 몇 년이 될지 모르는데도) 어떻게든 보태려고 아는 이마다 찾아가서 구걸(?)하고 베푼 이에게 진정 보답하는 길은 어서 해탈하는 일이다. 해탈이 아니라면 적어도 전생(지난 삶)보다 나아지는 것이다.

적어도 세상 사람들처럼 똑같이 욕망하거나 똑같이 성을 내서는 안 된다. 억지로 참거나 꾹 누르고 일부러 안 그런 척, 하는 게 아니라 진짜로 욕심과 성냄에 휘둘리지 않아야 하고, 적어도 끌려가지는 않아야 나아진 것이다. 그래서 미얀마로 왔는데…!

미얀마에서도 여전히, '공부하러 왔다'라는 이유 하나로 물질이든 마음으로든 기꺼이 베푸는 이들 덕분으로 살고 있다. 꼽아보자면, 용돈이 생길 때마다 나누어주신 김제 스님을 비롯해 교통사고를 당한 여동생에게 주려고 어렵게 구한 웅담을 소주에 섞어 마셔야 효과가 좋은데 소주가 없으니 따뜻한 물과 함께 먹으라며 주신 현 스님, 비자 연장 때문에 오갈 데 없을 때 살고 있던 집을 내어주고 다른 스님 토굴로 가던 속초 스님과 강릉 스님, 오가다 만나면 일부러 마트에 가서 필요한 걸 챙겨주곤 하던 미스터 빅 고, 한 절에 살면서 반찬을 할 때마다 절구에 생고추를 찧어 만든 반찬을 만들어주던 '마 우', 비자 연장할 때라던가 가끔 일부러 만나 밥을 사주던 진한 씨와 아내 금미 씨, 가족처럼 마음 써주고 따르던 웨노, 킨디라, 미미….

보이는 곳에서나 보이지 않는 곳에서 늘 마음 써주는 분들 덕분으로 들지 않던 철도 들고 있었다. 함께 방을 썼던 경 스님이 한국 다녀오면서 가져온 미역을 일부러 챙겨주며 말했다.

"썩 좋지는 않지만, 스님 생각나서 가지고 왔어요."

찐한 감동으로 군말 없이 받아들고는 아끼다가, 물기 잔뜩 머금은 미역 한 줌 꺼내 국을 끓인다. 가을에 태어나서인지 가을 내음을 좋아하지만 못 맡은 지 두 해, 귀빠진 날이다. 사실 날마다 거듭나고 있으매 생일이 무에 따로 있을까마는, 분명한 건 미역국을 드셔야 할 분은 따로 있다. 마치 옆에 계시듯 어머니만을 생각하며 비밀처럼 미역국을 끓인다.

생각해보니 어머니가 무엇을 좋아하였는지 무엇을 맛있게 자셨는지도 모른다. 그저 맛이 변했거나 애물단지들이 쳐다보지도 않는 음식들을 앞에 모두어 놓고 참 맛있게도 드시는지라 정말 맛있어서 드시는 줄 알았다. 음식 타박하면 벌 받는다면서 참말로 깨끗하게도 드셨는데 그럴 때마다 '궁상맞다' 못마땅해했다.

어머니는, 휴중을 가졌을 때부터 낳는 날까지 밥을 제대로 못 드셨단다. 누리고 비린 건 물론이고 밥이나 밥 끓이는 냄새도 못 맡으셨단다. 그저, 산자락에 있는 찔레순이나 시금초(수영, 개싱아), 풋과일만 따 드시면서 견디셨단다. 이제 철이 나려나 보다. 아는 이 아무도 없고 알아주는 이 아무도 없어도 어머니의 은혜를 먼저 떠올리는 것을 보니. '부디, 괴로움 없는 삶을 사시길…!' 간절히 바라며 미역국을 끓인다. 서른여섯에 홀로 되어 시어머니를 모시고 네 남매를 키우며 평생 고생만 하신 어머니에게 진짜 효도를 하기 위해서는 휴중이 먼저 행복해야 한다. 먼저 자유로워져야 한다. 먼저 평안해져야 한다. 그러기 전에는 이 옷을 벗을 수 없다. 그러기 전에는 죽어서도 안 된다. 이제 진짜, 참말로 철이 들어가나 보다.

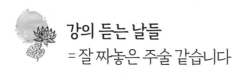

강의 듣는 날들
= 잘 짜놓은 주술 같습니다

공단지역에서 쉐다곤 동쪽 문 쪽으로 이사를 했다.

아비담마를 배우며 나름 잘(?)살고 있는데 문제가 생겼다. 비자 연장을 해야 하는데, 이민국에서 사는 절 주지에게 외국인이 사는 것에 대해 이것 저것 물어보며, '만약 법을 어긴 사항이 있으면 처벌이 있다'라는 말에 주지는 비자 연장도 하기 전 난감해했다. (미얀마 사람들은 공권력에 두려움이 워낙 크다)

다른 곳을 알아보기로 했고, 옮길 곳을 구하기도 전 그 절에서 나와야 했다. 수개월 동안 아비담마를 가르쳐 주던 선생과 아쉬운 작별을 해야 했다. 그는 미얀마 불자로서 또 한국 비구니에게 아비담마를 가르쳐준다는 사실에 자긍심과 자부심이 대단했고, 그런 까닭으로 강사비를 안 받았다. '삔냐 다나(알음알이 보시)'라고 하며. 그가 가지고 싶어 한 (삼장) 책 몇 권과 편지로 고마움을 대신하였다.

"낏씨카마니얀, (몸이) 건강한가요?

낏씨야빠니얀? (마음이) 평화로운가요?"

붓다께서 제자들에게 건넸던 인사라며, 작지만 다부진 체격의 첫 아비담마 선생(이었던) '우 띤 마웅 인'이 빨리어로 묻곤 하던 인사를 더는 들을 수 없게 되었다.

비자 연장이 될 때까지, 미얀마어를 배우기 위해 잠시 아파트에 세를 사는 강릉 스님과 속초 스님 집에서 얹혀살기로 했다. 아파트, 한가한 듯하나 엄청나게 분주한 마음을 지켜보는 일도 같고 변하지 않는 성격을 보는 일도 같지만 사는 곳은 분명 달랐다.

온갖 새들의 지절거림(사실은 시끄럽다)을 들으며 하루를 시작하는 건 마찬가지이나, 창밖 구경이 다르다. 멀리 뿌옇게 쉐다곤 탑이 보이고, 풀과 작은 나무들이 차지한 담장 밖 빈터는 쓰레기가 꽉 차 있었다. 아파트에 사는 사람들이 창밖 또는 담장 너머로 아무렇게나 던진 쓰레기 봉지들이 아무렇게나 쌓인 건데 개들과 까마귀, 쥐, 새들이 비닐봉지와 쓰레기를 파헤치거나, 가끔은 플라스틱 병이나 종이를 줍기 위해 아이들이 파헤치고 있는 모습을 본다.

이곳 사람들에게서 쓰레기를 따로따로 나누어 버리는 일은 미처 상상도 못할 일로 보인다. 아무 곳에 아무렇게나 버리는 음식쓰레기, 종이, 비닐 따위에서는 냄새도 심하게 나고 보기에도 눈살 찌푸려지지만 그 가운데서도 가장 놀랄 일은 쥐들이 그곳 터줏대감이라는 사실이다. 아침 일찍 밥 먹으러 나오는 쥐들은 강아지보다 더 토실한데 영역이 있는지 다른 데서 넘보는 녀석들이 있으면 쫓아버리고, 계속 얼쩡거리면 달려들어 물어버린다. 담장 좁은 난간 위에는 검둥개 한 마리가 이리저리 방향을 바꿔가며 어슬렁거리고 그 앞에는 까마귀들이 종종거린다. 마치 오래된 친구처럼.

아파트 담벼락은 페인트가 칠해져 있지만 꿈을 씹고 뱉은 붉은 물로 얼룩져 본디 빛깔이 뭔지 모르겠다. 그 아래로 난 좁은 물길엔 퀴퀴한 냄새의 시커먼 물이 흐른다. 공터 바깥 제법 넓은 길, 아침에는 어디론가 바삐 오가는 여인네들과 남정네들, 일찌감치 탁발 나가는 승려가 주인공이다. 저녁은 가끔 기타를 치며 노래를 부르다가 사라지는 젊은이들 몇, 사랑싸움하다가 사이좋게 손잡고 가는 연인들이 가끔 주인공이 된다. 또 가끔은 담장 뒤에서 '바쏘(남자가 입는 치마)'을 내리며 나오는 '싸이까' 기사도 찬조 출연한다.

휴중과 웨노가 살 곳을 구하는 일은 1년 전처럼 여전히 어려웠지만, 그래도 간절하게 '두드리는 자에게 문은 열리나니'. 드디어 옮기게 됐다. 사실 웨노의 노력 덕분이다. 이사하게 된 절은, 지방의 큰 절에 사는 어느 비구가 시주를 받은 절이란다. 비워둘 수 없기에 도반 비구가 관리하며 공장이나 시장 점원으로 일하는 젊은이들 몇이 함께 사는 아주 작은 절이다. 그러므로 법회를 열거나 행사를 치르는 일도 없다.

살아도 좋다며 보여주는 방은 좁은 데다가 나무 창문이라 너무 어둡다. 마룻바닥으로 된 넓은 공간에는 모두 세 칸의 방이 있으며, 한 칸은 주지, 또 한 칸은 관리하는 스님, 또 한 칸은 상가로 출근하는 아가씨가 사는데, 아가씨가 사는 방을 내주려는 것이다.

휴중은 마룻바닥 아래 부엌과 뒷간이 있는 곁 공간의 한쪽을 원했다. 웨노도 그러는 게 좋겠단다. 전에 살던 절에서는 얇은 합판으로 칸막이가 된 방에 따로 살았지만, 이제부터는 한 공간에서 함께 먹고 자야 한다. 전에 살던 절과 많이 다른 듯하지만, 구조나 냄새로는 별 다를 바 없게 느껴졌다. 출입문에서 마룻바닥을 가로질러 계단 두 개를 내려오면 오른쪽으로는 뒷간, 뒷간 앞에는 수도꼭지와 부엌이 있고 그 옆이 그들이 살게 될 방이다.

휴중과 웨노는 짐을 풀기 전 먼저 문도 벽도 없이 창문만 많은 방(?) 청
소부터 한다. 먼지를 털어내고, 창문을 닦고 거미줄을 걷어내고 바닥을 닦
는다. 창문이 있는 벽과 마룻바닥 벽에 못을 치고 커튼을 친다. 그들이 드
나들 문이고 사생활(?)을 가려줄 벽이다.

커튼을 친 안 직사각형 한복판에 둥근 상을 두어 자리를 나누었다.

이 절은 현대식이라고는 찾아볼 수 없는 보통의 미얀마 절이다. 좋은 점
은, 가까이에 미얀마 국민의 영혼의 성지인 '쉐다곤'이 있어 전기 사정이
좋다. 거의 날마다 전기가 들어오므로 밤에도 마음껏 책을 볼 수 있다. 책
뿐만이 아니라 차를 마시고 싶으면 언제든 쉽게 물을 끓일 수 있다. 전에
살던 절에는 이틀에 한 번 들어왔다.

다만, 가끔 시골에서 올라오는 사람들이 새벽에 와서 문을 여닫거나 (마
룻바닥을 딛는) 쿵쿵 소리와 밤이나 새벽에 뒷간에 간 이들의 생리현상을
적나라하게 들어야 하고 바람의 방향이 잘 맞으면(?) 뒷간 냄새를 맡아야
하는 덤이 있다.

어쨌든, '아비담마를 마저 마쳐야 하는데…'

주지(?) 소임을 대신 맡은 '낄라따' 스님은 온화하고 자상하다. 휴중과
웨노가 불편할까 봐 세심하게 마음 써주는 건 물론 휴중에게 당신이 쓰는
뒷간과 목욕탕까지 내주었다. 탁발해온 발우에 맛있는 반찬이 담기면 휴
중에게도 덜어 주며, 휴중이 빼이네띠(잭푸룻)를 좋아한다고 하자 마하시
센터에 있는 것을 따주고 한 자루 얻어와 익힌 뒤 손질해 주거나, 시내 소

식이나 동네 소식도 전해주곤 했다.

어느 날, 몇 블록 떨어진 절의 1장 스님이 율장을 강의한다는 소식이다. 강의료는 무료. 웨노와 휴중은 오후 2시까지 한 블록 떨어진 절로 율장 강의를 들으러 다닌다. 강사는 1장 스님이다.

미얀마에는, 경·율·론 3장에 통달한 3장* 스님(서유기에 나오는 삼장법사가 바로 그 삼장. 그때는 일곱 분이라고 했다), 경과 율장에 통달한 2장 스님, 율장을 통달한 1장 스님이 있는데 우리 불교 말로 하면 율사(律師)가 된다. 모두 다섯 권으로 되어있는 율장 해석서. 반은 알아듣고 반은 못 알아듣는 수업이었지만 나름 좋았다.

강의는, 오후 2시부터 시작하여 책 몇 장 넘기다 보면 3시가 넘고 4시 다 돼서야 1~20분 쉬고 다시 30분 남짓 더 강의하고 마치는데, 어느 날은 쉬러 간 강사스님이 40분이 넘도록 오질 않는다. 우리는 그만 나와버렸다. 다음 날 안 사실, 다른 띨라신들도 나왔는데 차마 바깥으로는 못 나오고 주춤거리다가 다시 들어간 모양이다. 우리가 나온 뒤 조금 더 있다가 온 강사는 강의를 안 듣고 간 사람들은 '빠세잇(계율을 어김)'이라고 했단다. 휴중이 "강사스님도 빠세잇!"이라고 하자 모두 "호웃떼, 호웃떼!(맞아요, 맞아요!)" 강사스님은 그날도 15분 쉰다더니 넘겨서 온다. 대뜸, "스님, 빠세잇!"

(미얀마는) 어느 곳에서나 말대꾸는 물론 질문도 없다. 가르쳐주는 대로 배울 뿐이어야 한다. 처음에는 참 낯설었는데 1년쯤 넘어가니 그러려니 하

---

* 삼장(三藏) : '세 개의 바구니'라는 뜻으로 붓다의 말씀을 모은 경장(經藏)· 붓다의 제자들이 지켜야 할 계율을 모은 율장(律藏)· 아비담마 논장(論藏)을 일컫는다.

고 있다.

　미얀마 사람들이 속설처럼 쓰는 말이 있단다. '양곤의 여자와 양곤의 비를 믿지 말라'는 것인데 이유는 변덕이 심하기 때문이다. 아무튼, 비 오는 철엔 하루에 한 번씩 반드시 내리는데 걸어서 5, 6분 거리가 비가 올 때는 한강만큼이나 멀게 느껴진다. 멈추지 않고 양동이로 쏟아붓듯 내리 3시간 정도 되면 쉐다곤으로 이어진 도로는 어른 키의 허벅지만큼 물이 차오른다. 우산을 써도 소용없다. 흘러갈 곳 못 찾는 물은 구석구석 품고 있던 온갖 쓰레기를 떠안고 방황하고 있다. 어디가 사람 다니는 길이고 차가 다니는 길인지 모를 정도로 물바다가 된 길을, 차마 걷어 올리지 못하고 입은 차림 그대로 첨벙첨벙 더듬더듬 돌아온다. 하수구 물이 줄줄 흐르는 채로 방에 들어가야 한다.

　옷을 갈아입으려면 씻어야겠지. 시멘트로 된 물통에 물을 받아 놓고 바가지로 떠서 써야 한다. 며칠 쓸 양을 모터 돌릴 때 받는데 이틀이면 장구벌레가 꼬물거린다. 씻고 나도 근질거리는 듯하여 마지막 헹굴 때는 (빨래와 몸뚱이) 약국에서 산 소독액 '데톨' 반병을 풀어 끼얹는다. 쓰레기 씻은 물에 하수구 물까지 올라온 길을 걸은 날은, 물이 차오른 만큼 도돌도돌 두드러기가 나서 '데톨'로 헹구었어도 며칠은 긁어대야 한다.

　그나마 이빨은 튼튼한 줄 알았는데 어느 날부터는 치통(齒痛)도 찾아왔다. 진통제로 해결이 안 된다. 미얀마의 치과를 찾아갔다. 의사는 이빨을 두드려 보더니 윗니와 아랫니가 부딪혀서 그렇다며 의자를 눕히고는 이빨을 갈아낸다. 혀가 다른 이보다 맨들허니 짧아진 이빨로 자꾸만 간다. 짧아진 이를 위로하려는 건지 짧아짐에 낯설어서인지 모르겠으나 여전히 아프다. 신경이 쓰인다.

미얀마의 우기에는 퍼붓듯 쏟아부은 비가 한 시간만 지나면 어디로 다 스몄는지 보이지 않고 온갖 쓰레기와 시커먼 진흙만 모기들의 요람이 되고 있고, 하수관에 걸쳐 놓은 철망에는 어디에서 흘러들었는지 모를 플라스틱병들이 한가득 채여 시커먼 물과 함께 부글부글 둥둥거린다. 깡마른 머슴애들이 자루를 들고 그 플라스틱병을 건지러 들어간다. 비가 멈추면 절집 처마마다 마당마다 젖은 물건들 말리느라 잔뜩 널어놓았다. 가사, 이불, 옷, 책들, 의자, 옷장, 침대들이 비에 젖으면 잠깐이라도 햇빛을 쏘이려고 내놓는데, 햇빛과 바람을 제대로 쐬지 못하면서 마르느라 퀴퀴하고도 시큼한, 야릇한 곰팡내를 풍기는 가운데 열기와 습기는 턱턱 숨까지 막히게 한다.

사십 일 동안, 다섯 권의 율장 책을 가지고 낯선 글 낯선 말들을 들었던 덕분에 빨리어 기초를 배웠고, 길에서 만나면 빙긋 웃어 주는 낯익은 얼굴의 스님, 띨라신들이 생겼다. 이제 며칠 뒤부터는 '아비담마'를 배우러 간다. '낄라따' 스님이 '아비담마' 선생도 알아봐 준 것이다. 한 달에 3만 짯씩 수업료를 내야 하지만 다행한 일이다.

아비담마 선생은, 여든이 넘었으나 양곤 승가대학의 교수로 재직 중이라고 했다. 그전에는 승려였는데 쉰이 넘어 환속했다고 했다. 40년을 넘게 승려 생활을 한 탓인지 집에서는 아무것도 하는 게 없고 의자에 앉아 오로지 경전만 본다고 한다. 그 선생만 그런 게 아니고 (환속한) 승려 출신은 거의 다 그렇단다. 딸 가진 부모들이 가장 피하는 사윗감 1위가 승려 출신과 교사 출신이라는 말, 그냥 나온 게 아닌가 본데, 까닭은 대접만 받으려 하기 때문이란다.

어쨌든, 아비담마를 배우면서 확실히 알게 된 사실이 있다. 절집의 승려들과 스승과 제자, 어른과 젊은이(또는 어린이)의 관계는 평행 관계가 아닌 수직관계라는 사실, 그리고 그 바탕에는 불교가 있음을.

아비담마 선생은 아주 차근차근 조리 있게 설명을 하였다. 그리고 (전에 배웠던) 젊은 선생에겐 없는 노련함과 느긋함 여유로움이 있다. 하긴 몇십 년을 강의하였다니 그럴 만도 하다. 다만, 가끔 숨이 막혀 왔다. 질문이나 답이 정해진 틀에서만 허락된 듯 여겨졌기 때문이다. 마치 수학 공식이나 과학 공식처럼.

이를테면 그랬다.

"마음은 가슴 속 심장에 있는데 연꽃 모양으로 생겼다. 선업(善業)을 많이 지은 사람은 예쁘게 핀 연꽃 모양이고 악업(惡業)을 많이 지은 자는 검은 빛으로 피다가 만 것처럼 생겼다. 그러니 선업을 많이 지어야 한다."

"선생님, 뇌과학에서는 마음이 뇌에 있다고 합니다. 생각을 담당하는 영역과 기억을 담당하는 영역, 언어를 담당하는 영역도 다 뇌에 있다는 연구 결과가 발표된 지 이미 오래입니다. 정말로 가슴 속 심장에 있다고 믿으시는지요?"

"이건 부처님이 하신 말씀이다. 그런 부처님 말씀에 불경(不敬)스럽게 그렇게 말하면 안 된다."

그러면서 통역에게 야단을 쳤다. 중간에서 이런 질문까지 옮기냐며.

군인이 최고 권력자라서 그런지 정부에서 하는 일도 숨 막힐 듯하다. 6월 19일은 '아웅산 수지'의 생일이라는데, 그해 생일은 화요일, 쉐다곤 탑으로 참배하러 가는 이들의 가방과 몸을 수색한 뒤에 들여보냈고, '아웅산 수지' 단체 사람들은 아예 들어갈 수 없었다고 하는데 '수지' 여사를 위해 기도하려는 걸 막기 위함이란다. 쉐다곤 탑에 들어갔어도 (쉐다곤 탑 안의) '화요일 불상' 앞에는 사람들이 아예 가질 못했다고 한다. 또 며칠 전에는 가택연금이 연장돼 항의집회가 열렸는데 모인 사람보다 군인들이 더 많았다고 한다. 사람들은 군인들이 무서워 아예 그쪽으로는 가질 않는다.

반년 넘게 아비담마 강의를 들으러 다니면서 몇 번 더 불경(?)스러운 질문은 이어졌지만, 이렇다 할 새로운 답은 없었다.

아비담마 아홉 장을 마쳤다. 그래도 책거리는 해야겠지? 우리만의 책거리를 한 다음, '아비담마를 배워 보라'고 한 속초 스님을 만나러 갔다.

"아비담마를 배운 소감이 어떻소?"

"잘 짜놓은 주술 같았습니다. 저는 정말 실망했는데 왜 아비담마를 좋아하죠?"

"논리에 잘 들어맞지 않나요?"

"아니요, 두 선생에게 배웠지만, 반골 기질이 있는 건지 도무지 억지스럽기만 하던걸요. 차라리 한국불교가 융통성이 있고 훨씬 멋있게 느껴졌어요. '이 마음으로 이런 업을 지으면 이런 과보를 받는다'라고 공식처럼 정해져 있다면 붓다의 가르침과 과연 맞는가 싶고요. 다만, '마음과 마음

부수, 마음 흐름이 그렇구나!'를 알았다는 것. 이를테면 '마음이 찰나 일어날 때 무려 열 번 넘게 많게는 열일곱 일어나는구나!' 말고는 별 감동이 없네요. 내가 비정상이고 불자가 아닌가 봐요. 아비담마 선생에게도 혼났거든요."

초기불교, 미얀마 불교…. 미얀마에 와서 가장 많이 들었던 말이 아비담마다. 한국에서 온 스님들은 물론 미얀마 (승려는 물론) 사람들도 나이가 들었거나 젊었거나 흔히 하는 말이 '아비담마'이다. 좀 지나치다 싶게 말한다면 '밥 먹듯이 많이 쓰는 말'인데, 막상 배우고 보니 실망이 이만저만이 아니다.

휴중이 배운 아비담마는 빨리어로 된 얇은 책으로, 미얀마 꼬인들이 제일 먼저 배우는 기초학문(?)이다. 『마음, 마음과 같은 것, 뒤섞임, 마음 흐름, 마음 흐름에서 벗어남의 갈래, 물질, 모음의 갈래, 싸마타와 위빠싸나, 까닭, 닙바나(열반)』라는 '제목만 뽑아 놓은 아홉 마당으로 풀이해 놓은 책'이다. 꼬인들이 제목만 배우는 데도 쉽지 않은 건 이걸 다 외워야 하기 때문이다. 전에 살던 절 꼬인들이 맞았던 까닭이 외우질 못해서이다. 제목이 아닌 론(論)을 다 배우려면 많은 시간이 걸리는 건 물론이고 어린 꼬인들이 배우기엔 너무 어려워서 먼저 제목부터 외우게 하는 것이란다.

어쨌든 휴중은 실망했다. 이제 어디로 가야 한단 말인가! 아비담마를 권했던 속초 스님은 이상한 스님 다 보겠다는 듯 쳐다보더니 책 한 권을 건넨다. 빨리어로 '담마'라고 쓰여 있다.

"한 번 읽어 봐요. 3년 전 (만달레이에 있는) '마하 간다용 강원'에 있을 때 어떤 스님이 줬는데, 처박아 둬서 있는지도 몰랐다가 며칠 전 읽어 보니 미얀마 승려들이 흔히 하는 설명이 아닙디다. 내가 읽어 본 바로는, 팔정도(八正道)를 우리가 알고 있는 뜻이 아니게 풀었어요. 이를테면, 정명(正命)을 우리는 '바른 생계'로 푸는데 이 책에서는 의업(意業)으로 봅니다. 계·정·혜(戒定慧) 가운데 계 묶음에 들어가므로 구업(口業:입으로 짓는 업)은 정어(正語:바른 말), 신업(身業:몸으로 짓는 업)은 정업(正業:바른 행동), 그래서 의업(意業:뜻으로 짓는 업)으로 본다는 거죠."

"맞는 말 아닌가요? 저는 전에도 정업과 정명이 겹치는 듯하여 좀 개운치 않았거든요."

"아무튼, 잘 읽어 보세요."

샤프란 빛 물결을 눈에 담고
= 뜻과 상관없이 한국으로 쫓겨났다?

휴중은 『담마』를 파기(?) 시작했다.

낮이고 밤이고 동글동글한 글씨들을 끙끙거리며 혼자 읽고 쓰다가 모르는 낱말이 있으면 웨노에게 묻기도 하며. 공책에 적어가면서 읽다가 보니 번역을 해보면 좋겠다는 생각이 들어 그렇게 하고 있는데, 생각지 않은 벽에 부딪혔다. 읽고 있는 건 미얀마 책인데 부끄럽게도 우리말 지식이 짧아서 오는 큰 난관에 맞닥뜨렸다. 웨노에게 불교 말을 설명해줄 때에도 느끼긴 했지만, 우리말의 소중함까지 잊고 살았다는 사실은 몰랐다. (아는 만큼의) 한문을 쓰며, 중국식 말법, 일본식 말법, 영어식 말법을 더 많이 쓰며 무식을 자랑하고 있었다.

'진짜 남의 나라말을 잘하는 사람은 우리 말을 진짜 잘 쓰는 사람'이라고 했던가! 휴중은 남의 나라말도 잘 모르지만, 우리말도 제대로 모르고 있었다. 참말로 부끄러운 일이 아닐 수 없다. 자신이 사는 나라를 떠나봐야 애국자가 된다더니 정말 그렇다.

대한민국에서 태어나 대한민국에서 살면서 한 번도 제대로 '우리나라 좋은 나라'라는 생각을 해본 적 없고 고마워해 본 적도 없다. 태어나 보니 대한민국이었고, 태어나 보니 가난한 부모가 있었다는 것처럼, 휴중도 딱 그 정도로 여기며 고마워하기는커녕 오히려 못마땅한 점만 끄집어내 비판(비난에 가깝지만)만 해왔다.

온갖 부당한 일만 보였고, 온갖 불합리한 부정의 소리만 들렸다. 그러니 어찌 고맙고 좋겠는가. 그런데 그렇게 비난하고 못마땅해할 자격이 없구나 싶었다. 자신이 태어나 사는 나라의 말도 제대로 모르면서 무슨…! 글과 말을 완벽하게 아는 이가 몇 명이나 되겠는가, 말 좀 모르는 걸 무슨 자격 운운하느냐 하겠지만, 부끄럽게 여길 만큼 벽에 부딪히고 있던 것이다.

뿐만이 아니라 '번역가' '번역서'에 대해서도 다시 생각하게 됐다. 번역은, 말과 글을 안다고 해서 함부로 할 게 아니다. 나라에 대해서는 물론이고 그 나라의 문화와 정서, 시대의 문화와 정서까지 잘 알아야 제대로 할 수 있다는 생각이 들었다. 나라마다 시대마다 지역마다 문화와 정서는 다르기 마련이다. 그걸 제대로 모르면 아무리 잘했다 하더라도 완벽할 수는 없겠다는.

우리나라에 '똥구멍이 찢어지게 가난하다'라는 말을 미얀마어로 번역한다면 글로는 번역할 수 있다. 그러나 그 말이 무슨 뜻인지 제대로 전달하려면 그때의 역사 상황과 정서를 알아야 한다. 미얀마처럼 쌀이 넉넉한 나라라면 '똥구멍이 찢어질 일'은 없으니 말이다. (우리나라 젊은이나 아이들도 '똥구멍이 찢어지게 가난하다'라는 말이 무슨 뜻인지 모를 것이다. 아, 젊은이들 가운데 똥구멍이 찢어지는 아픔을 겪은 이는 있을지 모르겠다. 다이어트와 변비로.)

'담마(法)'는 삼보(三寶) 가운데 '거룩한 말씀 보배'다. '담마'엔「법의 바퀴를 굴림 경, 내가 아님 경, 원인과 결과 경, 알아차림이 이끎 경」이 들어있다. 「원인과 결과 경」은 고따마 싯다르타가 붓다에 이르도록 한 경이고, 「법의 바퀴를 굴림 경」은 다섯 수행자에게 거룩한 진리 네 가지를 어떻게 얻었는지를 설명하는 경이다. 「내가 아님 경」은 거룩한 진리의 길을 배운 뒤 어떻게 이루어갈 것인가를 보여주는 경이다. 「알아차림이 이끎 경」은 거룩한 진리를 알고 난 뒤 세상을 살아가면서 행복과 자유로움을 이루고 이어가도록 행하도록 보여주는 경이다. … 중략 …

부디 모든 불자가 붓다의 자비로운 가르침을 얻기를 바라며. 더불어 불자로서 '이것은 약' '이것은 독'이라고 알리고 싶어 이 글을 썼다. 이 글이 낯설겠지만, 많은 이들에게 가까이 갈 수 있고, 가까이할 수만 있다면 더없이 기쁜 일이 될 것이다.

- 아신 담바 위하리 -

머리글을 넘기고 몇 페이지 넘어가다 벽에 부딪히고 말았다. 속담을 만났는데 당최 무슨 말을 하는지 모르겠다. 웨노에게 SOS 신호를 보냈다. 친절하게 아는 만큼 알려주면서 되묻는다.

"그런 말이 왜 있어요? 어디에 나와요?"

휴중은 자신이 보던 책을 건네주었다. 앞뒤 문맥을 살피더니 친절하게 설명해준다. 그리고는 자기도 읽어 보겠단다. 먼저 읽으라고 주었다. 휴중은 한 장 넘기려면 이틀은 걸려야 하는 것은 웨노는 빠른 속도로 읽어갔다. 그리고는 더 깊이 더 많이 공감하고 있다.

그날부터 휴중과 웨노는 함께 『담마』에 빠졌다. 한낮이 되면 온도가 40도를 웃도는지라 가만히 앉아만 있어도 등줄기에서 땀이 줄줄줄 흘러내리는 한여름이지만, '담마'의 강에 빠져 더운 줄 몰랐다. 아니 더워도 견딜 만했다. 뜨거운 날 좁은 방에서 나오지도 않고 오히려 뜨거운 차를 마셔가면서 열공(?)하고 있으니 낄라따 스님이 웨노와 휴중 들으라는 듯 바깥에서 "뿌레~ 뿌레~ 아얀 뿌레~(덥다, 더워~ 너무 덥네~)" 큰 소리로 (숨은 뜻을 번역하자면) '바람 좀 쐬고 쉬라'는 말을 했다.

법문(法門)하는 법사도 아니고, 신도도 많지 않아 보이는 스님은 새벽에 모터를 켜서 물통에 물 담는 일과, 탁발과 점심 공양을 마치면 낮잠 한잠. 그리고 도량 청소를 하거나, 잠깐의 외출을 하며 하루하루를 보내는 스님은, 전에는 율장 강의도 들으러 다니고 아비담마도 배우러 나가더니만 언제부턴가 꼼짝 않고, (웨노도) 통역하는 날 빼고는 종일토록 방에만 있는 게 '너무 더워서' 그러는 줄 아는 것이다.

그러던 어느 날 낄라따 스님이 휴중을 급하게 부른다.

"스님, 스님~!" 마루로 올라가니 사진기 들고 빨리 바깥으로 나가보란다. 스님들의 행진이 있단다. 3분도 안 걸리는 일주문 앞으로 나갔다. 쉐다곤 탑으로 오르는 계단까지 이어진 도로 옆에서 쉐다곤 쪽을 바라보니 정말로 승려들의 행렬이 길게 늘어서 있다.

삼삼오오 대열 맨 앞에 선 스님은 발우를 거꾸로 뒤집어 들었고, (미얀마에서 데모를 뜻하는 말은 '다베잇 흐머웃'인데 '발우를 뒤집었다'라는 의미다) 그 옆엔 파란·누런·붉은·하얀·주황빛이 가로세로 들어가 있는 불교기(佛敎旗)를 들고 걷고 있다. 행렬은 제법 길다. 사진기를 들고 행렬을 찍는다. 행진하는 승려들은 사진을 찍는 휴중을 보고 환호를 한다. 휴중도 같이 손을 흔들어 주었다.

(미얀마 사람들에게 들은) 까닭은, 미얀마 정부가 행정수도를 '양곤'에서 '네피도(Nay Pyi Taw)'로 옮겼는데 국민에게 알리지 않고 몰래 옮겼단다. 문제는 많은 돈을 많이 쓰다 보니 물가(기름값)를 올렸다는데 갑작스레 얼토당토않게 많이 올렸다는 것. 50짯 하던 버스요금이 무려 100~200짯, 덩달아 다른 물가도 많이 올랐단다.

'빠꼭쿠'라는 지역은 미얀마에서 승려가 가장 많은 도시인데, 탁발을 나가면 발우에 담기는 반찬은 거의 젓국뿐이었다는 것. 승려들은 국민이 고통과 불안에서 벗어날 수 방안을 찾았고, 가뭄과 흉년 강도가 들끓었던 100년 전 '레디 사야도'가 승단을 이끌고 자애경(慈愛經)을 읊으며 도시를 돌자 민심이 안정되었다던 전통을 따르기로 했단다. 승려들은 탁발하지 않고 발우를 거꾸로 엎어 들고 마을을 돌며 자애경을 읊었단다. 그런데 정부에서는 그 모습을 달가워하지 않았고, 행렬의 끝에 있던 승려를 올가미에 걸어 끌고 가서 폭행했다는 것. 이 상황을 사통팔달 전국의 승려들에게 알렸고, 양곤으로 모이자고 했다는 것. 그런데 정부는 기차를 타고 양곤으로 모여드는 걸 막기 위해 승려들이 탄 (기차) 량을 끊는다는 것. 막으면 막을수록 승려들은 더 모여들었고 민주주의를 원하는 시민들까지 힘을 보태는 지경에 이르렀다는 것이다.

승려들은 쉐다곤 탑에서 예경(禮經)을 한 뒤 동쪽 문으로 내려와 시내 한복판의 '술레 파고다'까지 행진을 했다. 휴중은 처음에 호기심으로 구경을 하였다. 사진기를 들고 기자라도 된 듯, 생생한 현장을 담으며 행렬을 따라 걸었다. 자애경을 읊으며 중간중간 멈추어 전열을 가다듬으며 걷다 보니 두 시간쯤을 걸어간다. '술레 파고다'에 이르러서는 마침 예경을 하고 앞으로도 계속 모여서 (자애경을 읊으며) 행진하자고 다짐을 하고 끝내곤 했다.

며칠 그렇게 따라다녔다. 폭우가 쏟아져도 승려들의 평화모임은 계속 이어졌다. 그렇게 한 열흘쯤 됐을까! 하던 어느 날, '낄라따' 스님의 얼굴이 먹빛이 되면서 절의 (나무로 된) 창문을 모조리 닫는다. 낮인데도 절은 순식간에 깜깜 나무통 속이 되고 말았다. '낄라따' 스님은 휴중에게 호텔로 나가 있으라고 하고, 절에서 일하러 다니는 젊은이들에게는 고향으로 돌아가라고 한다. 휴중은 "나는 호텔로 갈 형편이 못 됩니다. 그냥 여기서 조용히 있을게요" 할 수 없다는 듯 "그러라" 하고는 다른 젊은이들은 내보낸다.

1988년 우리나라가 한창 올림픽을 치르고 있을 때, 미얀마에서는 대학살이 일어났었다. 양곤 강까지 흘러가는 절 앞의 하수관 물빛이 온통 핏빛이었다고 한다. 사미승이었던 '낄라따' 스님은 그때의 상황을 생생하게 기억하고 있었고, 그때의 공포가 되살아난 것이다.

미얀마 전국에서 이름 떨치는 큰 스님이 있는 큰 사원이나 국제선원은 일주문을 굳게 닫아걸었고 승려들과 신도들이 나가지 못하게 하였기에 아무나 들어가지 못하는 상황이라고 했다. 인터넷을 끊어서 해외로는 소식이 나가지 못하고 정확한 방송도 듣지 못하고 있단다.

"저 위의 절에 사는 스님들이 새벽에 잡혀갔대요."

"수백 명의 시체를 태우는데 살아있는 스님도 있었대요."

자고 나니 새로운 나쁜 소식이 입에서 입으로 전해져 온다. 휴중이 사는 곳에서 제법 떨어져 있는 동네 '띤간중'에 사는 어느 가족은 스님들에게 공양 올렸다는 이유로 잡혀갔단다. 인터넷도 전화선도 끊긴 밤에 조용히 데려간다고 했다. 자고 일어나면 끔찍하고도 흉흉한 소문이 늘어서 돌고 있었다.

소문이야 어떻든 시위는 날마다 계속되었는데 날마다 보아도 평화롭게 행진을 하는 정도였고 행진을 마치고 나면 자진 해산하여 언제 그랬냐는 듯 평온한 거리가 되었다. 그런데도 '깐도지 호수' 삼거리에서 쉐다곤 쪽으로 올라오는 길에 바리 게이트가 쳐지고 군인들이 왔다 갔다 하고 있었다. 그 바리 게이트는 다음 날 중간쯤 올라왔고, 그다음 날은 쉐다곤 탑 아래까지 올라갔다. 그러는 사이 빨간 목도리를 두른 군인들이 총검을 들고 수십 수백 개의 절로 이루어진 (절) 숲 곳곳을 헤집고 다니고 있다.

미얀마 사람들에게 빨간 목도리 군인들은 공포와 두려움의 대상이다. 그들이 88년도에 대학살의 주역들이었기에. 사람들은 쉐다곤을 가거나 절을 오갈 때도 군인들의 허락을 받고 다녀야 했다. 몇 명만 모여도 최루탄을 쏘더니 급기야는 휴중이 사는 절의 일주문 앞 도로에는 닭장차(철창 차)들이 오갔다.

행진하기 위해 쉐다곤에 모이려던 승려들이 막대기로 맞으면서 닭장차에 실리는데 우악스러운 손길에 의해 가사는 이미 벗겨져 있다. 그리 크지 않은 닭장차는 이미 만원이었고, 차 안에는 아래 가사만 걸친 앙상한 맨몸의 승려들과 젊은이들이 두려운 눈빛으로 매를 맞으며 휴중이 있는 쪽을 바라보는 사이 차는 멀리 멀어지고 있었다.

절 담장 안에서 몇몇 승려들이 군인들을 향해 돌을 던진다. 군인들은 돌이 날아오는 쪽을 휙 돌아보더니 최루탄을 쏜다. 그러더니 달려온다. 승려들은 도망을 친다. 휴중도 휩쓸려 뛴다. 사는 절까지 미처 못 가고 눈앞의 절 아무 데나 들어간다. 군인들이 여기저기 헤집고 지나가는 걸 나무 틈으로 내다본다. 순간, 두려움이 일었다.

술래 파고다 근처에서는 더 심각한 상황이 벌어졌다고 한다. 세 명이 총칼 또는 개머리판에, 또는 곤봉에 맞아 죽었다고 한다. 임시 감옥(유치장)에는 수백 명이 잡혀있고 계엄령이 선포되었단다. 밤 9시부터 아침 5시까지 바깥에 나오지 말라는 방송을 했단다. 말로만 듣던 상황을 눈앞에서 보는 것도 모자라 최루탄에 (잠깐이지만) 쫓기는 신세가 되고 보니 우리나라의 80년대 중반 어느 광장에 서있는 듯했다.

속초 스님이 휴중이 있는 절로 찾아왔다. 다짜고짜 비행기 표를 건네며 "빨리 짐 챙겨 나오시오. 내일 밤 비행기요. 이 비행기 표 구하기 쉽지 않았답디다. 다른 스님들까지 걱정시키지 말고 빨리 나와요. 시체 갖고 나가게 하지 말고."

사실, 라디오 외신에서 알리는 미얀마 상황은 아주 심각했단다. 다른 스님들은 선원이나 아파트를 빌려 살고 있어 위험한 상황과 맞닥뜨릴 일이 거의 없지만, 휴중은 쉐다곤 아래 일반 절 그것도 총검을 든 군인들이 헤집고 다니는 절에 살고 있으니….

휴중을 알고 있는 몇몇 스님들이 걱정하던 터였고 대책을 세워 온 것이다. "여기 들어오는데 십분 허락받고 들어왔어요. 그만 갈 테니 짐 갖고 어서 나와요." 지극히 짧은 명령조의 말을 건넨 속초 스님은 휴중이 무슨 말을 하기도 전에 가버린다.

눈에 밟히는 샤프란 빛 물결, 휴중이 있다고 달라지거나 나아지는 건 없을 테고, 많은 이들을 걱정하게 하는 건 도리가 아니리라.

마음을 다잡으면서도 괜스레 마음이 무거워진다. 마하시 수행자들을 위해 통역을 해야 하는 갈 곳이 없던 웨노는 아는 집에서 당분간 얹혀살기로 했다.

한창 신나게 공부하던 휴중은 책 몇 권과 간단한 짐을 챙겨 누가 끊어주는 표인지도 모른 채 (2007년 9월 26일) 한국행 비행기를 탔다. 그다음 날 일본 기자가 총에 맞아 죽었다는 뉴스를 봤다.

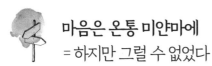

마음은 온통 미얀마에
= 하지만 그럴 수 없었다

한국으로 돌아왔지만 살던 산속 암자로 가지 않았다.

쓰던 물건이며 살림살이가 있는 집으로 돌아가고 싶지 않은 이가 어디 있겠는가! 그러나 미얀마에서 한국으로 보내는 (다른 스님의) 짐을 받아 온 까닭도 있지만, 가면 안 되겠다 싶은 마음도 작용했다. 안 보고 안 만나고 안 부딪히고 안 들리면 일어나지 않는 게 마음이다. 그런데 막상 한국에 돌아오고 나니 마음이 일렁거린다. 이 또한 집착이리라.

'빨리 미얀마로 돌아가야 한다.'

그렇다, 될 수 있으면 빨리 돌아가야 한다. 읽던 책을 마저 보고 책을 쓴 스님을 찾아가 물으며 법에 대한 궁금증을 다 풀어보리라. 일렁거리는 마음을 다잡는다.

휴중은 충남의 도시에 있는 절로 갔다. 그곳은 (두 번째) 은사를 만나 행자 생활을 했던 곳으로 말하자면 삭발 본사(削髮本寺:중이 되겠다고 머리카락을 깎은 절)다. 은사님은 서울에 계시지만, 열여섯에 출가해 이십 년 남짓 된 사형 스님과 대를 이어 절 살림을 맡아 보는 보살님이 조석예불을 올리며, 불교 명절 때나 불공이나 재(齋) 지내러 오는 신도들만 만나며 사는, 짧지 않은 세월 100년 남짓의 역사를 가진 작은 암자다.

넓은 잔디밭, 도량석을 돌던 마당이며 나지막한 법당 천장 닫집이 없는 불단, 바람이 불면 흙먼지가 떨어지는 산신각, 마당 가의 꽃나무도 그대로

인 듯 보이는 평화롭고 평온해 보이는 절간이다.

그러나 저녁을 먹고 차를 마시면서 지나간 이야기를 듣는 동안 180도 다른 상황이 펼쳐졌다. 꼭 한 달 뒤, 절 안에 있는 모든 걸 비워주어야 한단다. 사람과 불상은 물론 절의 모든 물건 살림살이를 완전히. 어디론가 옮겨야 할 상황이나 옮길 데도 갈 데도 없다. 쌓아놓은 돈도 없을뿐더러 물건을 옮겨 놓을 땅 한 떼기도 없다.

'아…! 어쩌다 이런 일이…!'

사연인즉, 암자는 일제 강점기 말 (창건주 스님이) 마을 신도 아홉 명으로부터 땅을 시주를 받아 지었는데 문제는 제대로 땅문서를 만들어 준 게 아니라 종이에 아홉 명의 이름을 쓰고 지장을 찍은 게 전부였단다. 세월은 흐르고 창건주 스님은 물론 시주했던 이들도 다 돌아가셨고, 세대가 바뀌어 할아버지, 아버지로부터 땅을 물려받은 새 주인은 어느 날 '계속 살려면 세를 내야 한다'면서 세를 받아갔다는 것. 예불과 불공만 지내던 스님이나 살림만 하던 보살님은 세상 물정을 모르기는 마찬가지였기에 그래야 하나 보다, 그렇게 석 삼 년쯤 지난 어느 때 집행관으로부터 강제집행 명령서가 날아왔단다.

몇 년 만에 온 삭발 본사는 초상집 분위기다. 사형과 보살님은 여기저기 알아보면서 속앓이를 얼마나 했는지 생병이 나 있을 정도였다. 휴중 또한 처음 겪는 일이라 막막하기는 마찬가지였다. 하지만 뭐라도 해야 하는 상황, 휴중은 속상한 이야기를 들어주는 한편 '냉정하게 말하자면 찾아오는 신도들의 불공만 해주며 안일하게 살아온 과보'니까 받아들이고 천막치고 처음부터 시작하겠다는 마음가짐을 가지자고 다독(?)이는 게 전부였다.

속도 모르고 누군가 묻는다.

"스님은 걱정할 일 없으시쥬? 속 썩일 사람도 읎구, 세상 돌아가는 일 몰러도 되구…."

"그렇게 보이는군요. 세상 물정 모르는 건 사실이에요. 하지만 중이라고 해서 모르기만 해서는 안 될 일도 있답니다."

"아, 그리유? 세상 돌아가는 일도 알아야 하는구만유. 어떤 일 때문에 유?"

휴중은, 이러구로 저러구로 삭발 본사가 처한 상황을 이야기한다. 그이는 자신의 정보망을 다 동원해 여기저기 알아보더니 '세를 냈기 때문에' 가망이 없단다. 그리고 암자는 이미 다른 승려에게 팔렸단다.

'하-아!'

후회하고 한탄하고 탓한다고 달라지는 건 없을지니 '지금 어떻게 해야 하는 게 가장 좋을까! 100년 된 살림살이들 저 물건을 어떻게 해야 한단 말인가!' 대책을 찾아야 했다. 상황과 처지를 들은 이들은 저마다 도움말(?)을 주었다. 다른 승려가 샀다는 말에는 "다시 못 짓도록 굴착기로 다 부수고 나와라"하고, (그곳은 녹지 보호지역이다) 갈 곳 없다는 말에 "이사 비용을 많이 받아 나와서 다른 곳에 지어라" 했다.

속상해서 하는 말들이니 사실 도움말이라고 할 수는 없다. '어찌하면 좋을까!' 휴중은 의견을 낸다.

"이사 비용을 받지 않으면 좋겠다. 절을 지을 정도로 줄 리도 없고, 어쭙

잖게 받고서 '절 팔아먹었다'라는 억울한 소리만 듣는다. 그러니 천막 치고 다시 시작하겠다는 각오로 그냥 나가면 좋겠다. 절을 지키지 않은 과보로 받아들이자."

무엇보다도 많은 짐이 문제였다. 법당과 산신각, 요사채와 공양간 네 개의 건물에 꽉꽉 들어차 있는 물건들은 더는 물건이 아니라 '짐'이 되어버렸다.

불보살상(佛菩薩像)은 급한 대로 휴중이 살던 암자로 모셔가기로 했다. 모셔간다고 해서 번듯한 법당이 아니라, 마당에 서둘러 비닐하우스를 짓고 비나 이슬 눈바람만 안 맞도록, 임시로 보관(?)하기로 한 것이다. 다음은 대를 이어 몇십 년 장독대를 지키고 있던 장독들, 서 말들이 두 말들이 간장, 된장, 고추장 항아리는 보살님의 동생 시댁과 친정집으로 보내기로 했는데… '짐'은 끝없이 나왔다. 여기저기 곳간에 들어있던 짐들이 한꺼번에 세상 구경(?)하게 생겼다.

한 달이라는 시간은 금방 흘렀고, 예정된 날 아침부터 집행관에서 보낸 트럭들이 들이닥쳤다. 여기저기서 짐들이 사내들의 손에 이끌려 들려 나와 트럭에 차곡차곡 실린다. 실려 가는 짐들을 그저 바라보고만 있어야만 한다는 사실이 너무 아팠다. 잘못 살아온 과보겠지만 어리석음은 '아파'라 하였다. 법당으로 들어갔다. 사형 스님과 가사 장삼을 수하고 마지막으로 음성공양을 올린다. 속상함인지 참회인지 모를 눈물이 흐른다. 짐들은 계속 실려 나가고 있다.

마지막 남은 짐(?)을 실어내기 위해 승려들이 법당에서 나오기만을 기다리고 있다. 나가자마자 법당 앞에 차를 댄다. 불자는 아니지만, 불보살상을 차마 트럭에 싣기가 뭣하다며 SUV 차를 끌고 왔다. 관세음·지장보살상이 실리고 마지막으로 석가모니 불상이 실린다. 길 안내를 위해서는 휴중도 타야 한다. 휴중은 짐을 나르는 이들에게 "행복하세요~"라고 인사를 하고 조수석에 오른다.

그날, 그 암자에 살던 모두는 그렇게 뿔뿔이 흩어졌다.

불보살상을 모시고 간 휴중은 한밤중에 산에 도착했다. 지인은 살아있는 짐(?) 개의 목줄을 풀어주면서 돌아서서 눈물을 훔치는 스님(사형)을 보면서 자신도 눈물이 핑 돌았단다. 집행하던 사내들도 이런 현장은 처음이었단다. 거의는 트럭을 막아서고 악을 쓰고 울거나 울분을 마구 쏟아내어 일하기 힘들어 빨리 끝내고 싶어 하는데, 그날 절 식구들은 너무 숙연하고 조용하니까 기분이 이상하더란다. 게다가 마지막에 '행복하세요'라고 하니까 꼭 저주처럼 들리더란다.

"아…! 그게 아닌데, 정말 행복하시라고 한 건데…."

"지는 그렇게 생각했시유. 그래서 사람덜헌테 그렇게 얘기 해줬시유. 하지만 그 사람덜은 처음 들어본 말일 거예유. 사실 기분 좋은 상황은 아니잖어유. 살다가 쫓겨나는 거닌께."

쫓겨난(?) 절의 불상을 모셔다 놓은 암자를 둘러 본다. 아름답다고도 아름답지 못하다고도 느낀 날들도 함께 스친다. 아름답다고 느끼던 때는 꿈을 먹으며 살던 때였고, 아름답지 못하다고 느낀 날들은 어리석음을 앞세워 자신을 속이고 남을 속이던, 가슴 철렁하고 부끄럽고 두렵던 날들이다.

어찌 보면 미얀마로 간 것은 자신에게 내리는 '귀양 형벌'이었는지도 모른다.

하루라도 빨리 다시 귀양길에 오르고 싶다. 적어도 그곳에선 남을 속이는 일은 적다. 붓다의 법만 찾으면 되니 마음만은 극락이다.

낄레사(번뇌)와 놀면서 끄달려 가지 않을 힘만 키우면 되니까.

다시 미얀마로
= 나르기스가 기다리고 있는 줄 몰랐네

잠깐 피난 나온 거니까 금방 되돌아갈 줄 알았다.

그러나 현실은 달랐다. 빨리 미얀마로 돌아가기 위해서는 비행기 요금은 물론 생활비를 빨리 모아야 하는데, 상황은 자꾸 난감하게 돌아가고 있었다. 땅을 사주겠다던 인연들의 마음을 물리고 미얀마로 떠났는데, 중간에서 "그 스님 방식으로는 불사(佛事)를 못하니 없을 때 땅을 사 놓아야 한다"라는 말과 함께 "시주(施主)를 할 수 있는가? 땅을 사겠다" 묻자, "할 수 있다. 대신 그 스님(휴중) 이름으로 사야 한다" 하여 "그러겠다" 답했다. 시주금이 건너가고 땅도 샀지만, 대출을 받아야 하는 상황이라 땅임자는 다른 사람. 그 뒤 주고받은(?) 이들끼리 사이가 틀어졌다. 시주한 이는 휴중이 오기만을 기다리고 있었고, 신도들은 암자 이름이 바뀌니까 이상하게 생각하고 절에 안 가고, 휴중을 원망하거나 걱정하는 이들이 생기고…. 그들은 휴중을 기다리고 있던 것이다.

원망하는 이들의 말과 눈빛에서는 보이지 않는 가시, 보이지 않는 화살 바늘이 날아다닌다.

"나는 다시 미얀마로 가야 한다. 좋은 뜻으로 했다면, 흔들리지 말고 살던 대로 살라. 남의 말은 사흘이다."

"사람은 떠나도 절은 남아있는 법, 보시하여 절이 남아있으니 그걸로 된 것 아닌가. 우리나라의 백 년, 천 년 된 오래된 절을 보라. 보시한 이들은 이미 다 죽었다. 지은 이도 죽었다. 그러나 절은 남아있다. 그 절에 다니면서 참다운 법의 도량이 되도록 하면 된다. 보시하고도 그렇게 원망하면 안 좋다. 전에도 안 좋은 말들이 오가서 그만둔 것인데 그걸 되풀이하려고 그러는가. 승려들은 세상 사람들과 달라야 한다고 하면서 서로 헐뜯고 싸우기를 바라는가? 아직 공부가 끝나지 않았다. 다시 미얀마로 돌아가야 한다.”

그래도 원망하고 탓을 하는 건 휴중의 몫이 아니라 그들의 몫이라고 여기기로 했다. 국립공원 안 큰 절에서 소임을 보고 있는 도반을 찾아간다. 도반은 미얀마에서 공부하는 까닭이 “책을 내려는가, 선원을 차리려는가?” 묻는다. “책을 내려는 것도 아니고 선원을 차리려는 것도 아니다. 한 사람, 오직 한 사람 특히 나의 어머니가 집착의 괴로움에서 벗어나길 바라는 마음에서다. 한 사람이면 된다. 그 한 사람이 두 사람 되고 두 사람이 네 사람 되고 네 사람이 여덟이 될 테니.” 도반은 기꺼이 자신의 용돈을 나누어 준다.

다시 나간다는 소식을 들은 몇몇 인연들이 십시일반 거들어 준다. ‘고맙고 미안하고 두려운 마음’으로 받아들고 다시 미얀마로 떠났다.

다시 미얀마다. 웨노와 킨띠라가 왈칵 반겨 안기며 눈물을 보였다. 그 모습을 보니 그동안 어찌 지냈는지 말을 안 해도 조금은 전해져 왔다. 낄라따 스님도 반겨 준다.

몇 달 만에 보는 공간이라 그런지 조금은 낯설게 느껴진다. 한국에서의 여운을 떨쳐내 버리면서 그동안 (읽을 시간도 별로 없어 얼마 못) 읽었던 책을 꺼내 놓고 맞는지 다시 맞춰본다.

휴중과 웨노는 금방 예전의 모습, 예전의 생활로 돌아갔다. 1년 365일이 더운 나라 미얀마, 그나마 조금 살 만한 철이 11월에서 2월인데 딱 그 시기를 지나서 왔다. 강추위 날씨에서 갑자기 뜨거운 한여름으로 공간이동을 하였으니 처음 보다 더 실감하는 날들인데 날마다 비가 온다. 아직 '비 오는 철'은 아닐 텐데, 어느 날은 종일토록 쏟아붓는 게 심상치 않아 보인다.

부엌이 딸린 건물 바깥은 일반 사람들이 쓰는 목욕탕(?)이 있다. 말이 목욕탕이지 그냥 시멘트로 만든 물통이 두 개 붙어있을 뿐이며, 우리나라처럼 탕 안에 들어가 때를 불리는 것도 아니다. 때는 물 몇 번 끼얹고 돌로 밀면 되는데, 너무 세게 밀면 살갗은 물론 털까지 밀려버린다. 사실 날마다 아침과 낮, 하루에 두 번씩 씻으니 때를 밀 필요도 없을 듯하다.

목욕탕은 거의 바깥에 있는데, 목욕할 때 옷을 벗지 않고 씻는 문화이기에 그런 듯. 승려는 목욕 가사를, 일반 사람도(남자든 여자든) 마찬가지로 목욕 치마를 입고 씻으며, 남자(승려도)들은 목욕 치마를 입고 윗몸 씻은 뒤 치마 위를 문지르며 씻으면 되고, 여자들은 목욕 치마를 가슴까지 끌어 올려 여미고 그 상태에서 씻는다. 그 상태로 헹구고 옷을 갈아입는데 젖은 옷 위로 마른 옷을 입으면서 젖은 옷을 풀면 마른 옷 안에서 젖은 옷이 흘러내린다. 오랜 전통문화이므로 이상하지 않고 너무도 자연스럽다.

물통 두 칸 가운데 한 칸은 남자가 퍼 쓰고, 한 칸은 여자가 퍼 쓴다. 남자가 쓰는 물통의 물은 불단에 올리는 꽃을 다듬어 씻고 반찬거리도 씻지만, 여자가 쓰는 물통의 물은 쓰지 않는다. 성차별이 우리나라 조선 시대

못지않은 곳이다. 성지(聖地)로 알려진 사원이나 탑도 남자는 들어가도 여자는 못 들어가는 곳이 많다.

그런 물통 경계가 없어졌다. 뿐만이 아니라 담까지 물이 차올랐다. 아무리 많이 내려도 서너 시간이면 그쳤는데 무슨 일인지 그치질 않는다. 저녁때가 되어도 그치질 않는다. 무슨 일이 벌어질까 몰라 대충 짐을 싸놓는다. 방바닥은 마룻바닥, 물이 차오르면 후다닥 위의 마루로 피해야 한다.

아니나 다를까! 한밤중, 술렁이는 소리가 들리고 일어나 손전등을 켜고 창밖을 내다보니 찰랑찰랑, 우리 방의 바닥과 한 뼘도 남지 않았다. 가벼운 짐들은 위 칸의 탁자 위로 대충 던져 놓고 책은 불단(佛壇) 위로 옮겨 놓고 한숨 돌리려는데 마룻장 틈으로 물이 스며 올라온다. 간발의 차이로 짐을 옮긴 셈이다.

마룻바닥이 금방 물로 번져버린다. 빗물이 찰방거리는 소리와 우지끈거리는 소리에 잠은 저만큼 달아났다. 모두 뜬눈으로 밤새야 했다. (다행히도) 비는 아침이 되면서 멈추었다. 바깥에 나가보니 난리가 났다. 아름드리나무가 뿌리째 뽑혀 도로에 쓰러져있고, 쓰러지면서 지붕 또는 베란다에 걸쳐있거나 대형광고판이 찢어져 있다. 사면 한 뼘 굵기의 시멘트 전봇대가 뚝뚝 부러져 'ㄱ'자 모양이고, 전선은 길바닥에 늘어져 있다.

물이 나오지 않는다. 하루, 이틀, 사흘…. 아무리 기다려도 나오질 않는다. 땀 냄새가 진동하는 빨래가 쌓인다. 받아 놓은 물도 마저 떨어져 간다. 한 바가지의 물로 땀을 씻어낸다. 이삼일에 한 번씩 수세미로 물통의 시커먼 물때를 닦아주어야 하는데 청소는커녕 바가지가 바닥을 긁히고 장구벌레가 꼬물거리는 걸 보면서도 써야 한다. 세수할 때도 바가지에 물을 떠서 항균 살균제 '데톨'을 풀고 손에 떠서 닦는다. 세수야 그렇다 쳐도 빨래는 어쩌나! 이런 사정을 들었는지 가사 도우미 일을 다니는 '마 노'가 휴중이 사는 절에 와서 빨랫거리를 달란다. 휴중이 우물쭈물하자 자기네 마을에는 우물이 있으니 거기에서 빨면 된단다. 어쩔 수 없다. 미안하면서도 고맙기 그지없다. 빨랫거리를 내어준다. 다음 날, 마 노는 마른빨래를 개켜서 가지고 왔다.

"마* 노~ 아얀 제주 띤바대~ (마 노~ 정말 고마워요~)"

열흘 만에 기다리고 기다리던 물이 쫄쫄거리며 나온다. 헉! 그런데 감자 썩은 내가 난다. 너무나 기다렸던 물이나 냄새를 맡고 나니 쓰고 싶은 마음이 사라진다. 윗방의 삼단같이 긴 머리카락의 '마 우'는 열흘 동안 씻지도 감지도 못했음에 반가웠던지 목욕을 하고 머리도 감는다. 얼굴에 웃음꽃이 핀다. '아, 물은 잃었던 웃음도 찾아 주는구나!' 하지만 전기는 아직 들어오지 않았다.

별별 소식(소문)이 다 들린다. 어느 마을에서 어떤 이가 길을 가는데 광고판이 날아와 목이 잘려 죽었다더라. 쉐다곤 탑 머리에 있는 다이아몬드니 루비 수정과 같은 보석들이 떨어졌는데 사람들이 주워갔다더라. 그런데 바로 죽었다더라. (주워간 사람은 얼른 제자리에 가져다 놓으라고 날마다 방송을 한다고도 했다) 벼농사를 제일 많이 짓는 '에야와디' 도시는 도시 전체가 나르기스에 휩쓸려가서 몇십만 명의 사람들이 죽었다고 하며, 사람과

---

* 미얀마는 나이든 여자 이름 앞에는 '도' 남자 이름 앞에는 '우' 젊은 여성 이름 앞에는 '마' 남성 이름 앞에는 '꼬'를 붙인다.

짐승시체가 둥둥 떠다니고 있고, 가족이 모두 죽은 집도 한두 집이 아니라
는 것이다. 그리고 휴중의 빨래를 빨아다 주던 마 노의 친정이 그곳인데
친정 가족 모두가 물에 휩쓸려가 죽었다는 것이다.

사람이 너무 슬프면 눈물도 안 나온다는 걸 마 노가 보여주고 있었다.
서른여덟의 그미는 친정 가족은 물론이고 친인척 모두가 죽었지만…. 세
남매를 학교 보내고 먹고 살기 위해서는 하루라도 벌지 않으면 안 되었기
에 슬플 새도 없이 일을 다녔다. 휴중은 그런 마 노를 보자니 가슴이 먹먹
해지고 눈시울이 시큰 젖어왔지만, 차마 드러낼 수 없었다. 그미 앞에서는
사치 같아서.

불고기와 밥우

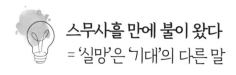

스무사흘 만에 불이 왔다
= '실망'은 '기대'의 다른 말

큰바람 나르기스와 함께 사라졌던 전깃불은 스무사흘 만에 돌아왔다. 이제부터는 뒷간 냄새도 좀 덜 나겠고, 불 피워 밥 짓느라 재티가 날리는 일도 없겠고, 물길어다 설거지하고 목욕하는 번거로움도 없겠고, 촛불 그을음에 눈 따가울 일도 없겠다. 부러진 전봇대가 사라지고 새 전봇대가 서 있다. 뿌리째 뽑힌 아름드리나무도 몸통과 가지는 없어지고 밑둥치만 남았고 칠흑 같던 쉐다곤 길도 밝아졌다.

전깃불이 모든 마을에 다 돌아온 건 아니었다. 양곤에서 가장 높은 황금(쉐) 언덕(다곤)은 1년 365일 찬란한 금빛이 빛나는 곳이었는데 한동안 깜깜했다. 그러나 사흘 만에 돌아온 곳도 있다. 제일 먼저 들어온 곳은 '힘을 가진 부자'들이 사는 동네, 다음은 '부자' 동네, 그다음이 신성하고 거룩하다고 여기는 쉐다곤 근처인데 그다음, 그다음 다른 동네로도 자꾸자꾸 들어오고 있겠지!

2008년 4월 27일에 들이닥친 큰바람 나르기스가 5월 3일에 사라졌다지만 후유증은 엄청났다. 하루아침에 집을 잃고 거지가 되고, 하루아침에 고향과 부모 형제 친척과 이웃을 잃어도 눈물 한 방울 제대로 흘릴 수 없고 슬퍼할 겨를 없이 일해야 하는 게 현실이다.

마트에는 물이 동나고, 하루아침에 소매치기 강도로 변해 지나가는 여인의 목에 걸린 목걸이를 채가도 말을 못 할 만큼 인심이 흉흉해졌다고 했다.

휴중의 빨래를 해다 준 마 노는, 딸 집에 잠깐 다니러 온 친정어머니만 빼고 고향과 친정 가족, 친척들을 한 명도 남기지 않고 모두 잃었다고, 하지만 세 남매 학비는 물론 차비를 못 대주고 먹고살기 위해 남의 집 밥해주러 가야 하고, 남의 빨래를 해주러 가야 하고, 남의 집 청소를 해주러 가야 한다는, 지붕이 날아가고 집을 잃어도 어디 하소연할 곳이 없이 제힘으로 고쳐야 하고 능력 없으면 그대로 살아야 한다는, 하루아침에 거지가 되어 길거리 나와 구걸하면 경찰이 잡아간다는, 나르기스가 할퀴고 간 상처가 너무 깊고 깊어 한숨밖에 안 남은 이들을 위해 바깥 나라에서 도움이 될 물건들을 보내오고, 미얀마에서 이름난 연예인들이 쌀과 물을 보냈다는데 받았다는 사람은 없다는, 어느 시장에서는 다른 나라에서 온 물건들이 팔리고 있다는…. 엄청난 말들을 남의 일 얘기 하듯 덤덤하게 한다.

대한민국에서도 구호 물품을 보냈고, 한국 불교계에서도 구호 성금과 물품을 보냈으며, 한국불교의 한 종단에서는 미얀마에서 법문으로 굉장히 '이름난 큰스님'에게 구호 성금을 전달하기로 했단다. '이름난 큰스님'은 물품보다는 성금으로 보내 달라고 하였으며, 보내온 구호 성금을 전달하기 위해 한국 스님들과 미얀마어와 한국말을 통역해줄 통역들과 함께 '이름난 큰스님'이 머무는 사원으로 동행을 하게 됐다.

(그때) 미얀마의 TV 방송은 다른 프로그램을 내보내기 전 (새벽마다) 큰스님의 법문을 먼저 내보낸다. 미얀마 곳곳에서는 법회가 자주 열리는데, 법문을 들은 불자들로부터 인기가 많은 스님은 새벽마다 TV 방송에도 나오는 것이란다.

'이름난 큰스님'이 거주하는 사원은 스님의 명성만큼이나 크고 넓고 화려했다. 여기저기 기웃거리다 보니 문이 잠긴 건물도 있어서 사람이 있을 만한 건물을 두리번거리며 찾는다. 나이가 지긋해 보이는 조금은 뚱뚱한 사내가 "무슨 일로 왔냐?" 묻는다.

찾아온 까닭을 말하자, 전화를 건다. "잠깐만 기다리라" 했단다. 구호 성금을 전해주러 간 일행은 한 시간 동안 속절없이 기다린다. 아무 기척이 없다. 무료한 마음에 기다리고 있으라고 한 방에서 나와 바깥으로 나가 보니 웬 사내들이 큼지막한 물건을 들고 옮기고 있다. 물어보니 텔레비전이란다. 열두 자 장롱만 한 텔레비전이 어느 건물로 들어간다. 설치하느라 시간이 걸리는 건지 두 시간이 지나도 오질 않는다. 얼마나 기다렸을까!

드디어 '이름난 큰스님' 일행이 우리가 기다리고 있는 방으로 들어왔다. 호탕하게 웃으면서 들어서는 스님은 전혀 미안하지 않은 모습으로 "미안하다"라는 말과 함께 조각으로 이루어진 나무 의자에 가서 앉는다. 남자들 다섯 명이 양옆으로 서거나 앉아서 스님의 어깨를 주무르거나 다리를 주무른다. 어른 스님은 통역에게 무슨 말인가를 묻는다. 통역이 대답하자 어른 스님과 남자들이 재밌다는 듯 웃는다. 무슨 말인지 모르는 우리는(한국 스님들) 멀뚱히 바라보고 있다. 우리는 뭘 잘못한 것도 없이 무릎을 꿇고 앉아 '이름난 큰스님'의 말과 행동을 보고 있다. 별다른 물음도 없다. (기억이 나질 않는 건지도 모르겠다.)

성금을 받아든 스님은 미얀마식으로 축원을 한다.

"이당메 다낭 아사와까 야와항 호뚜~! 싸-두! 싸-두! 싸-두-!"

(이 베풂 공덕으로 모든 번뇌에서 벗어나기를 원합니다. 훌륭하다, 훌륭하다, 훌륭하다.)

오랜 기다림 끝에 몇 분 동안의 '구호 성금 전달식'은 참으로 허탈하다 느껴질 만큼 짧았다. 그렇다고 뭐 대단한 환영식이나 고마운 인사를 기대했다는 뜻은 아니다. 그런데도 '실망'이라는 낱말이 '툭' 튀어나오는 걸 보면 뭔가를 기대하긴 했나 보다.

미얀마 사람들이 우러르고 존경하는 불교계의 어른 스님이니까 그냥 멀리서 바라보기만 해도 뭔가 다를 것이라는. 미얀마 사람이라면 당연히 존경하는 만큼 통역들도 존경한 모양이다. 통역들의 낯빛이 밝지 않다. 통역들에게 물었다. "아까, 왜 그렇게 웃었는가?" "별거 아니에요"라고 말하고 있지만 그들의 얼굴에도 '실망'이라는 글자가 보였다. (나중에 다시 물어보니 촌뜨기가 출세했다는 식의 말을 놀리듯 말했단다.)

사실 '실망'이라는 말은 '기대'의 다른 말이다. 기대가 없으면 실망도 없다. 마치 동전의 앞뒤와 같다. 그런데도 자꾸 '실망'을 하고 있다. 나르기스로 도시의 절반의 마을과 마을 사람들과 흔적도 없이 송두리째 사라졌고, 마을 사람들이 몇백 리 떨어진 곳에서 주검으로 발견되곤 하는데 그마저도 멀쩡하지 못하다는 뉴스를 보고 듣는다.

미얀마 불교계의 어른 스님들은 헬기 또는 배를 빌려 강으로 가서 공양물을 뿌리며 경전을 읊어 준다고 했다. 우리 식으로 하면 수륙재(水陸齋)일 것이다. 그런데 그 소식마저도 휴중은 달가운 소식이 아니었다. 그 돈이면 집을 몇십 채 지어줄 수 있고 헐벗고 갈 곳 없는 사람들에게 옷을 주고 머물 곳을 줄 수 있겠다는 생각이 더 컸기에.

들리는 말은 구호 물품 가운데 좋은 것은 공무원들 차지가 되고, 암시장에서 팔리고 정작 필요한 이들에게는 제대로 돌아가질 않는다는 말을 안 들었으면 이런 마음도 안 들었을까!

휴중은 문밖만 나서면 안타까운 모습들을 보는데 할 수 있는 일은 기껏해야 조금 덜 쓰고 이웃들에게 조금 나누어 주는 것 말고는 아무것도 없다. 안타까움에 그저, 일기처럼 끄적거리고 있을 뿐이다.

웨노가 통역하러 나간 어느 날, 차를 마시며 책을 보다가 끄적거리다가를 되풀이하고 있는데 천둥 벼락 치는 소리가 들린다. 낄라따 스님이 휴중더러 빨리 나와 보라고 부른다. 후다닥 윗마루로 올라가 문밖으로 내다본다. '아…!'

휴중이 사는 절로 들어오는 길옆에는 쓰러져가는 작은 절이 있다. 그런데 지금, 우지끈 우당탕탕 쿵! 하고 무너져 내려앉고 있다. 요란한 비명(?) 끝에 뽀얀 먼지를 풀썩 일으키고는, 그냥 아무렇게나 막 던져 쌓은 나무쓰레기장 같은 모양새가 되어버렸다.

들은 말로는 그 절은 미얀마의 독립운동가이자 영웅이었던 '아웅산 장군'이 대학 시절 친구들과 독립운동 모임을 하던 곳이었단다. 그러나 시절은 바뀌어 민주화운동에 앞장서는 '아웅산 장군'의 딸, '아웅산 수지' 여사가 (그때) 정권의 미움을 사고 가택연금을 당하는 실정이다 보니, 영국으로부터 독립하기 위해 양곤대 학생으로 독립 협상의 주역으로 활동하고 다수·소수 민족의 연합을 이끌어 마침내 독립을 이루게 한 미얀마의 영웅 '아웅산 장군'의 역사의 현장을 보호하기는커녕 그 절에 신경 쓰는 이들까지도 감옥에 보내는 상황이라 오랫동안 버려두니, 나무로 지은 절은 세월의 더께에 눌려 우레와 같은 비명 두어 번 내뱉고는 그만 주저앉아 버리고만 것이다.

무너져내리고 주저앉는 절을 보니 참 덧없다는 생각이 인다. 나라의 역사도 돌고 돌고 인간사도 돌고 도는데 어찌하여 한숨이 나오는 걸까! 많은 걸 얻을 수 있겠다고 기대를 한 탓일까!

실망하는, 아니 실망스럽게 보이는 일들이 한둘이 아니다. '미얀마니까!'라고 퉁쳐 버리는 한편 그래도 희망을 놓기 싫어서 웨노에게 주절거린다. "우리나라도 그랬어. 종교와 권력이 한편이 되어 민중들의 눈과 귀를 가린 적도 있고, 권력의 눈치를 보기도 했어. 그래서인가 민주주의는 피를 먹고 자란다는 말도 있지. 언젠가는 부조리하고 불합리한 이들이 심판을 받는 날이 올 것이고, 핍박받고 죽어간 사람들을 기리며 옛말할 날이 올 거야"라고.

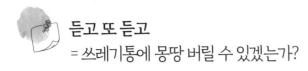

듣고 또 듣고
= 쓰레기통에 몽땅 버릴 수 있겠는가?

사람들의 힘은 놀랍다.

선업(善業)이라면 시키는 대로 무조건 하는 미얀마 불교의 힘인가 싶은 생각이 들 정도로, 변변한 기계나 장비 하나 없이 뽑히고 쓰러진 그 많은 나무를 톱과 도끼로만 사라지게 하고 있었다. 우리나라 같으면 굴착기에 기계톱들과 트럭들이 동원됐을 텐데, 한 달 두 달 오로지 톱과 도끼 사람의 힘으로만 사라지게 하니 더 대단해 보이는지 모른다. 어쨌거나, 한동안 둘레에서 나던 톱질 소리와 와자한 소리에 글자도 책도 눈에 들어오질 않았다. 그런데 어느새 많이 줄어들었다. 뿐만이 아니라 비록 장구벌레가 꼬물거리는 물이지만 이삼일에 한 번씩 갈아 줄 수 있게 됐고, 전깃불이 나가는 일도 거의 없으니 책을 들고 글자를 쓰고 읽는 시간이 늘어갔다. 진도도 빠르게 나간다.

책을 쓴 스님이 만달레이에 계신단다. 만달레이로 간다. 밤새도록 가는 버스지만 설렘이 한가득했기에 지루한 줄 모르고 자다가 깨다가 하다 보니 만달레이 도착. 주소 한 장 달랑 들고 물어물어 어느 시골 절로 찾아갔다. 하얀 칠의 담장도 금빛 탑도 없다. 나무로 지어져 허름해 보이는 절 마당에는 사람들이 가득 들어차 있고 한창 법문을 듣고 있다.

낯선 한국인이 들어가자 모두 신기한 듯 맞이해준다, 통역이 전하는 말을 듣고는 이내 손뼉을 치며 반긴다. 책을 쓴 어른 스님을 만나러 왔다고 하자 마찬가지로 허름한 방으로 안내를 한다. 원두막 같은 건물 안에는 삭발한 모습이 아니라면 인자하고 자상한 할아버지라고 해도 좋을 노인이 앉아 있다. 그 스님이 바로 우리가 만나러 간 '담마 위하리(담마의 삶을 사는 이)' 스님이었다. 앉으라고 하여 인사를 올리고 앉으려니 눈치가 보인다.

그동안 미얀마에서 만난 어른 스님들은 높은 의자에 앉아 절을 받으며, 절을 건성으로 받는다는 느낌이 들 정도로 절하는 이를 보는 게 아니라 하던 행동을 하며, 절한 이는 그 스님이 내려다보는 위치에서 무릎을 꿇고 있는 게 무슨 불문율처럼 지켜지고 있는 듯 보여 휴중도 늘 그렇게 하곤 했다. 그곳이 흙바닥일지라도.

그런데 지금 절을 받은 스님은 바닥에 앉아 있고 절한 이도 그 바닥에 무릎을 마주하고 앉아야 하는 상황이다. 둘러보니 미얀마 신도들도 그렇게 앉아 있다. 비로소 책에서 보았던 '다름'이 눈에 보였다. 그리고 책에서 읽은 내용과 다름없는 '아리야 쌋짜(거룩한 법)'에 대한 법문을 듣는다.

법에 대해 더 이해하고 공부하고 싶다면, "지금까지 알았던 불교, '테라와다(상좌부=소승)'든, '마하야나(대승)'든 모두 버리고, '불교', 붓다가 일러주었던 가르침을 배워야 한다"라고 하길래, "배우고 싶다" 하니 양곤에서 포교 활동하는 제자들(법사)을 소개해준다.

어느덧 마지막 책장을 넘긴다. 이제는 글이 아닌 말로 이해를 굳혀야 한다. 소개해준 법사들을 만난다. 그리고 일주일에 세 번씩 '담마(붓다의 법)'를 배우기로 했다.

빨리 걸으면 십오 분 조금 천천히 걸으면 이십 분 걸리는 거리를 이틀에 한 번씩 오갔다. 요일마다 법사가 다르고 가르치는 방식도 달랐다. '우 아웅' 선생은 같은 낱말을 되풀이하는 방식이고, '우 민' 선생은 주제에 따라 원리를 이해하도록 조곤조곤 설명하는 식이다. 몇 달에 걸쳐 듣고 또 듣는다.

사실 처음 승려 새내기일 때 배운, 아니 들었던 '사성제(四聖諦)'는 '고성제, 집성제, 멸성제, 도성제(苦集滅道)라는 성스러운 네 가지 진리'이며, '12연기(緣起)'는 '이것이 일어나므로 저것이 일어난다.'라는 정도로 알아들었다. 그리고 '윤회(輪廻)'는 사람이 태어나서 업을 지으면 그 업에 따라, 네 가지 형태로 (어미의 태(胎)와 알(卵), 물(濕) 또는 짠(化)-하고) 여섯 갈래의 세계에 태어나며, 끝없이 나고 죽고 나고 죽고 돌고 도는 게 바로 윤회다. 윤회의 세상은 고통의 세계고 인욕의 세계며 곧 사바세계라고 한다.

불교 교리, 불교학 개론, 불교아카데미, 불교와 관련된 책이라면 쉽게 만날 수 있는 낱말들이다. 또 불교도라면 익히 알거나 한 번쯤은 들어봤을 낱말들이다. 그런데….

= 업(業:과보를 받는 행위)이란?

밥 먹고 싸고 걷고 움직이고 말하는 행위를 업이라 하질 않는다. 욕심 성냄 어리석음으로, 넘치거나 모자라는 행위만을 업이라 한다. 곧, 괴로움(苦)이라는 과보가 따르므로.

= 복(福)을 짓기 위해, 또는 다음 생(來生)을 위해 부처님께 공양물(供養物)을 올리는 일은?

다음 생을 보았는가? 볼 수 없는데도 믿고 올리는 건 넘치는 짓이다. 붓다께서 입멸한 줄 알면서도 공양물을 올린다면 넘치는 행위다.

= 힘들고 지칠 때 공양을 올리며 마음의 위안을 얻고 싶은 것이 지나친 행위(짓)인가?

그건 자신을 위한 행위지 붓다의 가르침과는 상관없는 일이다. 붓다께서도 당신을 위해서 공양물을 올리라고 하지 않으셨다. 이 세상에 안 계신 붓다가 아니라, 승려라면 세상과 사람들을 보호해야 한다. 진정한 예불과 공양은 가르침을 실천하는 것이다. 될 수 있으면 많은 이들의 이로움을 위해. 많은 이들의 행복과 평화로움을 위해. 많은 이들의 자유로움을 위해.

붓다의 부모가 누구인가?

숫도다나왕과 마야부인이 아니다. '붓다'는 '몸(肉身)'이 아니다. '붓다는 지혜다' '꿰뚫어 아는 지혜'를 일컫는다. 붓다의 뜻도 모르면서 공양물을 올리는 것은 넘치는 행위다.

휴중이 알던 뜻과 같은 듯하면서도 사뭇 다르다. '내 것'으로, 새겨 알려면 한 번 들어서는 안 되리라. 다른 스님들이 강의 듣는 자리에 끼어들어 듣는다. 같은 선생에게 두 번씩 들으면서 그래도 긴가민가하면 적바림(메모)한다.

그러는 사이 '담마 위하리' 스님이 양곤으로 오셨다. 비록 외곽이지만 만달레이보다는 훨씬 가깝기에 다행으로 여기며 이른 점심을 마치고 계신 토굴로 찾아간다. 토굴에는 우리 말고도 스님의 책을 보고 전국에서 찾아온 불자들이 늘 있었다. 그들은 한 번 오면 며칠 동안 먹고 자고 하면서 법문을 듣고 간다고 한다.

휴중 또한 날마다 출근하다시피 토굴을 찾는다. 떠듬떠듬 미얀마어로
묻다가 안 되면 통역이 깔끔하게 전해주었지만, 스님은 휴중이 알아들을
수 있도록 쉬운 말로 몇 번이고 설명하고 또 설명하고 또 설명하신다. 휴
중에게만 그러는 게 아니라 찾아온 이마다 그렇게 하신다. 질문자가 이해
할 수 있도록 이렇게도 저렇게도 설명하면서, 같은 말을 하고 또 하면서도
싫증이나 짜증을 내지 않으셨다. 비스듬히 앉은 자세만 한 번씩 바꿀 뿐이
었다.

스님은 맞아 죽을 줄 알면서 붓다의 가르침을 전하러 떠난 '부루나 존
자'처럼, 미얀마의 정치와 종교 상황에서는 감옥에 갈 줄 알면서도 하면 안
될 주장을 계속하였다고 한다. 휴중은 스님의 삶을 보면서 생각했다. '나는
저렇게 할 수 있을까! 저 나이 되었을 때도 저렇게 할 수 있을까!' 정오가
지나면 곡물이 들어간 건 전혀 드시지 않고(午後不食) 오로지 물만 드시면
서도 불자들에게 낱낱이 자세하고 자상하게 일러주는 모습을, 갈 때마다
보면서 어느 순간, '붓다가 저러셨겠구나!'라는 생각이 드는 한편, 어느 시
인의 詩처럼, '지금 알게 된 것들을 그때 알았더라면…!'하는 마음도 문득
문득 일어났다.

귀에 딱지가 앉을 정도로 듣고 또 들어 오롯하게 내 것을 만들어야 할
텐데…!

7장

떠나는 중, 가는 중

수행하는 마음 바탕은 뭘까!
= 난 네 마음을 몰라

낯선 나라의 뜨거운 불볕더위를 견디면서 날마다 쏟아지는 빗줄기에 잠깐 잠깐 나오는 해님이 못 당할 만큼 피어나는 곰팡내도 아랑곳없이, 닙바나(열반:해탈)를 이루겠다는 마음으로 정진하는 수행자들이 참 많다. 밤낮으로 열심히 하는 모습을 보면 저절로 숙연해진다. 그러나 때론 '무엇을 위해 수행하는 걸까!'를 생각한다.

양곤 시내에 있는 어느 명상센터로 바람 스님이 구름 스님을 찾아갔다. 바람 스님은 멀리 떨어져 있는 센터로 곧 안거(安居)에 들어갈 예정이기에 구름 스님과 점심을 함께 하려고 일부러 찾아간 것이다. 그러나 이루어지지 않았다. 선원의 어른 스님이 '집중력 떨어지니 나가지 말라' 했다며 구름 스님은 한사코 나오지 않았다. 문밖조차도.

"스님! 안거(安居) 동안 잘 지내시기 위해서라도 공양을 같이하시지요. 일부러 오셨는데…."

"나도 그러고 싶은데 사야도(어른 스님)가 나가지 말라고 하니까…. 다음에 만나자고 전해줘요."

문밖에서 기다린다며 웬만하면 함께 나가자고 네댓 번 말을 건네다가 포기했다. 뜨거운 햇살 아래에서 이제나저제나 나오기를 기다리던 바람 스님은 심부름한 이로부터 '나올 수 없다' 말을 전해 듣고는 농담처럼 "허허, 나를 만나기 싫은 모양인가 봐…!" 걸음을 돌렸다.

수행이란 뭘까? 무엇을 위해서 수행하는 것일까? 나도 평화롭고 너도 평화로운 길은 무엇일까?

어느 스님은 인연 있는 이들과 잘(?) 살기 위해 수행한다고 한다. '더불어 잘 산다는 것'이 물질을 뜻하는 말은 아닐 테고, 마음을 나누는 일은 아닐까 생각해본다.

"내 마음 알아주겠지."

"말 안 해도 알지?"

"네 마음이 곧 내 마음인데 뭘."

"새삼스레 그걸 말로 해야 하나?"

많은 이들이 이와 같은 말을 무심코 한다. 그런데 정말로 말 안 해도 알까? 마음은 말로든 표정으로든 행동으로든 드러내야 안다.

아무리 같은 곳 같은 때에 있을지라도 마음은 저마다이므로 동상이몽(同床異夢)이 괜한 말이 아니다. 부부일지라도 표현해야 알 수 있다. 분명, 바람 스님이나 구름 스님이나 서로 할 말은 있을 것이다. 그리고 직접 만나서 표현한다면 오해나 불편함은 생기지 않을 것이다.

휴중 또한 표현 안 하고 못 해서 불편한 적이 많았다. 될 수 있으면 '알아주겠지'라는 마음은 쓰지 말아야겠다 생각했다.

몇 년째 고국에는 가지 않고 이 센터 저 센터를 돌며 수행하고 있다는 어느 수행자를 만났다. 그미는 자신을 '번뇌를 다 여읜, 아라한'이라고 했다. 몇 군데 명상센터에서 그미에게 나가라고 해서 미얀마 여러 종단과 종교성 정부 기관에 보낼 편지를 썼다며 보여준다.

몇몇 이들은 그미가 한 행동들을 알고 있었다. 여덟 시간을 앉아서 집중 수련을 하는 곳에서는 명상하다 말고 갑자기 벌떡 일어나 "으하하하하! 나는 아라한이다!"라고 외쳤는가 하면 다른 수행자들에게 "아라한을 못 알아보느냐?"며 호통을 치고는 했고, 또 어느 곳에서는 아침 먹으러 나온 뒤 태가 이상해 보니 붉은 피가 얼룩덜룩 묻어 있어 "갈아입어야겠다"라고 알려주니까 "아라한이라 그런 것 따위는 뛰어넘었다"라며 콧방귀도 뀌지 않더란다. 과연 아라한이 되면 그럴 수 있는지 모르겠지만, 휴중으로는 도무지 이해되지 않는 행동으로 밖에는 보이질 않았다.

또 어떤 이들은 자신이 수행하는 곳만이 붓다의 정통 수행법이라고 주장했다. 다른 명상센터에서 수행한다고 하면 은근히 낮추어 말하고, 심하게는 "왜 그런 곳에서 수행을 하느냐?"고 말하는 이도 있었다.

몸뚱이는 애착할 것이 못 된다는 걸 온몸 온 마음으로 깨닫기 위해 온갖 사고로 죽은 주검 사진을 벽에 붙여 놓고 순간순간 틈틈이 집중해서 보거나, 성욕을 뛰어넘으려고 매독이나 임질에 걸린 여성과 남성 성기 사진을 집중해서 보거나, 잠을 이기려고 한 발로 오래 서 있거나 뜨거운 볕 아래서 잠을 안 자고 밤낮으로 서 있었다는 수행자들도 보았다. 모두가 '위빠사나'를 본격으로 하기 전에 하는 '사마타(집중수행)'의 한 종류들이다. '위빠사나'에서 '위(vi)'는 마음과 몸의 무상함, 불만족 또는 괴로움이나 영혼 없음, 내가 없음을 뜻하고, '빠싸나(passanaa)'는 바른 이해 또는 깊은 깨달음(realization), 또는 마음(名; naama)과 몸(色; ruupa)의 세 가지 특성에 대한 바른 이해를 뜻하는 말이다. 즉, '맑은 깨달음' 또는 '청정한 지혜'라고 할 수 있다.

미얀마가 '위빠사나 수행의 나라'라고 알려진 건 1947년 설립된 '명상센터 마하시'의 초대 선원장 '우 소바나' 스님(마하시 스님이라고 일컬어짐)의 영향이라고 해도 지나친 말은 아니다. 1982년 돌아가실 때까지 수행지도를 하였으며 많은 제자를 두었다. 지금 미얀마의 국제선원 선원장들은 마하시 스님의 제자가 대부분이라고 하는데, 그 제자들 또한 많은 제자를 두었으며 수행지도를 하고 있다고 한다.

따지고 보면 궁극에는 모두가 한 뿌리에서 나왔음을 알 수 있다. 그런데도 서로가 자신이 수행하고 있는 센터가 정통이라 하니 좀 억지스러운 일이 아닐 수 없다. 더 깊이 따진다면 붓다의 법이라면서 서로가 정통이라고 하니…. 만약 붓다께서 보신다면, 오늘날의 현실을 뭐라고 하실까!

공단지역에 있을 때 공양청(스님에게 점심 드시러 오라고 부르는 일)을 받은 적이 있다. 그 집은 중국계 미얀마인으로 그 지역에서는 보기 드물게 부자였다. 아홉 살 난 외동딸도 동네 아이들과는 다른 옷을 입었고, 집안에는 실물 크기의 사진이 각 방의 벽마다 붙어 있었다.

미얀마에서는 스님들을 모셔 점심 공양을 올리는 일이 흔하다. 가족 가운데 누가 생일을 맞거나, 개업하거나, 누가 죽었거나…. 아무튼 좋은 일 안 좋은 일이 있을 때 다섯 명 이상의 스님을 초대해 점심을 대접하면 스님들은 경전을 읽어 주고 축원을 해주는 일은 오랜 전통이다.

휴중을 초대한 그미는 미얀마식으로 걸게 차려놓고 기다리고 있다. 둥근 상에는 미얀마 잔칫상에 올라가는 온갖 음식이 차려져 있었다. 밥상을 물리고 차와 과일을 먹으면서 이런저런 이야기를 나누다가 수행 이야기가 나왔다. 궁금하던 주제였다. 생활 속에서 어떻게 수행하고 있는지, 수행센터에는 자주 가고 있는지.

"스니인~!"

미얀마 사람들은 좀 가깝고 편한 스님들에게는 '퐁퐁'이라고 부른다. 그런데 비구니가 없는 승단이고 떨라신은 아니라고 하니까 한국식으로 '스님'이라고 하는데, 미음 받침 발음이 잘 안 되어 '스니인~'라고 부르는 것이다. 그렇게 시작된 이야기는 재밌었다.

미얀마 사람들, 그것도 조금 잘 사는 이들은 명상센터(그들 말로는 예익 따)에 다녀온 뒤 "나 이번에 A 센터에 다녀왔어!"라는 식으로 조금은 으스대며 자랑한다고 한다. 세속 사람들이 비싼 시계, 가방, 차를 자랑하듯 명상센터를 다녀온 일을 자랑한다는 것이다. 미얀마 사람들에게 인기 있는 센터는 '모곡센터'라고 한다. 그러면서 얼마 전 어느 모임에서 마하시에 다녀온 이들과 모곡에 다녀온 이들이 얘기하는데 모곡이 이겼단다.

"이겨요? 뭐를요?"

마하시에서는 걸을 때도 느릿느릿, 밥을 먹을 때도 느릿느릿한데 모곡에서는 밥 먹을 때도 빠르고 걸을 때도 평소와 다름없었단다. 그러면서 느릿느릿하게 했던 동작을 흉내 내면서 깔깔깔 웃는다.

그들에게는 수행의 목적은 중요하지만, 과정은 그리 중요하지 않았다. 수행은 느리게 하는 것보다 평소에 늘 하듯 불편하지 않음이 더 편하고 좋았던 것이다.

머릿속이 하얘졌던 날
= 아파트에 불낼 뻔하다

미얀마에 와서, '담마'라는 제목의 책을 만난 건 행운이었고, 책을 보고 법사들의 강의를 듣고 '담마 위하리' 스님을 찾아가 궁금증도 풀었으니 마음은 여유로워졌고, 편안해졌고, 세상을 다 얻은 듯 충만해졌으나 충만해진만큼 두려움도 스멀거렸다.

그동안 배우고 해왔던 것을 내려놓고 처음부터 새로 시작해야 하는 두려움일까? 두려움이라고 하기에는 마땅하지 않고, 아니라고 하기에도 마땅하지 않은 감정이 물결쳤지만 귀국하면 어떻게 살아야 할지는 분명해졌다.

귀국하기 전, 다른 곳으로 둥지를 옮기게 됐다. 매미만큼 큰 바퀴벌레가 날아다니고, 밥 짓는다고 숯불 피우면 온 연기가 방으로 들어오고, 쓸데보다 쓰지 못할 때가 더 많게 느껴지는 전기 곤로와 수도꼭지 한 개 딸랑 있는 부엌, 바로 옆에는 뒷간이 붙어 있고, 음식 냄새인 듯 구린내인 듯 은근한 냄새가 스며있는 곳. 개미와 쥐, 에잉 먀웅(도마뱀) 똥과 함께 먼지 덕지덕지한 창문과 바닥…. 일 년 넘게 살다 보니 정이 들었다.

멀지도 가깝지도 않게 지내던 절 식구들과도 정이 들었다. 뻬이네띠(잭푸룻)만 생기면 얻어다가 딱딱한 껍질을 벗기고 찐득찐득한 속껍질까지 손질해서 알맹이만 접시에 담아 가져다주는 낄라따 스님은 참 한결같이 사람이 좋았다. 아는 척을 하지도, 나서지도, 권위를 떨지도, 속물스럽지도 않다. 휴중이 만나본 다른 (몇몇 젊은 비구들 빼고) 스님들도 잘 해주었다. 그러나 얼마쯤 지나면 약속이나 한 듯 한국에 초대해달라는 바람을 내비쳐 난감하게 했다. 심지어 어떤 스님은 아예 대놓고 자기 절이 더 크고 좋으니 와서 살라면서 자기를 '한국으로 초대해 달라'는 조건을 걸기도 했는데, 낄라따 스님은 그런 말은커녕 언제나 잘해주지도 못 해주지도 않았다. 딱 그만큼의 거리에서 배려하고 이해하려고 했다.

휴중이 그 절에서 살기 시작했을 때부터 그랬다. 아침마다 시간 맞춰 모터 스위치를 켜고 물통에 물을 채워야 하는데, 휴중의 방에 문 대신 치고 있는 커튼이 열리지 않으면 휴중이 자는 줄 알고 모터 스위치를 올리지 않았다. 몇 날 며칠을. 나중에 '자는 게 아니니 모터 스위치를 켜도 된다' 하자 그제야 시간 맞춰 모터를 돌렸다.

시장 상점에서 천을 파는 점원으로 일하는 '마 우', 간호조무사로 일하는 '마 쉔마우'도 딱 그만큼의 거리에서 아는 척하며, 뭔가 특이한 게 생기면 먹어 보라고 웨노 편에 보내곤 했다.

휴중과 그들 모두는 멀지도 가깝지도 않게 지냈다. 헤어짐이 예정되어 있기에 살갑지 않으려 했고, 일부러 서로 정을 주지 않고 곁을 주지 않으려 했다. 괜히 정이 들어 헤어질 때 아플까 봐 힘들까 봐. 누가 가르쳐 주지 않아도 본능으로 알기에 멀지도 가깝지도 않게 지내고 있음을 말은 통하지 않아도 서로 느낄 수 있었다.

귀국 전, 킨띠라 가족과 석 달을 살기로 했다. 옮긴 곳은 아파트 동네로 집이 더 많고 군데군데 절이 있다. 휴중이 살 곳은 3층이다. 방이 세 칸, 씻는 곳이 한 칸, 부엌이 한 칸이었고 안방과 작은 방들은 마룻바닥, 벽은 민트 빛, 창문 살은 붉은빛, 부엌은 시멘트에 타일로 돼 있다.

미얀마는 동쪽에 불단(佛壇)을 둔다. 그리고 집안의 어른이 그쪽에 앉거나 잠을 자며, 여인이나 아이들은 부엌 쪽에서 잠을 자는 문화가 있다. 중산층이 사는 아파트 제일 큰 방엔 에어컨이 설치돼 있으며, 그 방은 무조건 어른이 쓰게 한다. 킨띠라 부모님과 웨노는 큰 방을 휴중이 쓰게 했다. 승려이기 때문이었다.

아침은 거의 사서 먹는 문화인지라, 아침을 사러 시장엘 간다. (불단에 올릴) 꽃을 파는 이들과 아침거리를 파는 이들이, 장 보러 나온 사람들의 눈길과 발길을 사로잡는다. 먹을거리를 골목골목 돌아다니며 팔러 다니는 이들도 있다.

아파트 사람들은 종을 단 긴 끈을 창문 너머로 1층 바닥까지 늘어뜨려 놓고, 머리에 이고 팔거나 수레에 싣고 팔러 다니는 이가 보이면 창문에서 부른다. 그러면 아래에서 먹을거리를 비닐에 싼 뒤 끈에 묶고 흔든다. 위에서는 끈을 끌어 올려 물건을 받고 돈을 묶어 내려보낸다.

킨띠라의 어머니는 날마다 또는 며칠에 한 번씩 불단에 올릴 꽃을 사 오는데, 불단에 올리는 꽃나무들은 거의 비슷하다. 뜻이 좋은 푸른 나무나 꽃들이다. 맑은 물과 정성스럽게 손질한 꽃을 꽃병에 꽂아 불단에 올리고는 절을 하고 경전을 읽고 하루를 시작하는데 웬만한 가정에서는 거의 그렇게 한다고 한다.

전에(쉐다곤 아래 절) 살던 곳과는 많은 것이 달랐다. 전에는 말 그대로 절 숲이라 찻길 옆인데도 고요함이 있었는데 이곳은 찻길과는 떨어져 있는데도 새벽부터 밤늦도록 시끄럽다. 전에 살던 곳은 나무 침상 두 개와 책상 하나면 방이 꽉 찼는데, 이곳은 넓어서 우스갯소리로 축구를 해도 된다고 할 정도다. 전에는 방안에서 종일 앉았다 누웠다 하며, 밥이나 차도 그 자리에서만 먹고 마셨으나 이곳은 절을 할 수도 있고 밥 먹는 곳, 차 마시는 곳이 따로 떨어져 있다. 전에는 밝은 빛과 새소리만이 아침을 깨웠는데 이곳은 동도 트기 전 '삶은 콩'을 파는 아낙네 외침 소리가 어둠을 가르며 하루가 시작된다. 온종일 들려오는 외침 소리는 여러 가지다.

(우리나라의 찹쌀떡~ 메밀묵! 같은 소리로)

"삶은 콩 사세요~"

"쌍둥이 튀김 왔어요~"

"요구르트~"

"쓰레기~"

"국수 왔어요~"

"새참 거리, 새참 거리 왔어요~"

목소리도 여러 종류다. 같은 미얀마 사람도 못 알아들을 정도로 멋을 아주 많이 부린 굵은 남정네 목소리, 목청이 터진 씩씩한 여인의 목소리, 변성기인 듯한 어린 남자아이가 외치는 소리도 있다.

아침 식사는 한 밥상에 차리지만 가족(?)별로 먹는 음식은 다르다. 킨띠라 가족은 새벽에 파는 쌍둥이 튀김 빵과 삶은 꼬리 콩에 사모사(삼각 튀김)나 국수와 과일을 먹고 커피를 마시고, 휴중과 웨노는 전날 밤 쌀가루와

콩가루로 반죽해 놓은 걸 기름을 달군 프라이팬에 지짐이로 부쳐 바나나
와 커피를 곁들여 먹는다.

휴중과 웨노는 먹던 밥에서 쥐똥이 나온 뒤로는, 쌀가루나 콩가루를 사
다 두고 미리 반죽해서 숙성시킨 뒤 구워 먹어버릇했다. 다행히 밀가루보
다 쌀가루가 훨씬 쌌고, 즐겨 먹는 바나나도 저렴했다.

저녁 밥상은 글로벌하다. 밥과 미얀마식 채소볶음에 고기반찬 그리고 한
국식 감자 된장국에 김치가 어우러졌다. 그렇게 먹다가 남는 음식은 킨띠
라의 아버지에게 몰아 주고는 했는데 그럴 때마다 그는 "나는 음식 쓰레기
통!" 하면서도 기분은 나쁘지 않은지 싱글싱글 웃으며 깨끗하게 비워냈다.

아침을 먹고 나면 모두가 출근하고 휴중 혼자 남는다. 가만히 보면 집에
갇히는 셈이다. 휴중이 사는 아파트는 찻길 가에 있는 5층짜리 건물인데
호수별 철창문은 자물쇠 고리가 있어 자물쇠를 채워두고 드나들 때마다
열고 다니게끔 돼 있다. 집으로 들어가는 겉문도 두 겹 철창으로 되어있으
며 마찬가지로 자물쇠로 여닫아야 한다. 웨노와 킨띠라가 일이 있어 나가
는 날에는 공무원인 킨띠라의 어머니가 한 개의 자물쇠로는 마음이 놓이
지 않는지 한 개 더 채우고 출근한다. 누가 올 때까지(퇴근) 그렇게 갇혀(?)
있어야 했다.

여느 때와 다름없던 날, 일찍 들어온 킨띠라 웨노와 함께 볼일이 있어
나갔다가 두어 시간 뒤 돌아오는 길에 별안간 생각이 났다. '물 끓이는 주
전자의 콘센트를 꽂고는 빼지 않고 그냥 나왔다'라는 사실이. 머릿속이 온
통 하얘졌다. 물이 다 끓으면 곧바로 콘센트를 뽑아야 한다. 뽑지 않으면

주전자가 녹을 수 있고 불이 날 수도 있다.

전에 살던 절에서도 그럴 뻔한 적이 있다. 전기선에 불이 붙는가 싶더니 포르륵, 불은 순식간에 전선을 타고 천장으로 타올랐다. 마침 2층에 있던 주지 스님이 달려와 불을 꺼주었고, 다음 날 바로 굵은 전선으로 바꾸어 주었다.

그러나 지금 아파트에는 아무도 없고 전선은 가늘디가늘다. 머릿속은 하얗고 털구멍마다 털이 다 솟는 느낌이다. 등골에서는 식은땀이 주르륵 흐른다. 몇 분밖에 안 걸리는 거리가 까마득히 멀게만 느껴졌다. 자물쇠를 어떻게 열었는지, 3층까지는 어떻게 올라갔는지 모르고, 두 겹 철창문의 자물쇠도 어떻게 열었는지 모른다. 부엌으로 뛰어 들어간다.

'휴우!'

전선은 콘센트까지 타고 들어가 녹아 있고 온 집안에 플라스틱 녹은 내가 진동했지만 불이 나지 않아 다행이었다. 창문을 열어젖힌다. 웨노와 킨 따라는 전기 주전자가 중국산이라 그렇다며 주전자를 탓한다. 지금 생각해도 아찔해지는 순간이었다.

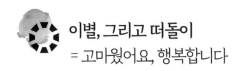

이별, 그리고 떠돌이
= 고마웠어요, 행복합니다

하루하루 삶이 덧쌓이다 보니 아는 인연도 많아졌고 웃음으로 인사를 나
누는 인연도 많아졌다. 그들로부터 마음이 담긴 정성(선물)을 받을 때가 있
다. 그런데다 한국으로 돌아간다니 그림을 그리는 이는 자신이 그린 그림
을 선물로 준다. 휴중은 줄 게 없어 차를 우려 준다. 그림을 모으는 이는 아
끼는 그림을 선물로 준다. 그에게도 차를 우려 준다. 시골에는 이제야 꿀이
나고 있다며 꿀과 함께 논일 밭일할 때 새참으로 먹는다는 탄냐 (과일즙을
졸여 만든 사탕)를 방아에 찧어 참깨와 버무린 군입질 거리를 선물로 준다.
가슴이 뭉클하고 부끄러워진다.

　미얀마에서 아주 특별한 인연으로 만난 웨노와도 헤어질 때가 가까워오
고 있다. 다행히도 웨노의 통역 실력이 엄청나게 좋아졌음을 수행자들이
먼저 알아주었다. 웨노는 인정받는 통역이 되었을 뿐 아니라 돈을 좇지도
않았다. 사실 통역 일만으로는 형편이 넉넉해질 수는 없다. 방세 내기도 어
려운 것이다. 그럼에도 휴중과 효도의 방법을 이야기했던 때의 약속을 잊
지 않고 묵묵히 자신이 하고 있는 일을 더 잘 하기 위해 노력하고 있었다.

　웨노는 양곤살이를 시작하면서 대학 때 삼총사로 지내던 친구들을 불렀
다. '킨띠라'와 '미미'. 그들 셋은 가끔 만나고 했는데, 모이면 무엇이 그리
좋은지 깔깔거리며 시간 가는 줄 모르고 이야기 삼매경에 빠지곤 했다. 웨
노와 두 친구는 한국어능력 시험에 2, 3급을 통과하고 더 하지 않겠다 포

기하고 있었다. 실력도 실력이지만 한국어를 배웠다 해도 써먹을 일도 별로 없고, 취직할 곳도 한정돼 있으며, 특히나 여성에게는 외국에 나갈 기회조차도 거의 없기에 포기하게 되는 것이 현실이란다.

웨노의 대학 동창들만 해도 학교를 졸업하고 전공 분야에서 일하는 친구들은 거의 없다고 했다. 다행히도 킨띠라는 한국 드라마 번역 일을 하게 됐고, 미미는 한국인 사장을 만나 숙식을 해결하고 있었다.

미얀마는 직업도 세습하는 분위기라고 한다. 특히 군인은 철밥통에 돈을 많이 버니까 군인의 아들은 군인이 되는 경우가 많단다. 높은 담장 집에 좋은 차를 사람들은 거의 군인이나 공무원이라는 것이다.

어쨌든 휴중은 웨노가 좀 더 나은 삶을 살기를 바랐다. 그동안 (2년 가까이) 함께 살면서 본 웨노는 그럴 자질을 충분히 갖추었기에 '한국어 능력 시험'을 다시 보도록 설득을 했다.

"앞으로의 일은 아무도 모른다. 네가 십 년 뒤에 한국에 와 있을지 어떻게 알겠니? 사람의 일은 알 수 없거든. 그러니 미리 준비해 두는 것도 좋지 않을까? 준비된 사람에게 기회가 오는 법이거든."

한편 좀 더 도움이 되고 싶었다. 웨노는 발음이 또박또박한 편이 아니다. 조금만 느리게 신경 써서 말하면 좋을 텐데 성격이 워낙 급하다. 웨노도 그 사실을 알기에 (시험을) 2급까지만 보고 만 것이다. 나는 웨노와 킨띠라, 미미에게 한문과 한국어를 가르쳐 주기로 했다. 발음이 잘 안 되는 웨노에겐 볼펜을 물고 발음 연습을 해보게도 하고, 칠판을 사다가 한국 승려들이 처음 절집에 들어가면 배우는 『초발심자경문』 가운데 '계초심학인문(誡初心

學人文)'을 교재 삼아 저녁마다 한문 공부를 가르쳐 주었다.

'부초심지인(夫初心之人)'으로 시작하는 '계초심학인문'은 대략 450자 정도의 한문으로 되어있다. 그 한자들이 (휴중이 은사 스님에게 배운 대로) 일상에서 사용하는 말 가운데 어디에 어떻게 쓰이는지, 다른 낱말을 보기로 들어 더 알려주었다. 그러다 보니 두세 배의 한자를 더 배울 수 있었다. 다행히도 웨노는 재미있어했다. 한자가 빨리어와 문법이 같고 글자마다 뜻이 있어 더 재밌다고 했다.

킨따라와 미미는 이런저런 일로 바쁘다고 한 번 두 번 빠지더니 아예 포기하고 웨노만 남아 열심히 배운다. 눈빛이 초롱초롱 배우는 걸 재미있어하니까 나도 열심히 가르쳐줄 수밖에 없다. 그렇게 한 달이 지나고 '한국어 능력 시험'을 보고 온 웨노는 신이 나서 들어와 말을 한다.

"스님, 스님이 가르쳐준 글자가 되게 많이 나왔어요."

다행이다. 급수도 한 단계 올라갔다. 정말 다행이다.

이별의 날이 다가오자 웨노의 부모님이 일부러 오셨다. 마을에서 난 목화 면실로 짠 깔개 이불을 선물로 가지고. 웨노의 아버지는, 예의 그 담담한 어조로 "이별로 생각지 않겠다. 마음속에 늘 있을 것이다. 그리고 언젠가 또 만나리라 믿는다. 잘 가시라"고 했다. 휴중 또한 그렇게 생각하는 게 낫다고 생각했다.

웨노, 비록 피 한 방울 섞이지 않았고, 함께 살아온 세월은 2년 남짓이지만 서로에게, 아니 적어도 휴중에게는 큰 스승으로 온 인연이다. 웨노를 통해 '나'를 보았고, 웨노를 통해 '부모의 마음'이 무언지를 (조금은) 알게 됐으니 말이다. 덕분이다. 고맙다.

붓다의 말씀을 실천하고 있다면 반드시 대상이 있기 마련이다. 가깝게 는 부부, 부모 자식, 형제, 친구, 스승, 제자, 선후배, 동료, 이웃 멀게는 사회, 사람 사는 세상 모두가 가르침을 실천할 대상이다. 벽 보고 앉아 있을 때는 바른말도 바른 행동도 필요 없다. 먼 산 바라보고 흐르는 강물 멍하니 바라볼 때는 쓸 필요가 없다. 오로지 사람과 사람 사이에서 필요한 것 이 붓다의 가르침이다.

웨노는 휴중에게 실천의 대상으로 와주었고, 곁에 있어 준 인연이다. 바람대로 그가 한국으로 공부하러 올 수 있으면 좋겠다. 휴중은 웨노와 킨띠라의 배웅을 받으며 미얀마를 떠났다.

휴중은 짐(?)이 있는 암자로 돌아왔다. 여전히 휴중을 원망하는 이들이 있고, 보이지 않는 화의 기운이 곳곳을 들쑤신다. 보시를 받은 이는 받은 이대로, 한 이는 한 이대로 그를 원망하기에 처음에는 설득을 해보려고 한다. 안 들리는듯 싶어 되물었다. "내가 그러라고 했던가요? 나의 허락을 받고 하였나요?" 그랬더니 (보시한 이가) "스님, 돈 만 원 벌기가 쉬운 줄 아세요? 한여름 불볕더위에 뜨거운 불 앞에 서 있어 보세요."

휴중은 할 말이 없어졌다. 더운 나라의 뜨거운 더위를 온몸으로 겪어보 았다. 더움과 뜨거움이 얼마나 참기 힘들고 견디기 어려운 고됨인지를 안다. 보시한 이의 고단한 삶이 보였다. (고단한 삶이든 행복한 삶이던 본인이 짓는 것이지만) 그미의 말대로 '불교 불(佛) 자도 모르고 그저 휴중만 보고 보시한 것'이기에 긴 설명 따위는 필요하지 않았다. 마음껏 원망하든 탓을 하든 다 받기로 한다.

여독을 푼 뒤, 고맙고 고마웠던 사람들을 떠올려 본다. 휴중이 미얀마에 갈 때는 물론이고 가 있을 때도 온 마음 온몸으로 사랑할 줄 알게 해준 인연들, 온 마음 온몸으로 아픔과 슬픔을 알게 해준 인연들, 온 마음 온몸으로 기쁨과 행복을 알게 해준 인연들, 온 마음 온몸으로 버리는 것이 평온임을 알게 해준 인연들이 없었다면 지금의 휴중도 없을 것을 너무도 잘 알았다.

모자라는 살림(공부) 채우러 사랑 그리움 아쉬움을 뭉쳐 마음 밑바닥에 깔아두고 아픔도 힘듦도 나 몰라라, 아닌 척 안 그런 척 내숭 떨며 담마(법) 를 얻겠다고 기웃거리고 있을 때 미처 도움을 주지 못해 미안했다는 인연들, 나르기스 태풍이 왔을 때 걱정돼 여기저기 알아보고 대사관까지 전화 했었다는 인연들의 말을 듣고, 미안하고 고마운 마음이 울컥울컥 올라와 그냥 있을 수가 없다. 연락되는 대로 찾아다니기로 했다.

먼저 휴중을 위해 여기저기 아는 사람들을 찾아다니며 한 푼 두 푼 구걸 (?)해서 보내준 인연을 만나러 아랫녘으로 향한다. 그렇게 인연 닿는 대로 하루, 이틀, 사흘 보내는데 그런 마음을 알았는지 충남에 사는 이에게 전화 가 왔다.

"꼭 들리실 데가 있어요. 밤에 발을 못 뻗고 잔다고 허니…."

함께 간 곳은 '100년 살림을 열 대의 트럭으로 들어낸, 휴중이 행자 생활 했던 절'이다. 가야 하는 까닭은 기독교 집안에서 자랐고, 가족 가운데 성 직자도 있어 불교와 가까울 기회는 가져볼 생각도 하지 않았는데, 휴중을 두 번째 만난 날, 집행관들에게 살림은 물론 불상까지 들어내는 상황도 충격인 상황에서 '행복하세요' 하고 떠나는 뒷모습이 눈에 밟히고 아파서 '도대체 어떤 인간들이 그 절을 샀을까!' 궁금하여 가보았단다. 그런데 너무도 연약해 보이는 스님들이 곳곳에 CCTV를 설치하고도 불안하여 잠도 제대로 못 자고 있더라는 것이다.

"스님이 가서 위로를 해줘야 할 것 같아요. 잠이라도 편하게 자게."

휴중은 말없이 그이가 하자는 대로 하기로 했다. 분명 터는 그대로고 건물도 그대로이지만 덧입히고 꾸민 것은 휴중이 살던 때와는 사뭇 달랐다. 휴중은 그 절의 스님들이 차려 주는 밥을 먹으면서 불안의 원인을 듣는다. 몇몇 사람들에게 험한 말을 들은 모양이다. 그래서 문밖출입도 못 하고, 잠도 제대로 못 자고 있었다는 것이다.

분명 휴중보다 승려로서의 나이나 삶의 나이도 더 많지만, 삶의 길은 붓다의 가르침 길은 아니었던 모양이다. 붓다의 가르침 대로 살았다면 불안하고 두려울 일이 없다. 휴중은 딱히 위로의 말을 하지는 않았고 다만, 있던 사실만을 이야기하였다.

순진하고 순수한 건 결코 좋지만은 않으며, 순수하다거나 착하다는 말은 지혜롭지 못하다는 또 다른 말임을 알아야 한다.

불자의 삶에는 원인과 결과법이 더 냉혹하게 오는 법이다. 붓다의 가르침 진리 가운데 고(苦:괴로움)를 여의려면 원인을 알아야 한다. '괴로움'이라는 과보는, 집착이라는 뿌리에서 나온 행위가 원인이니 잘 살펴야 한다. 사람을 탓하지 않으려 힘쓰는 한편 행위와 그 결과를 살펴서 더 큰 어긋남, 잘못됨이 없도록 '여덟 가지 바른길(팔정도)'을 잘 가야 한다.

200년 된 농가에서 첫걸음을 떼다
= 마을과 멀지도 가깝지도 않은

아랫녘부터 거슬러 올라오다 보니 어느새 윗녘이다.

휴중은 '이제부터는 묻는 이와 상황에 따라 전하자' 마음먹는다. 인사치레로 하는 말인지 진심인지 헤아릴 겨를 없이 오라는 데로 가서 머문다. 식당을 하면서 민박까지 하는 집에서 한 달을 머물며 호강하다가, 펜션을 하는 이가 오라는 말에도 망설이지 않고 갔다.

'사람 꼴을 보며 공부하기 좋은 곳이 숙박업 하는 곳일 수도 있겠다'라고 생각한 적이 있다. 숙박업 하는 이는 '사람 꼴'을 볼 줄 알아야 함을 (미얀마에서) 본 적이 있다. '인레'에 있는 게스트하우스 '아쿠아리스 인' 주인장들은 대를 이어 손님을 맞이하고 있었다. 아버지의 뒤를 이어 아들 며느리 딸이 함께 관리 운영하는데 손님이 (여행 또는) 트레킹을 마치고 들어오면 기다렸다는 듯 시원한 음료수와 과일을 가져다주었으며, 아침으로 나오는 음식도 날마다 달랐다. 뿐만 아니라 묵고 가는 날짜에 따라 인레 특산품을 선물로 주며, 마주칠 때마다 늘 웃음으로 상냥하게 대해 주어 (다시 가게 된다면) 또 가고 싶은 곳으로 기억한다.

미얀마 관광지의 몇몇 게스트하우스에서 묵어 보았지만, 그 어느 곳도 '아쿠아리스 인' 같지 않았다. 김제 스님도 '사람 꼴을 볼 줄 아는 이들'이라고 하셨는데 휴중도 그렇게 생각한다.

내게도 펜션에서 지내며 '사람 꼴' 공부할 기회가 주어진 셈이다. 펜션은

2층으로 된 목조 건물로, 산을 끼고 흐르는 계곡 자락이라 누구든 마음에 들어했고 가족들이 와도 좋을 곳이었다. 사실 돈을 내고 묵는다고는 하지만 하루를 묵으나 며칠을 묵으나 묵는 동안은 자신의 집이나 다름없다. 그러기에 방에는 묵고 간 이들의 삶의 버릇과 인격이 고스란히 남았다.

아무렇게나 버려져 있는 음식물 쓰레기 안에는 구워진 고기와 채소, 쌈장과 비닐이 한데 뒤섞여 있다. 욕실과 화장실에 걸어둔 수건이 없어지기도 했다. 일반 쓰레기와 종이, 플라스틱, 유리, 캔을 분리해서 버려달라고 분명하게 안내문을 붙여 두었지만 지켜지는 경우는 거의 없었다.

열 가족이 다녀가면 아홉 가족이 지키지 않았다. 휴중은 밥값이라 여기며 청소를 도왔는데 문득 '사는 마을과 사는 집을 떠나 다른 마을 다른 집 방에 돈을 내고 묵는 까닭은 뭘까?' 생각이 일었다.

언젠가 민박집을 운영하는 이가 하소연처럼 이불 위에서 삼겹살을 구워 먹고, 종일토록 나가 있을 거면서도 에어컨과 불을 켜놓고 나가고, 음식 쓰레기를 뒤섞어 버리는 투숙객들이 있다는 말을 한 적이 있다. 그때는 무심코 들었는데 실제로 그 현장을 보게 된 것이다. 휴중은 어느 곳에 묵던 대충이라도 청소와 정돈을 했기에 다른 이들도 그러는 줄만 알았는데 아니었던 것이다.

주인장이 '우프(WWOOF)' 호스트였기에 다른 나라에서 여행 온 이들도 왔다. 우프는 'Willing Workers On Organic Farm'의 약자로, 유기농가 및 친환경적인 삶을 추구하는 곳에서 하루에 반나절 정도(4~5시간) 일손을 돕고 숙식을 제공받는 것이다. 1971년 영국에서 시작된 우프는 현재 전 세계

150여 국가에서 활동할 수 있다고 한다. 이 활동에 참여하는 사람들은 우퍼라고 한다.

미국, 프랑스, 슬로베니아, 이탈리아, 스위스, 오스트리아 등에서 온 이들이 짧게는 며칠, 길게는 한 달 정도를 묵고 갔다. 낮에는 텃밭을 가꾸거나 나무를 베고 장작을 날랐고, 남는 시간에는 둘레를 둘러보며 나름 알찬 시간을 보내고들 있었다. 그들은 이불 위에 까는 얇은 보를 가지고 다니며 알려준 규칙은 거의 다 지켰으며 쓰레기를 함부로 버리지 않았다. 손님들이 묵고 간 방을 우프들과 치울 때면 괜시리 부끄러워졌다.

우퍼들과 함께 음식을 만들어 먹기도 했다. 저녁을 먹은 뒤에는 휴중이 지내는 방에서 차를 우려 마시기도 했으며, 산에 오르는 등 함께 보내는 시간이 많았다. 특히 2천 킬로 산티아고 순례길을 걷고 홍콩을 거쳐 한국으로 왔다는, 스위스에서 온 클라우디아와 빈센트 부부는 한 달 동안이나 머물러서 더 살갑게 지냈다. 그들은 인천공항에서 이곳으로 바로 왔으니 여기에서 만나는 사람들이 곧 '한국'일 터였다. 그래서인지 궁금해 하는 것이 많았다.

서로 말은 통하지 않았으나 사전을 찾아가며 아는 대로 설명을 해주었는데, 여행을 많이 다녀서인지 그네들에게는 표정만 보고도 알아듣는 능력이 있었다. 그들에게 붓다의 가르침, 팔정도(여덟 가지 바른길)를 알려주자 바로 알아들었다. 붓다의 가르침은 나라와 인종은 물론 성별과 나이, 직업과 종교에 상관없이 사람이라면 누구에게나 필요한 가르침이라고 하자 고개를 끄덕이며 훌륭한 가르침이란다.

날마다 (일할 때 빼고) 함께 밥을 먹고 차를 마시며 이야기를 나누다 보니 한 달을 함께 지냈을 뿐인데도 깊은 인연처럼 느껴졌다. 인연(因緣)은 因만 있어도 안 되고 緣만 있어도 안 된다. 인과 연이 잘 이어지려면 인이 먼저다. 곧, 인연은 짓기 나름이다.

　　펜션에서 두 달 남짓을 보낸 뒤 떠날 때가 됐다고 생각했다. 돈도 신도도 없이 맨땅에서 맨주먹 쥐고 처음부터 시작해야 하기에 마음에 드는 곳을 선택할 수 있는 처지는 아니다. 그럼에도 사원(寺院)이 될 조건을 꼽아본다.

"산이 가까이 있어야 한다.
대중교통인 버스가 다니는 곳이어야 한다.
인터넷이 되는 곳이어야 한다.
마을 한복판이 아니면서 마을에서 멀지 않아야 한다."

　　"짐을 풀 만한 곳이 있으면 좋겠다"라고 한 지 보름 만에 빈집이 있다는 소식이 들려왔다. 홍천의 작은 마을이다. 펜션 주인의 차를 얻어 타고 원하는 조건과 얼마나 가까운지 집을 보러 갔다. 구불구불 고개 고개를 넘어 찾아간 집은 아무도 살지 않는 빈집이었으며, 앞으로 실개천이 흐르고 집 앞에 펼쳐져 있는 청보랏빛 도라지꽃이 하늘거렸다. 귀도 맞지 않는 나무 대문에는 빗장 대신 끊어진 전선을 칭칭 감아 놓고 '들어가지 마!'라고 경고하고 있었다.

　　헛간인지 곳간인지는 기우뚱 기울어져 있고, 흙벽은 허물어지고 있건만 정이 가는 집이다. 여기저기 기웃거리는데 굴뚝 모퉁이 쪽에 돌무더기인지 담인지 모를 돌담(?)이 눈에 띈다. 그 옆으로 두어 사람은 얼마든지 드나들 수 있을 틈이 있다. 안으로 들어가 마당을 둘러본다. 흙벽에 ㅁ(미음)자로 된 옛날 집을 살기 편하게 수리를 해 놓아서 그냥 들어가 살기만 하면 되겠다. 휴중이 원하는 조건을 다 갖추고 있는 집이었다. 조짐이 좋다.

이사를 한다. 산속 암자에 주인 없이 남아있던 책 보따리와 차 살림살이와 입던 옷가지를 싸서 나왔다. 펜션 주인이 고맙게도 숟가락 두 개, 밥그릇 국그릇 두 개, 칼과 휴대용 버너 하나, 이부자리 한 채를 얹어 휴중과 함께 실어다 준다.

이사하는 날 비가 오면 잘 산다고 했던가? 비가 추적추적 오신다. 아궁이에 불을 지핀다. 흙냄새와 연기 냄새가 참으로 오래간만이다. 대충 청소를 하고는 짐은 정리할 것 없이 마루와 윗목에 밀쳐 놓고 잠을 잔 뒤 일어난 아침, 넓은 창이 있는 부엌에 앉아 밖을 내다보니 '아, 극락이 따로 없다'라는 생각이 일면서 행복이 울렁거린다. 백로 떼가 실개천에서 어슬렁거리다가 건너 솔밭 위를 날아가는 모양이 한 폭의 풍경화 같다.

그 집은 그 마을에서 천석꾼 부자가 살았던 집이란다. 소문을 뒷받침하는 듯 디딜방아가 있던 흔적이 있는 ㅁ자 집이다. (예전) 강원도에 산골 집은 거의 1자 집이거나 'ㄱ', 'ㄴ'자 집이고 'ㅁ'자 집은 드문데 그 집은 (곳간 헛간 사랑채는 나중에 달아냈지만) 'ㅁ'자 집이다. 하지만 주인이 세상을 떠나사 자손들은 바로 남에게 팔았고, 9남매를 둔 가장이 사서 아들딸 다 시집장가 보내고 살았는데 큰아들 사업 자금을 대주느라 팔았단다. 두 가족의 역사를 고스란히 품고 있는 (200년 된) 그 집은, 산자락 어느 곳에 나는 샘에서 물을 호스로 끌어와 물통에 받았다가 모터로 끌어 올려 써야 하는데 한겨울과 가물 때는 몇 달씩 물이 나오질 않았다.

먹을 물은 마을에 사는 이웃이 날마다 10리터씩 떠다 주는 덕분으로 해결하고, 허드렛물과 얼굴 씻고 손 씻는 물은 동네 우물에서 길어다 쓰면서 '물 부족 국가의 물 가뭄 체험'이라 했다. 뒷간 볼일도 넓은 밭 이곳저곳에 구덩이를 파고 해결해야 했지만 '생태 뒷간 체험'이라 여기며 살았다. 자연에는 어기려거나 거스르지 말고 그저 순응하는 게 가장 편하다.

보일러 기름값이 한 드럼에 25만 원 넘을 때 (하필이면) 벼르던 인도 성지순례를 다녀왔는데 집이 온통 냉랭하니 죽은 집 같았다. 보일러가 얼어 터졌고 지하수를 끌어 올리는 모터와 변기까지 얼어 터져 물도 못 쓰는 상황인데 어쩌나, 돈이 한 푼도 없는데….

마을의 마당발 이웃님께 설비 전문가를 불러주십사 부탁했더니 홍천에 있는 분을 불러 주었다. 휴중의 집에 온 전문가님은 찬찬히 살펴보더니 보일러와 변기, 모터도 다 갈아야 한단다.

문제는 입이 딱 벌어지는 수리비였다. 집 상태를 보면 당장 수리해야 하는 게 정상이지만 무턱대고 해서는 안 될 일, 공구를 들고 보일러실로 가려는 발걸음을 세우고 말을 한다.

"저기요, 사장님! 제가 가끔, 아주 가끔 돈이 생길 때가 있는데 그렇게 생기면 제일 먼저 갚겠습니다. 그렇게 드려도 된다면 고쳐주시고 아니면 나중에 다시 전화 드리겠습니다."

전문가님은 휴중을 빤히 바라보더니 거짓말할 것 같지는 않아 보였는지 답했다.

"그러세요, 그럼."

보일러와 변기, 모터가 전문가의 손길로 생명을 얻고 온 집안에 물과 따뜻한 온기가 살아났다. 수리비는 약속대로 적으면 적은 대로 돈이 생길 때마다 보내 겨울이 다시 오기 전에 해결했는데 전문가님은 그 뒤에도 오가다 일부러 들러 점검을 해주고는 하였다.

동장군이 기승을 부리니 가뜩이나 햇빛이 들지 않는 집안은 더 추워졌고, 마당 둘레는 얼음벽이 진을 친다. 야속하게도 겨울 장대비가 쏟아진다. 마당 안이 연못이 되고 말았다. 'ㅁ'자 마당에 가득 고인 물을 세숫대야로 퍼 나르고 있는데, '하나님 말씀을 실천하며 사는 그리스도인'으로 날마다 10리터씩 먹을 물을 날라다 주던 이웃님이 눈물을 훔치며 같이 물을 퍼내 주었다.

아는 인연 하나 없어 조금은 낯설었던 곳, 둘레에는 따뜻한 사람 따뜻한 온기가 반짝반짝 빛나고 있었다. 사람은 하기 나름이다.

'오직, 한 사람만을 위하여 아는 만큼 정성을 다하자꾸나!'

한 사람을 위한 마음
= 인터넷으로 상담을 하면서

마루 한구석에 짐이 쌓여있다. 풀어서 놓을만한 곳도 마땅히 없지만, 변변한 가구나 선반도 없기에 묶인 채 그대로 있는 것. 나쁘진 않다. 중요한 건 '마음이 편한가'인데 보니 편안하다.

오랍드리는 온통 풀밭이다. 낫을 들고 틈나는 대로 잘라낸다. 허리춤까지 자라있는 풀들은 낯선 침입자를 달가워하지 않을 일이다. 풀 뿐만이 아니라 곳간으로 썼던 곳 천장과 사랑채로 썼을 방 처마에는 박쥐들도 드나들고 있었는데 인간이 왔다 갔다 하니까 한가하게 머물지 못하고 들락거리면서 '넌 누구냐?'라는 듯 종알거린다.

미얀마에서 돌아온 며칠 뒤, 속가 어머니께서 손전화기를 사주겠다고 하신다. 여느 때 같으면 "그 돈으로 맛있는 것 사드시고 병원에 가실 때 쓰세요"하며 안 받았을 것이다. 두 아들에게 얼마 안 되는 용돈 받아서 먹고 싶고 사고 싶은 것, 안 쓰고 한 푼 두 푼 아끼고 아껴 모은 돈이라는 것을 알고 있다. 그러나 휴중은 전화기를 받고 해야 할 일이 있음을 안다. 하여, 기꺼이 "예, 고맙습니다"하고 받는다.

짐작대로, 개통된 날부터 '해야 할 일'은 시작되었다. 어머니는 죽은 지 20년도 더 된 또는 20년이 다 되어가는 남편과 시어머니를 원수 떠올리듯 떠올리며 한(恨)을 풀어 놓으신다. 징글징글했던 시집살이, 남편의 끔찍한 매질을 떠올리면서 하는 말은 휴중이 어렸을 때 귀에 못 박히도록 들었던 말들이고, 토씨 하나 달라지거나 빼는 것 없이 여전히 그대로다.

그러나 달라진 게 분명히 있었다. 휴중이다. 예전 같으면 "또 그 소리세요?"라고 마뜩잖아하며 귀를 막았는데 "아, 그러셨구나! 에구…. 못 됐네, 그 시어머니. 뭐 그런 남편이 다 있대요?"라거나, 한술 더 떠서 "왜 참고 사셨대? 그냥 도망가지 그러셨어요. 애들이야 제 복대로 살 텐데…!" 했다. 날마다 날마다 어루만져 드리는 심정으로 듣고 또 들으면서 있는 그대로의 마음으로 받아들이고 알아주려고 하였다. 그러자 목소리가 누그러지신다. "그때는 철이 없어 뭘 몰라서 그랬지요"라고 당신 자신을 객관으로 보기도 하셨다.

어머니는 어린 나이에 이 마을 저 마을 다니며 중매를 서던 이의 말에 따라 양가 어른들끼리 사주와 궁합을 보고, 결혼을 시키니까 하는 수없이 시집을 왔다. 결혼하기 싫은 걸 억지로 해서인지 사는 동안 그리 행복하지 않으셨다.

어머니는, 당신의 삶이 아닌 시어머니 마음에 들기 위한 삶을 사느라 힘드셨다. 뭘 해도 마음에 들지 않고 눈에 차지 않아 하는 시어머니 비위를 맞추려고 남편은 소 닭 보듯 한 결과 시어머니의 시집살이는 더 모질어지고, 철없는 남편은 아내가 (자신을) 남 대하듯 하니 술을 마시면 버릇처럼 폭력을 휘둘렀다.

겨우 열아홉 살 새댁에게 시어머니는 마실만 다녀오시면 '어느 집 며느리는 어떻더라' 흉을 보았는데 그 말이 꼭 '너는 그러면 안 된다'라는 말로 들렸다. 그래서 바깥에 나갔다 들어오는 남편을 반기지도 못하고, 눈도 마주치지 못했고, 아이에게 젖을 물리면서도 아이와 눈이 마주칠까 봐 다른 데를 보았단다.

겨우 스물두 살 신랑은 자신에게 데면데면한 색시가 영 못마땅했고, 곰살맞게 구는 국밥집 젊은 여인이 훨씬 좋았다. 어느 날, 술에 진탕 취해 집으로 돌아와 방문을 여는데 문이 잠겨 있었다. 문을 열어 달라고 문고리를 흔들었는데 색시가 문을 열어주지 않고 불을 훅 꺼버리는 것이었다. 거부당한 느낌이 든 신랑은 문살을 부수고 들어와 색시를 때렸다.

색시는 집안일을 하지 않고 바깥으로 도는 신랑이 참 밉지만, 시어머니의 시집살이가 더 무서워 어디에 하소연도 못 하고 그저 시어머니 눈치만 보면서 온종일 집안일 하기 바빴다. 그날도 물동이를 이고 멀리 떨어진 샘에 가서 물 길어다 놓고, 개울에 가서 빨래하고, 불 때며 아침 점심 저녁 밥 하고, 소여물 끓이고, 삼도 삼고, 틈틈이 아기 젖도 물리고…. 온종일 종종거려도 일은 끝이 없는데 날이 저물고 깜깜해지니 잠은 원수처럼 몰려와 아기에게 젖을 물리다가 그대로 잠이 들어버렸다. 그 사이 신랑이 돌아와 문을 두드린다. 잠결에 벌떡 일어나다가 그만 등잔대를 엎지르며 등잔불이 훅 꺼져버린다. 성냥을 찾느라 더듬더듬하는데 갑자기 문이 부수어지면서 신랑이 들어와 때리는 것이다. 어린 색시는 죽을 것만 같은 공포감에 그길로 깜깜한 밤길을 달음박질쳐 재를 넘고 허위허위 달렸다. 잠결에 그대로 나와 입은 옷이라고는 홑적삼에 홑치마인데도 무서워서 추운 줄도 모르고 남의 집 굴뚝 언저리에서 날을 샜다. 파출소 순경이 알아보고는 다시 집으로 들어가라고 하여 들어왔는데, 신랑은 그날 뒤부터 술만 마시면 때렸다. 또 도망갈까봐.

어머니는, 신랑이 왜 때리는지 시어머니가 왜 그렇게 시집살이를 시켰는지 당최 알 수 없었고, 그저 모질고 힘든 기억만 남아 그들이 세상 뜬 지 오래되어도 원망하는 마음이 그대로였다. 집착인 것이다.

어머니의 남편이나 시어머니는 세상에 없는 이들이다. 원망해봤자 그들이 듣는 것도 아니고, 달라질 일도 없다. 그저 원망하는 사람에게만 해로운 일이다.

전화기값이라고 생각하고 날마다 들어드리는 한편, 그 이치를 알려드리기 위해 때로는 같이 흉도 봤다가 때로는 편을 들어주었다가 때로는 상대방 처지에서 생각해보시도록 했던 말 또 하고 또 하면서 끊을 때 즈음에는 이렇게 말하고는 했다.

"가만히 생각해보면 (어머니) 시어머님은 참 불행하셨네요. 어렵게 얻은 자식들을 어릴 때 많이 잃고, 무탈하다 싶었던 외아들마저도 당신보다 앞서가셨으니. 남편도 그렇죠? 이렇게 편하고 좋은 세상, 장성한 아들들이 속 한 번 안 썩이고 제 몫 하면서 가정 꾸리고 사는 모습 한 번 못 보고 그렇게 가셨으니 말이에요. 냉정하게 보면 그저 안타까운 중생으로만 살다가 가셨으니 참 불행하고 불쌍한 양반들이죠."

"그러게요. 우리 아들은 속을 썩이기는커녕 제 앞가림 다 하고 살면서 오히려 용돈까지 주니 제가 복 받은 사람이죠. 즈그 아버지는 그런 호강도 못 하고 죽었으니 불쌍하지요."

"예, 불행한 분들이셨지요. 그러니 '가엾은 분들이셨구나!' 생각하시면서 그분들 몫까지 행복하게 사세요. 일어나는 마음 일어나는 생각 알아차림 하시면서 '어떻게 하면 더 행복할까, 뭘 하면 더 행복할까!'만 생각하고 사시자고요."

통나무를 잘라다가 엮어 지은 집은 북향이라 햇빛이 들지 않는다. 비 오는 철에는 물기까지 스미니 노래기와 쥐며느리 공벌레들이 구석구석 기어 나온다. 쓸어서 바깥으로 내보낸다. 햇빛이 안 드는 곳이 얼마나 춥고 시린지를 날마다 느끼게 해주니 발이 시리고 등이 오그라진다. 한여름이지만 버선을 신어야 하고 목 수건을 둘러야 하고 얇은 가디건이라도 입어야 한다.

아는 이가 없으니 찾아오는 이도 없다. 그저 풀 뽑고 베고, 밥 지어 먹고, 불 때는 일이 고작이다. 문명 속으로 한 걸음 나가기로 한다. 먼저 미얀마에서 드나들었던 블로그에 들어가 글을 올린다. 번역한 글을 올리기도 하고, 이런저런 일기도 써서 올린다. 그러다가 '지식iN'이라는 곳에 들어가 본다. 불자(佛子)이기에 '불교 방'에도 들어가 보고 '성격과 버릇', '가족'이라는 곳으로도 들어가 본다. 불교에 대한 질문에 답하거나, 성격이나 버릇 때문에, 또는 가족의 불화로 불편하고 괴로운 이들에게 답변을 남기기 시작했다. 고민하고 힘들어하는 이들의 글을 보면서 자신의 처지라 생각하고 자신의 마음인 듯 여기며 답글을 올렸는데, 낯선 일이라 낭패를 보기가 일쑤였다.

'정성껏, 아는 만큼만 올리자'라는 마음으로 더듬더듬 글자판을 두드리다 보면 질문자는 벌써 다른 이의 답글을 채택한 뒤였다. 아무리 답글을 정성스럽게 썼다고 해도 질문자가 읽어 볼 기회가 적겠다. 세상 사람은 참 급하구나! 생각이 들었다.

비슷한 질문에 답하고자 미리 글을 써 둔 다음 질문자에게 맞춰 조금 다듬는 식으로 전보다 빠르게 답변을 남기자 질문자의 채택을 받는 답글이 많아졌다. 지식iN은 채택된 답변 숫자에 맞게 이름을 붙여주었다. 휴중은 '불교와 성격, 가족'이라는 범주 안에서 '영웅'까지 되었다. 블로그와 지식iN에서 승려의 도리를 하는 셈이라고 생각했다.

정말로 안타까운 사연을 올린 이에게 정성껏 답글을 올리면 그 마음이 통했는지 '마음이 편해졌다'는 댓글까지 남기는 이들이 있어 무조건 '하루에 세 번 이상 올리자'라는 마음으로 노트북 앞에 앉고는 했다. 그러다가 누군가로부터 '카페를 만들어 보라'는 말을 들었다. '블로그도 겨우겨우 하는데 카페를 어떻게!'라는 생각이 잠시 일었지만, '블로그는 불특정 다수가 드나드는 곳이지만 카페는 원하는 이들만 들어오는 곳이라니까 붓다의 가르침을 바로 올리면 되겠구나!'라는 생각이 들었다. 그래서 카페를 만들기로 했다.

그러나 아무런 지식이 없어 어떻게 만드는지를 모르겠다. 아는 이의 도움을 받아 겨우 이름만 올리고 글을 써서 올리는데, 어디론가 사라지고 없다. 다시 처음부터 쓴다. 쓰고 또 쓰고, 쓰고 또 쓰고….

인터넷 기능을 전혀 모르니까 하나하나 부딪치면서 터득해가기로 한다. 임시저장을 할 줄 몰라 썼던 글이 날아가면 처음부터 다시 쓰기를 얼마나 했을까! 생병이 났나? 까닭 모르게 온몸이 너무 아팠다. 겨울을 나고 봄이 되자 얼었던 땅이 풀리듯, 북향집 추위에 얼었던 몸이 녹느라 그러는지 아프지 않은 곳이 없이 움직이지도 못하겠다. 일산의 큰 병원으로 가서 진찰해보니 '심장에 무리가 갔다'라며 '무슨 스트레스를 받았는가?' 묻는다. 아무리 생각해도 스트레스를 받을 일은 없다. 혼자 살면서 무슨 스트레스이겠는가?

"스트레스 받을 일이 없었는데요."

대답하고는 '혹시?' 하는 마음으로 조심스럽게 물었다.

"요즘 인터넷 카페를 만들고 글을 올리는데, 당최 기능을 몰라서 헤매기를 몇 달째 하고 있는데 그것도 원인이 될까요?"

"그럼요, 엄청나게 영향을 받지요"

그랬구나, 그렇구나! 모르는 세계를 알아가는 일은 사람의 마음을 알아주는 것만큼이나 조심스럽고 어려운 일이다.

이고득락(離苦得樂)이 뭘까!
= 처지 바꿔 생각하고 말하자

'붓다가 사셨던 방식으로 살아보자!' 마음먹고, 신도는커녕 아는 이 한 명 없는 곳에서 쓰러져가는 농가를 빌려 산 지도 어느덧 한 해가 넘었다. 인터넷 상담을 하면서 '불교'의 삶을 좀 더 잘 살아 보겠다는 마음에 책을 사보았다. 그런데 어떤 책은 제목만 마음에 들고, 어떤 책은 머리말만 눈에 확 들어오고, 불교를 모르는 이들이나 안다고 해도 삶이 바뀔 것 같지 않을 그런 내용이다.

그러다가 『붓다를 죽인 부처』(2011, 인물과사상사)라는 책을 만났다. 러시아가 고향이지만 한국이 좋아 고대 한국(가야)사로 박사학위를 받고 2001년에 한국으로 귀화까지 한 '박노자' 씨가 쓴 책이다. 한국이 고향이 아니므로 좀 더 객관의 눈으로 썼을 듯하고, 쓴소리도 날카롭게 잘하는지라 기대를 하고 읽었다.

그런데 책을 다 읽고 보니 본인의 견해를 풀면서 어느 어른 스님과의 대담을 뒷받침했는지, 어른 스님과 나눈 이야기에 본인의 견해를 뒷받침했는지, 통찰력으로 쓴 글이긴 하지만 불교의 가장 중요한 알맹이가 누구나 '알고 있고, 안다'라고 여기는 것 같아 씁쓸했다. 여느 불교책과 오십보백 보였다.

"아니어요. 불교는, 붓다의 가르침은 그게 아니어요. 우리가 잘못 알고 있는 거예요. 어쩌면 당신이 이해하고 있는 게 맞을지도 몰라요"라고 말하고 싶어진다. 그러나 논리 있게 말할 자신도 없고 만날 일은 더더군다나 없다. 그러나 분명 어딘가에는 붓다를 허공에 띄워놓지 않고 죽이지도 않고 그저 '삶'으로 받아들이고 사는 이도 있을 것이다. 휴중은 '삶으로 말하는 수밖에' 없겠다 생각한다.

지식iN에 올린 글을 보고 이메일로 길고 긴 글이 왔다. 간추리자면, '일곱 살 때 엄마가 칼에 찔려 살해당하는 장면을 목격했고, 그 뒤 새엄마에게 구박받으며 살다가 열세 살 때부터 돈 벌러 세상에 나와 온갖 갖은 고생하며 살았는데 몇 년 전 아버지가 자살했고, 그 뒤 밤마다 악몽에 시달리며 문득문득 자살 충동이 일어 괴롭다'는 내용이었다.

이메일로 답글을 보내기에는 가슴이 먹먹하게 미어져 너무나 아프고 아렸다. '목숨이 달린 위급한 상황이 아니라면 시간 내 차비만 가지고 오라'는 글을 보냈다. 그이는 '사기꾼일지 모른다. 천도재나 구병시식 하라고 하면 돈도 없는데 어떻게 하려고 그러냐?'며 말리는 이들을 뿌리치고 휴중을 만나러 왔다.

휴중은 날마다 오롯이 그이를 위해 시간을 보낸다. 새벽까지 그의 아픈 삶의 이야기를, 그이의 처지와 삶으로 이해하려 하며 들어주고 정성껏 어루만져준다. 다행히도 첫날부터 잠을 잘 잔다. 그렇게 열흘쯤 머물다 (많이) 밝아져서 돌아갔다. (그 뒤로도 몇 번 다녀가면서 이전과는 전혀 다른 삶을 살고 있어 참 다행한 일이다.)

별 바쁨 없는 어느 날, 어렵게 불사를 마무리하신 남해 스님의 극락전(極樂殿) 낙성식에 초대를 받았다. 모처럼 먼 길 나서려 준비를 하는데 갑자기 어른 스님께서 대학병원 응급실에 실려 가셨다는 연락을 받는다. 가려던 발길을 걷어 서울로 향한다. 병원에 도착하니 수술실에 자리가 나지 않아 응급실에서 오래 기다리는 동안 더 위급해진 스님의 수술은 무려 아홉 시간이 걸렸고 끝나자마자 바로 중환자실로 옮겨 상태를 지켜봐야 하는 상황이 되었다.

대기실에서 기다리는 다른 스님들에게 '자리를 지키고 있을 테니 들어가라. 무슨 일이 있으면 연락하겠다'하고 보호자 대기실로 갔다. 중환자실은 하루에 두 번, 아침과 저녁 정해진 시간에 맞춰 주어진 시간만큼 면회해야 했다. 하루에 세 번 마을로 드나드는 버스는 시간도 맞지 않을뿐더러 홍천 터미널로 나와서 서울을 오가기에는 무리라 아예 보호자 대기실에서 머물기로 했다.

면회 시간을 뺀 나머지 시간에는 (낮 또는 저녁에는 병원 법당 주지 스님이 열쇠를 주면서 배려하여) 병원 법당에 가서 명상을 하거나 차를 마시며 시간을 보냈고, 밤이면 보호자 대기실에 놓여 있는 의자 서너 개를 끌어다가 두루마기를 덮고 잠을 잔다.

면회 시간이 가까워지면 보호자들이 하나둘 왔다가 가는 보호자 대기실에는 늘 사람이 많았다. 누군가는 책을 읽고 누군가는 잠을 자고 누군가는 뜨개질하고 누군가는 일을 보러 나가지만, 며칠이 지나니 눈인사를 나누는 인연들이 늘어갔다. 사실 중환자실에 절박하고 위급한 환자를 둔 보호자들이기에 남의 일에 관심을 가지고 물어볼 여유도 없다. 며칠 서로 눈인사를 나누다 보니 하소연처럼 하는 이야기들이 그저 귓등으로 들릴 뿐이다. 아버지가 친구들과 회를 드시고 오셨는데 며칠 지나 허벅지가 썩어들어가더니 생식기까지 위험하여 곧 허벅지를 절단해야 한다는 사연을 가진 자식들, 아들이 오토바이를 타다가 사고가 났는데 들어둔 보험도 없고 월세 보증금을 빼서 어찌 수술은 했지만, 병원비를 내지 못하여 쫓겨날 처지라 기력이 다 빠진 부모도 있었다.

휴중도 보호자로 있기는 하지만 (더군다나) 승복을 입었기에 대놓고 물어보는 이가 없고, 서로 이야기를 나눌 일도 없었다. 승려가 병원에 가는 일을 자연스럽게 여기지 않는 풍조가 있다는 선입견이 있어서인지 다른 보호자들의 사연을 듣고 싶지도 않고 아는 척하고 싶지도 않았다.

그런데 눈에 들어오고 마음에 들어와 쿡쿡 찌르는 이들이 있었다. 날마다 같은 시간에 오는 자매였다. 자매의 무게는 왠지 다르게 느껴졌다. 그날도 면회 시간이 되자 보호자들은 서로에게 "잘 다녀오시라" 인사를 하며 흩어져 나갔다. 휴중은 자매에게 다가가 손을 잡고 이야기했다.

"아무 걱정하지 마시라고 말씀해드리세요. 어머니께서 의지대로 말로 표현 못 하고 움직일 수 없으니 의식이 없는 듯 보이지만 듣는 마음은 온전하시니, 그저 아무 걱정하지 마시라고 말씀드리세요. 한숨 쉬고 울기만 하지 마시고요."

중환자실에 계시는 자매의 어머니가 갑자기 의식불명이 되었고 며칠째 아무 표현이나 말을 못 하고 그저 누워계시기만 한다는 말을 들었던 터라 위로를 해주고 싶었나 보다. 자매는 면회 가서 휴중이 일러주는 대로 한 모양이다. 어머니가 편해지신 듯하다고 했다.

다음 날도, 또 다음 날도 그렇게 하면서 어머니와 자식 사이에 있던 일 가운데 서운하고 기뻤던 일들을 표현하며 맺힌 것을 풀라고 했다. 이를테면, "엄마, 그때 많이 서운했지? 미안해. 이제 어른이 되고 보니 엄마 마음 알겠어" 라거나, "엄마, 사실 그때 속상하고 서운했어. 하지만 이젠 괜찮아"라는 식으로 어릴 때 또는 어른이 되어서도 맺혔던, 또는 맺힌 듯 여겨지는 일이 있으면 편하게 말하면서 맺힌 걸 다 풀어 드리는 시간으로 쓰면 된다. 걱정되고 불안한 마음으로 한숨만 쉬면서 있으면 어머니 또한 걱정되고 불안한 마음이 된다고 말해주었다.

사나흘 지났을까, 자매의 어머니는 꼭 쥐고 있던 주먹을 펴고 찡그렸던 얼굴도 펴고 잠자는 듯 아주 편안해 보인다고 했다. 그러면서도 자매는 뭔가 불안하고 걱정스러운 표정은 걷지 않는다. 할 말이 있는 듯 머뭇머뭇하더니 말한다.

"사실은요. 저희 어머니가 무속인이셨어요. 병원 오시기 전에 늘 '아무 걱정하지 마라, 내가 다 정리해 주고 가꾸마' 하셨는데 갑자기 이렇게 되셨거든요. 그래서요."

자매의 어머니는 몇십 년 동안 무속인의 삶을 살았는데, 부모(또는 조부모)가 무속인이었으면 그의 자식들이 대물림한다는 우리나라 속설(俗說)을 믿어 늘 '걱정하지 마라. 내 대에서 끝내고 갈 거다'라는 말씀을 하신 모양이다. 그런데 어느 날 갑자기 의식불명인 상태로 중환자실에 입원하고 말았으니….

자매의 걱정과 불안은 (더 나아가 두려움은) 무거워 보였다. 휴중은 자매에게 '마음작용'에 대해 설명해주면서 어머니의 삶은 그저 많은 직업인, 수많은 직업 가운데 하나의 직업이었을 뿐으로 알고 여기라고 덧붙였다. 긴 가민가 미심쩍어하는 듯하여 "법당 주지 스님께 가서 상담하실래요? 이 병원에 24년 동안 계시면서 온갖 위급한 환자와 그 가족들을 만나셨더군요. 스님을 만나 법문을 들어보면 좋겠어요. 안내해 드릴게요" 하고 자매를 병원 법당으로 안내한다.

법당에 들어서 자매와 휴중은 인사를 하고 앉았다. 스님은 차 한 잔씩을 건네더니 분명하고도 짧게 한마디 하신다. "욕심 많은 자식에게 가게 돼 있어요. 어머니가 그 삶이 싫다면서도 왜 했겠어요? 자식들 먹이고 입히고 공부한 돈…. 생기는 게 있으니까 하신 거잖아요? 그게 싫으면 신앙생활을 하세요. 그래도 어머니가 불교와 가깝게 살았으니 이왕이면 불교 신앙생활을 하세요. 그런데 요즘은 불교를 제대로 이끌어줄 스님 만나기가 힘들어요. 그러니 이 스님 꽉 잡아요. 이 스님과 얘기해보니 여러분을 제대로 이끌어줄 만큼 공부를 하셨더군요."

'엥!' 이럴 때, 혹 떼려다 혹 붙였다 해야 할까…!

자매는 남동생과 의논을 해보겠다고 하였고, 의논을 한 뒤 가까운 절의 스님들과도 상담한 모양이다. 어머니가 돌아가시면 49재를 지내드리고 싶은데, 휴중은 절도 없고 일체의 의식(儀式)은 하지 않는다고 하니 언제든 찾아갈 수 있는 가까운 절에서 하고 싶었던 것인데, 상담을 했던 스님은 49재는 지내줄 수 있으나 어머니가 모셨던 신당(神堂)은 걷지 못하겠다고 했단다. 그건 함부로 걷는 게 아니라며.

다시 휴중에게 의논해 오기에 그들의 고민을 해결해주겠다 했다. 휴중의 깜냥으로 그래도 반듯하게 잘 사는 스님 두 분과 함께 신당을 걷어주기로 했다. 한 스님은 휴중을 믿거나 하였고, 또 한 스님은 은사가 '그건 함부로 걷는 게 아니니 법주(法主)가 없으면 도와주겠다' 했다면서 어찌하는 게 좋을지 의견을 물어왔다.

'동토(動土) 난다' '함부로 하는 게 아니다' '상문(喪門) 살(殺)이 들었다' '부정 탔다' 등 우리나라의 무속신앙이나 토속신앙의 정서는 '가리는 게 참 많다'라는 걸 새삼 느낀다. 휴중은 말과 고정관념에 끄달리지(집착) 않고, 분별심에 휘둘리지 않고 있는 그대로 보고 듣고 말하고 느끼려 깨어 있는 마음, 평정심을 문지기로 세워두었다. 그리고 붓다의 가르침대로 하겠다는 의지를 보이자 의견을 물었던 스님은 곧바로 "아, 스님만 믿겠습니다" 한다.

우리는 불교의식으로 형제들의 불안을 잠재우고, 사람으로서 지니고 지켜야 할 덕목, 다섯 가지 계(戒)와 붓다의 말씀(經典)을 받아 지니게끔 하고 불자가 되었음을 알려준다. 그리고 안방에서 몇십 년 동안 자리 잡고 있던 신당까지 말끔히 정리해 주었다.

자매의 어머니는 편안한 모습이지만 여전히 의식을 표현하지 못하고, 자가 호흡이 안 되어 목에 구멍을 뚫고 숨줄을 달았는데, 대학병원은 제3차 의료기관이라 더는 있을 수 없어 요양병원으로 가서 두 달 더 계시다가 (여전히 편안한 모습으로) 가셨다.

자매와 남동생은 어머니가 늘, '내가 다 정리해 주고 가꾸마'라고 했던 뜻이 '스님을 만나게 하려고 (대학) 병원으로 오신 모양이다'라고 믿으며 십 년 남짓, 지금껏 인연을 이어오고 있다.

불상(佛像) 없이 목탁도 치지 않고 살다 보니 사람들로부터 "왜 기도를 하지 않느냐?" 또는 '공부만 하는 중'이라는 말을 심심찮게 듣고는 한다. 그러고 보니 미얀마에서도 스님들에게 흔히 듣던 말이 "공부하러 와서 왜 공부는 하지 않느냐?"였다.

늘 기도하고 공부하고 있는데도, 보는 이들에겐 그렇게 보이는 모양이다. 어쩌면 붓다가 사셨던 방식의 삶은 그렇게 보이는지도 모를 일이다. 오죽하면 붓다의 (촌수로는) 사촌 동생이자 제자인 데와닷다는 붓다께, 승단은 엄격해야 한다면서 "(모든 출가 비구(니)는) 숲속에서 살도록 해야 한다. 신도들의 공양청을 받지 말고 탁발만 해야 한다. 버린 천으로만 가사를 지어 입고 새 천으로 지은 가사는 입으면 안 된다. 나무 아래나 무덤 사이에서만 살아야 한다. 생선이나 고기를 먹으면 안 된다"라며 계율에 대한 시비를 걸었을까.

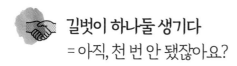

길벗이 하나둘 생기다
= 아직, 천 번 안 됐잖아요?

전화벨이 울린다. 낯선 번호다. 잠깐 망설이다가 받는다.

"여보세요?"

"예, 저는 보현행이라고 하는데요. 아는 분이 스님께 전화해 보라고 해서요."

그미는 힘들 때 아는 이를 따라서 집에서 그리 멀지 않은 절에 갔고, 그절 스님들이 일러주는 대로 백일기도는 물론 108배, 천 배 절을 무릎이 닳도록 하였단다. 처음에는 괴롭고 힘든 일이 생각나지 않아서 참 좋았단다. 틈나는 대로 절에 가서 절하고 올 수 있는 것을 다행으로 여기면서 열심히 다녔단다. 얼마쯤 지났지만 여전히 힘들고 괴로워서 큰스님이 법문하는 곳을 찾아다녔단다. 그리고 틈나는 대로 경전을 베껴 쓰는 기도를 하고, 철마다 며칠씩 템플스테이를 다녀오기도 했단다. 그리고 또 템플스테이에서 청천벽력과도 같은 말을 들었단다. 템플스테이 지도 법사가 "보살님, 보살님은 이제 절에 가지 마세요. 있는 곳에서 공부하면 됩니다" 하더란다. 절에 가는 걸 행복으로 알고 다녔는데 가지 말라고 하니 행복은 어디에서 찾는단 말인가! 눈앞이 캄캄해진 그때 아는 이가 '그 스님한테 가보라'며 휴중의 연락처를 주었고, 조금의 망설임도 없이 전화한 것이란다.

첫 만남에 무려 여덟 시간 동안 괴로움과 기쁨이 돌고 도는, 살아온 세월 속을 들락날락하였다. 다행히도 목마름이 가시는 느낌이고 편안해지는 느낌이란다. 그다음 날부터 날마다 전화를 받기 시작했다. 그렇게 몇 년이 흘렀다.

"여보세요~ 아는 분이 알려주셔서요. 찾아가 봬도 될까요?"

"예, 그럼요. 오셔요."

20대부터 절에 다녔고, 사는 곳을 옮겨도 가까운 절에 다녀버릇해서 힘들 때마다 절에 가는 게 버릇이란다. 초하루 보름은 물론이고 절 행사 때는 나물과 음식을 해가면서 불자의 도리를 해왔단다. 그러나 어느 때부터 절에 가도 편안하고 평안해지는 게 아니라, 절에만 다녀오면 큰 짐을 지고 온 듯 느껴지고 고민이 되더란다. 그 까닭을 살피다가 부처님 말씀을 공부하면 나을까 싶어, 가까운 곳에 공부를 가르쳐줄 스님이 있는 절을 찾는데 마침 누가 휴중이 있는 곳을 알려주었단다. 망설일 까닭이 없어 바로 전화했고 미루지 않고 찾아온 거란다.

휴중은 그미의 이야기를 듣고 이레마다 있는 공부 모임(법회)에 나오면 좋겠다고 한다. 비록 두세 명이지만 '사람 만나기 어려운 이 시골에서 두세 명이면 어딘가! 고맙습니다'라는 마음으로 이레마다 담마(법) 모임을 하기로 했고, 지금껏 빠지는 적 없이 출석하고 있다. 그렇게 몇 년이 흘렀다.

홍천 농가는 가뭄이 길어지면서 반년이 넘게 물이 나오질 않았고, 겨울은 닥쳐서 '중이 사람들을 걱정시키고 있구나!' 싶어 봉평에서 담마 모임에 나오는 벗의 집에서 신세를 지기로 했다. 세 칸짜리 집에서 두 칸을 차지하고는 찾아오는 이들을 만나던 휴중은 가끔 마을 카페로 장소를 옮겨 사람들을 만나고는 했는데, 어느 날 주인장으로부터 가까운 이웃 면(面)

대화에서 왔다는 젊은이를 소개받는다. 휴중은, 젊은이에게 만나서 반갑다는 인사와 함께 "여기에서 가까운 곳에 있으니 이곳에 오는 길 있으면 차 마시러 와요"라는 말을 건넸다. 젊은이는 정말로 가끔 오는 길에 농사지은 브로콜리 몇 개 또는 감자 몇 알을 소중히 들고 차를 마시러 왔다. 차를 마시면서 조곤조곤 궁금한 걸 묻는다. 아는 만큼 알려준다. 그렇게 몇 년이 흘렀다.

이름난 인문학 강연회에 갔다. 그곳에서 만난 분이 휴중이 사는 데를 물어왔다. 알려드리자 찾아오셨다. 독실한 크리스천이지만 살날이 길지 않다 여기며, 마음의 평화를 얻고자 인문학 강연이든 책으로 목마름을 해결하려는데 목마름이 가시지 않아 '혹시나!' 하는 마음으로 오셨단다. 몇 주 참여하시더니 미국 신학자 '폴 니터'의 '붓다 없이 나는 그리스도인이 될 수 없었다'라는 글이 가슴으로 이해가 되더라며, '죽는 날까지 꼭 필요한 공부'라고 여기며 이레마다 빠지지 않고 오신 지 두 해쯤 되어 간다.

우연히 친구 따라 아이와 함께 온 젊은 새댁도 있다. 한 번 두 번, 어떤 때는 밥을 먹고 어떤 때는 차를 마시고는 했는데, 이레마다 '마음과 명상 공부'를 하고 있음을 알게 됐다. 그러지 않아도 힘든 일이 있었는데 '한 번 해볼까!'라는 마음으로 참석하겠단다. 한 번 두 번 하다 보니 너무 편안해진 느낌이란다. 아주 특별한 일이 아니라면 빠지지 않고 참석한다. 그렇게 해를 넘기고 있다.

벗이 벗에게 알려주고, 벗은 벗과 함께 온다. 벗이 벗과 함께한다. 조금은 덜 괴롭고 조금은 더 행복한, 하나둘 인연 닿고 길벗이 되고 있음에 휴중도 기꺼이 길벗이 된다. 사람의 길을 함께 가는 길벗이 하나둘 늘고 있다.

어떤 날은 아침부터 전화로, 또 어떤 날은 찾아온 벗과 새벽까지 이야기를 나눈 끝에 "마음의 힘을 키울게요" 다짐의 말을 한다.

"마음의 힘을 키워야 하는 건 맞지만, 그 말은 좀 막연하지요? 구체로 어떻게 키울 것인가, 무엇을 어떻게 실천할 것인가 생각해 봐요. 어떤 말을 듣고 판단하고 결정해야 한다면 깊이 생각하고 해요. 목구멍까지 올라오려는 말을 '꾸울꺽' 삼키고 다시 한번 생각해보는 겁니다. 상대방의 처지나 또 다른 상황에서도 한 번 생각해보고, 그렇게 이리저리 여러 각도로 생각해보는 걸 버릇을 들이자고요. 그렇게 하다 보면 '마음의 힘'이 커질 겁니다."

"예, 해볼게요. 안 되면 또 전화할게요."

"그래요, 그렇게 몇 번 생각했는데도 판단하고 결정하기 어렵다면 다시 전화해요. 내가 무슨 결정을 해주지 못하지만 이렇게 들어주면서 상대방의 처지나 다른 상황에서도 생각해보도록 도와줄 테니까요. 말하다 보면 정리가 되고, 덜 후회할 방향으로 좀 더 분명하게 결정을 할 수 있을 겁니다."

"자꾸 전화하기 미안해서요."

"미안해하지 말아요. 중은 그러라고 있는 거니까. 세상에 막 태어난 아기가 '엄마'라는 말을 하는데, 얼마나 걸릴까요?"

"한 일 년이면 하지 않을까요?"

"그럴 수도 있고 그렇지 않을 수도 있어요. 왜냐면 아기가 '엄마'라는 말을 얼마나 자주 들었는가에 따라 다르니까요. 연구 결과에 따르면 아기는 '엄마'라는 말을 무려 3천 번 정도 들은 뒤에야 처음으로 한 번 한다네요.

그런데 우리는 몇십 년 동안 '나' '나의 것' '나의 견해'라는 걸 세우고 굳히면서 살았잖아요? 그렇게 세운 견해 가운데에는 잘못된 견해와 집착도 있는데, 그걸 버리면서 '바른 견해'를 세우며 자기 것으로 만들어야 하는 거죠. 그러니 3천 번 들어서 내 것이 되겠어요? 아무 (탐진치 번뇌의) 때가 묻지 않은 아기 상태에서 3천 번 듣고 난 뒤에 한다는데. 그래도 현명하니까 천 번 정도만 들으면 되지 않을까요? 그러니 백 번 천 번 같은 말 물으세요. 저도 백 번 천 번 같은 말 할 테니까요. 천 번, 아직 안 됐잖아요?"

모두가 천 번 물을 각오하고 법을 묻는다면 우리 땅별은 벌써 극락이 됐고 천국이 됐으리라. 그러나 천 번은커녕 열 번 백 번도 묻지 않고 한 번 왔다가, 몇 번 왔다가, 몇 달 왔다가, 몇 년 왔다가 제자리에서 맴맴 돌다가 '어렵다, 잘 안 된다' 또는 '바쁜 일이 있어서…'이 핑계 저 핑계 대면서 한 발짝도 앞으로 못 가고 끝내는 그만두고 마는 이들도 있다.

애달파 하지 않는다. 전생(지난 삶) 같으면 안타깝고 애달파 전화를 해서 나오라고 했겠지만, 굳이 그러지 않는다. 만날 사람은 돌아가도 만날 것이고 끊어질 인연은 매달려도 끊어지는 법이니까. 눈앞에 있는 사람에게 정성을 다하자꾸나 다짐한다.

전화로 안 되겠다 싶으면 휴중이 있는 곳으로 달려오는 이도 있다. 밤 늦게까지 또는 아침 일찍부터 틈만 나면 사람의 길을 묻는다. 온통 시간을 그를 위해 쓴다. 밥 지어 먹을 시간조차 없다. 배가 고프면 밥파는 집으로 간다. 밥을 시키고 기다리는 동안에도 목마름을 해결하기 위해 쉼 없다. 한 달 두 달 석 달, 일 년 이 년 삼 년….

일어나는 생각이 달라졌고, 대상과 상황을 바라보는 마음이 달라졌고, 이쑤시개 같던 성질이 면봉이 되었단다. 욱하던 것이 많이 줄었단다. 의심과 욱하는 마음은 일어나지만 크게 휘둘리지 않는단다. 욕심이나 질투, 들 뜸에 놀아나지 않는단다. 남편과 아이들이 달라지기 시작했고, 소원으로 빌었던 일들이 하나둘 이루어지고 있단다. 불안하고 걱정하던 마음이 줄었단다. 마음에 힘이 생겼단다. 한숨 쉬던 숨결이 많이 평온해졌단다. 들뜨던 목소리가 많이 차분해졌단다. 욕망이 들끓던 눈빛이 맑아지고 많이 고요해졌단다. 성냄의 독기로 고르지 않던 심장 박동 소리가 편안해졌단다. 말만 꺼내면 뚝뚝 흐르던 눈물이 짧아졌단다. 역지사지 마음이 생기더란다.

그러면서도 벗들은 아직도 제 자리인 것만 같아 죄송하다고 휴중에게 미안해하면서 '아직도(島)'라는 섬을 찾는다. 휴중은, 미안해하지 않아도 된다. 너무나 훌륭하다. 그래도 전보다는 나아졌잖아요? 라며 '그래도(島)'라는 섬을 띄워준다. 붓다께서는 '자신 안에 섬을 의지하라' 하셨다. 사실 이 섬(島)은 알맞게 잘 써야 한다. 게으르고 뒷걸음질 칠 때는 '그래도'를 찾으면 안 되고 '아직도'를 찾아야 하리라.

'붓다의 삶의 방식'이 정확히 보이지는 않는다고 한다. 경험으로 보면 맞는 말이라고 하고 싶다. 그러나 사람마다 다르기에 '맞다, 맞지 않다'로 말

할 수 없다. 그저 살아가는 동안 간 만큼의 삶이 증명할 것이다. 그렇게 믿는다.

오늘도 휴중은, (전화로 또는 찾아온 이와) 같은 (또는 비슷한) 말을 듣고 또 듣고 또 듣고, 했던 말 또 하고 또 하고 있다.

사람으로 왔는데 중생으로 갈 수는 없잖아
= '담마'를 몰랐다면

휴중은 '담마'를 만나지 못했을 때와 (조금이나마) 만난 뒤의 삶이 180도 달라졌다. 오죽하면 '그때 알았더라면…!'이라는 생각을 했을까.

담마는 말 뿌리(어근) 다라(dhara)에서 나온 말로 그 뜻은 '지닐 만한 것' '늘 지니고 닦을 만한 것'이라고 한다. 즉 '팔정도(여덟 가지 바른 길)'다. '바른 앎' '바른 생각' '바른 말' '바른 행동' '바른 표정' '바른 노력' '바른 알아차림' '바른 마음가짐'이라는 담마는 사람과 사람 사이에서 써야 할 덕목들이다. 그러기에 담마는 사람과 사람 세상을 행복하고 평화롭게 만들어주는 만능열쇠다. 크지도 않고 부담스럽지 않아 늘 지닐 수 있다. 늘 지니고 행하다 보면 그토록 원하던 삶이 곁에 와있다.

그러나 거룩하고 훌륭한 이 담마, 곧 여덟 가지 바른길을 모르고 행하지 않기에 사람들은 작은 일에도 성내고 휘둘리고 힘들어한다. 특히 뜻하지 않은 상황에 맞닥뜨렸을 때는 더욱더 힘들어한다.

느닷없이 전 세계 모든 이들의 삶에 끼어든 코로나19로 바쁘거나 한가한 곳이 많고 많아졌다. 검진과 방역 일을 하는 이들이 바쁜 건 두말할 것도 없다. 마스크와 소독제 열 체크기를 만드는 이들이 바빴고, 배달업을 하는 이들과 자연 속 캠핑 시설을 운영하고 있는 이들이 바빴다고 한다. 그리고 많은 양의 마스크를 만드느라 중고 재봉틀이 동이 났고, 따라서 그동안 일거리가 많지 않던 재봉틀 (고치는) 기사도 바빴다고 한다.

병원이나 제약회사는 일희일비한다고 한다. 마스크를 쓰면서부터 감기에 걸린 이들이 줄어 감기약이 팔리지 않았다고 한다. 우울증이나 불안증을 겪는 이들을 상담하는 이들은 바빴다고 한다. 바쁜 곳은 그나마 낫다. 그러나 일자리를 잃거나 생계가 막막해진 이들도 있다. 힘들고 어려운 건 사실이다.

문제는 뜻밖의 어쩔 수 없는 상황을 만나면 하다못해 누군가를 원망하고 탓하면서 주저앉는다는 데 있다. 자신만 힘들어하는 게 아니라 가까운 이들까지도 힘들게 한다는 데 문제가 있다.

행복은 자신이 잘해서 오는 것이고, 불행은 누군가 잘못해서라고 남의 탓을 하는 사람들이 있다. 하다못해 정부 탓, 나라 탓이라도 해야 한다. 자신의 나약하고 성숙하지 못한 마음과 이별하지 못했기 때문이라는 사실은 알지 못하고, 안다고 해도 스스로 부정하기 때문이다.

얼마 전 건강보험 공단에서 '마음 건강검진'을 받으라는 안내장을 우편으로 보내왔다. 오늘날의 세태와 정서를 그대로 알려주는 일이다. 한편으로는 '많이 발전했구나!' 싶었다. 그전에는 마음이 아픈 것은 쉬쉬하면서 떳떳하지 못한 일로 터부시하였다. 손가락 끝에 피만 나도 약을 바르라 하면서 마음에 중병이 든 건 감추려고만 했는데, 이제 건강보험공단에서 당연히 검진해야 할 일로 알리고 있으니 반가운 일이다.

어쨌거나, 담마를 배우고 익히고 행하는 이들은 어지간한 일에는 눈 하나 꿈쩍 않는다. 어떤 일이든 올 뿐이고 갈 뿐으로 안다. 있으면 있는 대로 좋고, 없으면 없는 대로 좋다고 여긴다. 힘든 일이나 어려운 일이 닥치면 공부의 기회로 삼기에 원망할 일도 아니고 탓할 일도 아니며 그저 고마운 일일 뿐이라고 안다.

휴중은 얼마 전 지나다가 들른 어느 스님으로부터 '경제 관념 없는 답답하고 고집 센 중'이라는 말을 아주 점잖게 들었다. 나이가 드는 일에 돈이 없으면 안 되고, 돈이 있어야 추하지 않다며. 중도 잘 풀려야(?) 존경받는다는 말은 덤으로 한다.

"중이 잘 풀려야 한다는 건 (뜻이) 뭘까요?"

짐짓 모르는 척 물었더니 결국 '돈'이었다. '돈이 있어야 무시당하지 않는다'라고 쐐기를 박듯 말한다.

나는 그렇지 않다 생각한다. 승려가 잘 풀리고 잘 풀렸다는 것은 붓다의 가르침, '담마'대로 살면서 욕심과 성냄에서 얼마나 놓여났으며 휘둘리지 않고 자유롭게 사는가, 또 얼마나 많은 이들을 괴로움에서 벗어나게 했는가에 달렸다고 본다. 그렇지 않은가?

세상 모든 분야에는 전문가가 있다. 전문가들은 누구나 쉽게 할 수 없는 경지에 이른 이들이다. 승려는 중생이 괴로움을 소멸할 방법을 물으면 자세히 일러줄 수 있는 전문가이고, 전문가여야 한다. 물론 본인 자신이 먼저 괴로움을 소멸한 경지에 이르면 더할 나위 없이 성공한 전문가이리라.

그런데 승려가 돈이 없으면 가까운 이들로부터 존경은커녕 부담스러운 존재가 된다니 참으로 서글픈 현실이 아닐 수 없다. 휴중은 "승려도 정년 퇴직이 있으면 좋겠네요. 60세나 65세가 넘으면 승복을 벗고, 불자들에게 부담 주지 않게 말입니다"라는 군소리로 (그 스님과는) 생각이 많이 다름을 표현하였다.

휴중은 숫자에 약하고 논리에도 약하다. 수학 공식 하나 제대로 외우는 게 없다. 딱딱한 낱말, 불교 전문 용어라 일컫는 말도 별로 좋아라 하지를 않는다. 아비담마에 마음이 끌리지 않았던 까닭도 (아마도) 수학 공식 같았기 때문일 것이다.

경전에 나오는 붓다의 제자들에 빗대어 본다면 '쭐라 반특가'에 가깝다. 높은 계급의 어머니와 낮은 계급인 아버지는 주위 사람들에게 축복을 받기는커녕 도망 다니며 살다가 형제를 길에서 낳았다. 그래서 '길에서 낳았다'라는 뜻의 '반특가'라는 이름을 붙여주었다. 형제는 외할아버지 덕에 출가했는데, 형인 '마하 반특가'는 똑똑해서 가르쳐 주면 잘 외우고, 법문도 잘하는데 아우 '쭐라 반특가'는 하나를 가르쳐 주면 하나를 잊어버리고 도무지 외우지를 못하니 형이 '사원에서 나가 집으로 가라'고 했다. 쭐라 반특가가 집으로 가기 싫어 사원 들머리에서 울고 있는데 붓다께서 보시고, 그동안의 사연을 듣고는 '외우지 않아도 되며 우리 안에는 맑음을 물들이는 티끌이 있으니 티끌을 없애야 하는 것이 더 중요하다'라며, 한마디만 잊지 않고 계속하면 된다고 알려주었다고 한다. 앉으나 서나 걷거나 움직이거나 '라조하라낭(rajoharaṇaṃ), 라조하라낭, 라조하라낭, 라조하라낭…!' 우리말로 하면 '티끌 없애기'인 그 말을 앉으나 서나 하다가, 마당을 쓸고 방을 닦는 어느 순간 이치를 깨달았다고 한다.

휴중도 이치로 설명하면 이해를 하는 '쭐라 반특가'처럼, 이치가 이해가 되지 않으면 알아듣지도 못하겠고, 연도와 숫자는 도무지 외워지질 않으니 '어느 경전 어느 쪽 몇째 줄에 있는가?' 묻는다면 모른다고 할 것이다. 마찬가지로 하얀 말이 맞는가, 백마(白馬)가 맞는가, A가 맞느냐, a가 맞는가? 따진다면 머릿속이 하얘질지도 모른다. 숫자나 낱말이 중요한 게 아니라 '내 안의 탐진치가 얼마나 소멸했는가'가 더 중요하다고 믿는다. 승려라면 말이다.

근본 스승(붓다)의 가르침(담마)은 '낱말'이나 전문 용어(用語)에 있지 않다. 그런 까닭으로 용어에 집요하게 매달리는 이를 보면 마음이 답답해진다. 붓다께서는 "나는 이렇게 하였노라. 얻었노라" 하면서 길을 일러줄 뿐이니 해보라 하였다. 그래서 해보니 되고 있고, 하는 만큼 후회와 걱정이 줄어들고 있음을 조금은 알겠다.

탐진치 소멸이 되고 있는지, 되었는지는 본인만 알 수 있다. 아무리 '척' 하여도 자신은 안다. '척' 하는가, 아닌가를. 아무리 오랜 세월 공부하고 수행했을지라도, 아무리 많은 불교 용어를 알지라도 일반 사람과 다름없이 탐진치를 쓴다면 붓다의 가르침을 따르는 불자가 아니다.

담마(붓다의 가르침)를 알고 있는지, 담마를 행하는지, 담마의 길을 가는지는 본인만이 안다. 만약, 휴중이 지금까지 '담마'를 제대로 설명해주는 스승을 만나지 못했다면, 그저 '낱말'에만 매달렸다면 지금쯤 어떻게 살고 있을까!

빙의(憑依:귀신이 몸에 들어왔다는)가 되었다며 찌는 한여름인데 (몸을) 씻지도 않고 (머리를) 감지도 않고, 옷 보퉁이 하나 껴안고 여기저기 헤매다가 냄새 풀풀 풍기며 어느 스님에게 찾아온 여인을, 구병시식(救病施食:병을 치료하기 위해 귀신에게 음식을 베풀고 법문을 하는 일)이나 천도재(薦度齋:죽은 이를 좋은 길로 인도하는 일)로 구해 주지 않고, (마음에서) 원인을 찾고 마음을 치유하게끔 일러주지 못했을 거다.

아버지를 살해하고 교도소에서 형을 살고 나왔어도 괴로워하는 이, 엄마가 살해당해 죽어감을 보았으며 새엄마에게 학대 당한 이, 어린 나이에 돈 벌러 나서 술집을 전전하다가 어둡고 막다른 길까지 들어섰던 이, 아버지가 자살하는 걸 본 뒤 악몽에 시달리다가 자살 충동을 느끼는 이의 말을 몇 년씩 들어주지 못했을 것이며 보듬고 품어주며 악몽에서 헤어나오게 할 수도 없었을 것이다.

미혼모라는 자책감에 어둠의 터널 한가운데 서 있던, 군대에서 고문관으로 고통받던, 죽기 전에 자식들에게 대물림하지 않도록 잘 정리해 주겠다던 어머니가 의식불명이자 두려워하던, 어린애를 두고 출가했다는 괴로움에 사로잡힌, 사주팔자로 1년 밖에 못 살고 죽을 것이라는 점쟁이들의 말에 두려움과 불안 걱정에 쌓인, 깊은 모태신앙으로 연애 한 번 못하고 결혼했는데 남편과 한 방 한 이불 속에서 있는 것이 끔찍하게 싫어 온갖 핑계로 피하다가 죽음 직전에 손을 내밀던 이들의 손을 잡아주지도, 그 상황에서 벗어나게 돕지도 못했을 거다.

갈등하는 연인, 용기가 고픈 이, 치매 걸린 어머니를 보는 아들딸, 동료와 상사와의 갈등으로 힘들어하는 직장인, 바람피우는 배우자를 둔 아내(남편), 부도로 길거리에 나앉을 상황 가정파탄에 놓였던 이들로부터 '지금은 행복합니다. 덕분입니다'라는 인사 같은 것은 듣지 못했을 거다.

무엇보다도 모진 시집살이와 남편에게 맞던 기억에 집착돼 고통의 날들을 보내던 어머니가 집착에서 조금씩 놓여나는 일은 없을 거다.

그저 "전생에 지은 업이 두터워 그러니 간절히 업장 소멸을 위한 기도를 하세요"라는 말만 하며, 그래도 힘들다면 "간절하지 않아서 그런 것이니 더 간절하게, 무릎이 닳고 목소리가 갈라질 만큼 염불하고 절하고 기도하세요"라고만 하고 있었을 것이다.

붓다와 담마(붓다의 가르침), 스승의 가르침 덕분이다. 불교는 삶을 이롭게 하는 법이 맞다. 그러므로 위대하다.

물론, '어느 불교가 맞다'라고 딱 잘라 말할 수 없다. 그러니까 '테라와다가 맞고 '대승불교가 아니다'라고도, '대승불교가 맞고 테라와다가 아니다'라고도 할 수 없다. 테라와다에서도 '마하시가 맞고 모곡이 아니다'라고도, '쑨룬이 맞고 파욱이 아니다' '파욱이 맞고 쉐우민이 아니다'라고도 할 수 없다. 대승불교, 한국불교에서도 '참선이 맞고 수식관은 아니다'라고도, '위빠사나가 맞고 참선은 아니다'라고도 할 수 없다. 저마다의 이해에 달려있다.

뛰어난 말, 준마(駿馬)는 채찍의 그림자만 보아도 어떻게 달려야 하는지를 안다고 한다. 그러나 둔한 말은 채찍으로 맞고도 잘 못 알아듣는다고 한다. 그렇듯이 붓다께서도 모두를 교화하고 제도하지 못하셨다. 아무리 설명을 잘하여도 알아듣지 못하고 이해를 못 하면 어쩔 수 없다.

이해한 만큼 행할 것이고 이해한 만큼 평안해지리라. 그러다 보니 붓다라는 한 스승의 제자들도 저마다 자기가 이해한 만큼 일러주었을 것이다. 그 결과 테라와다파(派), 대승파, 밀교파가 생겼을 테고, 다시 또 참선파,

위빠사나파, 자비파가 생겼을 테고, 위빠사나파에서도 또 마하시파, 찬메파, 쉐우민파, 빤디따파, 파욱파, 모곡파, 쑨룬파들이 생겼을 테다. 한국불교에서도 참선하는 파, 절하는 파, 염불하는 파, 사경(寫經)하는 파가 생겼을 것이다.

누구나 준마와 같다면 얼마나 좋을까! 불행히도 그렇지 못하다. 그러므로 붓다의 가르침을 따라 행하면서 내 안의 섬(아직도, 그래도)을 찰나찰나 곰곰 살피는 수밖에 없다. 살핌에 욕심과 성냄, 어리석음에 휘둘리지 않는다면 후회하지 않고 부끄럽지 않고 당당할 수 있을 것이다. 어떤 상황을 만나도 들뜸이나 걱정과 불안이 줄어들고 마침내는 일어나지 않게 될 것이다.

휴중은 2600년 전 우리 인간 세상에서 걸림 없는 자유인으로, 행복한 삶을 살다 가신 붓다의 가르침(삶)을 분명하게 믿는다. 그러기에 배운 만큼 따르고 아는 만큼 행하려 하고 '할 뿐인 행'을 하면서, 적어도 사람으로 왔으니 갈 때도 사람으로 죽고 싶을 뿐이다. 그저, 중생으로 죽지 않고자 할 뿐이다.

'담마'의 삶은 '보이지 않는 보호가 있으리니'라는 말을 실감하는 날들이다.

그리고,

어쩌다 보니 여기까지 왔습니다. 지난해 말 책을 짓기 위한 시간을 가졌지만 이 글은 아니었지요. 이 책은 "스님이 잘하는 걸 써보면 어떨까요?"라는 출판사 대표님의 격려 덕분에 세상에 나왔습니다.

코로나 때문에 모두가 힘든 시간을 보냈습니다. 현실도 힘든 것도 있지만 불안과 두려움이 더 큰 까닭이지요. '때문'이 저에게는 '덕분'이 되었습니다. 여느 일상은 달라지지 않았지만, 한 달에 한 번 가던 지방을 가지 않고, 이런저런 일로 외출할 일을 만들지 않아 글을 쓰는 데 집중할 수 있었기 '덕분'입니다.

바른 승관(僧觀)을 지니도록 일깨워주신 은사님, 제대로 공부하도록 일깨워주신 어머니, 담마를 제대로 이해시켜주신 스승님, '법혜'를 쓸모 있게 해주시는 봉평 담마톡 벗들과 아산 담마톡 벗들, 그리고 글을 쓰는 동안 응원해주신 분들 모두…! 고맙고 고맙습니다.
모쪼록 건강, 평안, 평화가 함께하는 가운데 진정 자유로워지시길 태기산 자락에서 법혜 두 손 모둡니다.

사람으로 왔는데 중생으로 갈 수는 없잖아

지극히 평범하고 게으른 산골중의 성장기

초판 1쇄 발행 2021년 3월 19일

지은이 ── 법혜
펴낸이 ── 박유상
펴낸곳 ── ㈜빈빈책방
편 집 ── 배혜진
디자인 ── 박주란

등 록 ── 제406-251002017000115호
주 소 ── 경기 파주시 회동길 325-12, 3층
전 화 ── 031-955-9773
팩 스 ── 031-955-9774
이메일 ── binbinbooks@daum.net
페이스북 ── /binbinbooks
네이버 블로그 ── /binbinbooks
인스타그램 ── @binbinbooks

ISBN 979-11-90105-17-0